남북한 유엔 가입

지지 교섭 4

ASEAN 및 유엔, 미수교국

남북한 유엔 가입

지지 교섭 4

ASEAN 및 유엔, 미수교국

한국학술정보

| 머리말

유엔 가입은 대한민국 정부 수립 이후 중요한 숙제 중 하나였다. 한국은 1949년을 시작으로 여러 차례 유엔 가입을 시도했으나, 상임이사국인 소련의 거부권 행사에 번번이 부결되고 말았다. 북한도 마찬가지로, 1949년부터 유엔 가입을 시도했으나 상임이사국들의 반대에 매번 가로막혔다. 서로가 한반도의 유일한 합법 정부라 주장하는 당시 남북한은 어디까지나 상대측을 배제하고 단독으로 유엔에 가입하려 했으며, 이는 국제적인 냉전 체제와 맞물려 어느 쪽도 원하는 바를 성취하지 못하게 만들었다. 하지만 1980년대를 지나며 냉전 체제가 이완되면서 변화가 생긴다. 한국은 북방 정책을 통해 국제적 여건을 조성하고, 남북한 고위급 회담 등에서 남북한 유엔 동시 가입 등을 강력히 설득한다. 이런 외교적 노력이 1991년 열매를 맺어, 제46차 유엔총회를 통해 한국과 북한은 유엔 회원국이 될 수 있었다.

본 총서는 외교부에서 작성하여 30여 년간 유지한 남북한 유엔 가입 관련 자료를 담고 있다. 한국의 유엔 가입 촉구를 위한 총회결의안 추진 검토, 세계 각국을 대상으로 한 지지 교섭 과정, 국내외 실무 절차 진행, 채택 과정 및 향후 대응, 관련 홍보 및 언론 보도까지 총 16권으로 구성되었다. 전체 분량은 약 8천 쪽에 이른다.

2024년 3월

한국학술정보(주)

| 일러두기

· 본 총서에 실린 자료는 2022년 4월과 2023년 4월에 각각 공개한 외교문서 4,827권, 76만 여 쪽 가운데 일부를 발췌한 것이다.

· 각 권의 제목과 순서는 공개된 원본을 최대한 반영하였으나, 주제에 따라 일부는 적절히 변경하였다.

· 원본 자료는 A4 판형에 맞게 축소하거나 원본 비율을 유지한 채 A4 페이지 안에 삽입하였다. 또한 현재 시점에선 공개되지 않아 '공란'이란 표기만 있는 페이지 역시 그대로 실었다.

· 외교부가 공개한 문서 각 권의 첫 페이지에는 '정리 보존 문서 목록'이란 이름으로 기록물 종류, 일자, 명칭, 간단한 내용 등의 정보가 수록되어 있으며, 이를 기준으로 0001번부터 번호가 매겨져 있다. 이는 삭제하지 않고 총서에 그대로 수록하였다.

· 보고서 내용에 관한 더 자세한 정보가 필요하다면, 외교부가 온라인상에 제공하는 『대한민국 외교사료요약집』 1991년과 1992년 자료를 참조할 수 있다.

| 차례

정 리 보 존 문 서 목 록					
기록물종류	일반공문서철	등록번호	2020080041	등록일자	2020-08-20
분류번호	731.12	국가코드		보존기간	영구
명 칭	남북한 유엔가입, 1991.9.17. 전41권				
생 산 과	국제연합1과	생산년도	1990~1991	담당그룹	
권 차 명	V.13 한국의 유엔가입 지지교섭 : ASEAN				
내용목차	* 말레이시아, 인도네시아, 필리핀, 태국, 싱가포르, 브루나이 * ASEAN-SOM(5.14-16, 말레이시아) 결정 내용: - 아세안 회원국이 아닌 국가와 관련된 문제에 관해 공동입장 표명 선례 없음을 감안, 아세안 각국이 개별적으로 한국의 유엔가입 지지입장 표명하기로 함. * ASEAN 회원국들의 중국 고위인사 접촉시 한국 입장 지지요청				

0001

관리 번호	91 -31

분류번호	보존기간

발 신 전 보

번 호 : WTH-0054 910110 1154 FC 종별 : WMA -0033 WUN -0038

수 신 : 주 태국, 말련 대사. 총영사 (사본 : 주유엔대사)

발 신 : 장 관 (국연)

제 목 : 북한총리 방문

1. 북한 연형묵 총리의 귀지 방문(태국 1.29-2.1, 인니 2.1-4, 말련 2.4-7)과 관련, 주재국측이 연총리와 한반도 정세에 관한 논의등 자연스러운 기회에 최근 국제적 분위기와 고양된 유엔의 위상에 비추어 북한이 남한과함께 조속 유엔에 가입하는 것이 바람직하다는 점을 주재국 입장으로 적절히 언급해 주도록 주재국 정부에 요청하고 결과 보고바람.

2. 동 요청시 다음 입장을 적의 참고 설명바람.

가. 우리정부는 작년 각각 3차에 걸친 고위급회담 및 실무대표 접촉시 북측에게 남북한이 다함께 유엔에 가입하는 것이 바람직하다는 점을 누누이 설득코자 하였으나, 북한측은 기존입장을 고집하였음.

나. 북한측도 45차 총회 기조연설 결과등을 통하여 단일의석 가입안에 대한 국제적 평가가 어떠하다는 점을 잘 알고 있을 것인 바, 북측 체면상 우리측 설득 보다는 국제적 설득이 효과적일 것으로 사료됨.

다. 또한 이번 계기에 연총리에게 ~~설득~~ 언급하는 것은 귀국후 자신의 방문국 결과 보고시 남북한의 유엔가입문제에 대한 각국 견해를 ~~전달~~ 보고하는 계기를 마련해 주는 것이 될 것이며, 이는 북측의 경직된 정책결정 과정을 고려할때 바람직할 것으로 사료됨. 끝.

(차관 유종하)

예 고 : 1991. 6. 30. 일반문에 의거 일반문서로 재분류됨

이수국장 : 정문국장 :

보안 통제	

앙 고 재	91년 1월 9일	유엔과	기안자 성명	과 장	국 장	1차보	차 관	장 관

외신과통제

0002

가필하지 기안자 02 01

관리 번호	91 -52

외 무 부

종 별 :

번 호 : MAW-0047 일 시 : 91 0111 1600

수 신 : 장관(아동,국연,기정,사본:국회 사무총장)

발 신 : 주 말련 대사

제 목 : 국회 외무통일위 시찰단 방마결과

대:WMA-0033,0932

연:MAW-0022,0004

1. 박정수 국회 외무위원장 일행은 당지에서 예정된 연호 일정을 모두 마치고 금 1.11 페낭 향발하였음.

2., 동 일행은 1.9 주재국 상원의장, 하원의장 면담, 상원의장 주최 만찬에 참석한데 이어 1.10 ABU HASSAN 외무장관과 면담(본직 동석)한바, 동 면담시 주요 언급 내용 아래 보고함.

가. 유엔 가입 문제에 대한 지속적인 지지 요청

0 박 위원장은 지난 45 차 유엔 총회시 동 외상이 아국의 유엔 가입을 적극 지지하는 발언을 해준데 사의를 표하고 한국은 북한을 국제사회에서 고립시키려는 것이 아니라 가능하면 북한과 함께 유엔에 가입하기를 희망하고 있음을 설명하고 북한이 이에 응하도록 하기 위하여는 국제사회의 압력및 여론조성이 긴요함을 지적, 말련측이 내월 연형묵 총리 방마시 여사한 입장을 북한측에 적절히 언급하여 줄것을 요청함.

나. 아국의 아세안 PMC 참여

동 문제에 대한 주재국 정부의 적극적인 주도에 사의를 표한바 동 외상은 현재 아세안 외상으로부터 자신의 서한(한국의 아세안 PMC 참가 지지 요청내용)에 대한 긍정적인 회신을 비공식적으로 받고 있다고 하면서 내주 ASC 에는 각국 대표가 자국 외상의 위임을 받아와 동건이 타결 될것으로 본다(VERY BRIGHT)고 언급함

다. 동 아시아 경제 협의체

최근 마하틸 수상이 제창한 동 제안의 배경 설명에 대하여 동 제안이 전향적 IDEA 이며 협의를 요하는 제안이라고 언급함.

아주국 장관 차관 1차보 2차보 국기국 안기부 국회

PAGE 1 91.01.12 01:56

외신 2과 통제관 DO

0003

라. 중동 사태 전망

ABU HASSAN 외상은 최근 미.이락 외상회담이 비록 결렬되었으나 아직 시간이 남아있으며 유엔 사무총장등이 중재노력을 계속하고 있으므로 최후까지 희망을 포기해서는 안될것이라고 말함. 끝

(대사 홍순영-국장)

0004

관리 번호	91 -82

원 본

외 무 부

종 별 : 지 급

번 호 : THW-0077 일 시 : 91 0116 0700

수 신 : 장 관(국연,아동)

발 신 : 주 태국 대사

제 목 : 북한총리 방문시 유엔가입문제 협조요청

대 : WTH-0054, WEM-0001

1. 본직은 1.15(화) ARTHIT 외무장관을 면담, 유엔가입과 관련한 아국입장을 설명하는 한편, 연형묵 북한총리 방태시(1.29-2.1)태국측의 협조를 요청하였음

2. 이에대해 ARTHIT 장관은 태국은 한국의 유엔가입 입장을 지지한다고 말하면서 연형묵총리 방태시 대호(WTH-0054)한국측 요청을 태국입장으로 소화하여 자연스럽게 북한측에 종용하겠다고 말했음

(대사 정주년-국 장)

예 고 : 91.6.30. 일반
예고문에 의거 일반문서로 재분됨

국기국 장관 차관 1차보 2차보 아주국 정와대 안기부

PAGE 1

91.01.16 10:58
외신 2과 통제관 BW

0005

관리번호	91-116

외 무 부

종 별 :

번 호 : THW-0084　　　일 시 : 91 0116 1350

수 신 : 장 관(아동,유엔대사)

발 신 : 주 태국 대사

제 목 : 유엔가입 지지요청

연 : THW-0077

1. 본직은 1.16(수) 아침 말련으로 향발하는 ARTHIT 외무장관을 공항귀빈실에서 면담하는 기회에 연형묵 북한 총리 방태시(1.29-2.1) 태국측이 유엔가입과 관련 아국입장을 태국입장으로 소화하여 적절히 언급하여 주도록 재차 요청하였음

2. 이에대해 동장관은 남. 북한이 남한. 북한의 STATUS QUO 에 비춰 볼때 유엔에 함께 가입하는것이 바람직하다는 요지로 연 총리 방문시 언급하겠다고 말했음

(대사 정주년-국 장)

19 예고: 91. 6. 30 일반

아주국　　국기국

PAGE 1　　91.01.16 16:24

외신 2과 통제관 BN

0006

관리 번호	91-115

원 본

외 무 부

종 별 :

번 호 : UNW-0112　　　　일 시 : 91 0116 1530

수 신 : 장관 (국연,아동,기정)

발 신 : 주 유엔 대사

제 목 : 유엔가입 추진 (연형묵 순방)

대: WUN-0085

1. 대호 관련, 당지 미대표부의 RUSSEL 아시아 담당관은 1.16. 당관 금참사관에게 연형묵 북한총리가 태국 외에 말레이시아 및 인도네시아를 순방 예정인것으로 듣고있다고 하면서 미측으로서는 현지 미국대사관을 통해 아국의 유엔가입 문제등에 관한 입장을 순방국에 사전 전달하고 주재국이 이를 북한측에 적의 설득해 줄것을 계획중이라고 말함.

2. 아국의 유엔가입 추진을 위해서는 아시아 국가의 지원이 긴요한 만큼, 연형묵의 동남아 순방 일정을 확인, 해당국 주재 아국공관으로 하여금 미대사관 과의 긴밀한 협조하에 유엔가입 문제에 관한 아국입장을 주재국에 사전 설명하고 이에대한 협조를 요청토록 조치 바라며 주한 미대사관및 국무성에 대해서도 미측의 적극적인 지원을 촉구바람.

3. 본건 관련 조치 및 진전상황을 수시 회시바람. 끝

(대사 현홍주-국장)

예고: 91.12.31. 일반

검토필(1991.6.30.)

국기국	장관	차관	1차보	2차보	아주국	안기부

PAGE 1

91.01.17 06:07

외신 2과 통제관 DO

0007

공 란

공 란

공 란

관리 번호	91 -98

원 본

외 무 부

종 별 :

번 호 : USW-0269 일 시 : 91 0117 1847

수 신 : 장관(국연,미북,아동)

발 신 : 주 미 대사

제 목 : 유엔 가입 추진(연형묵 동남아 순방)

대 WUS-0182

대호 연형묵 총리의 동남아 순방관련, 당관 마영삼 서기관은 금 1.17. WILL LMBRIE 국무부 유엔과 부과장 및 JERRY LANIER 한국과 정무담당관을 접촉, 유엔 가입 문제에 대한 아국 입장을 방문국 정부가 연총리에게 설득하도록 미측이사전 협조해 줄것을 요청했는바, LMBRIE 부과장은 적극 지원하는 방안을 검토하겠다고 했음.

(대사 박동진- 국장)

91.12.31. 일반고문에 의거 일반문서로 재분류

검토필(1991.6.30.)

국기국 차관 1차보 아주국 미주국

PAGE 1

91.01.18 09:01

외신 2과 통제관 BT

0011

관리 번호	91 -102

외 무 부

종 별 :

번 호 : MAW-0094 일 시 : 91 0118 1700

수 신 : 장관(아동,국연,정이,기정,국방)

발 신 : 주 말련 대사

제 목 : 북한총리 방마(자료응신 2호)

대:WMA-0025

1. 본직이 금 1.18 ZAINAL ABIDIN 외무부 의전장과 면담함. 동 의전장은 1.17 유재환 당지 주재 북한 대사를 초치, 1.16 페만에서의 전재 발발과 관련 2.4-7 로 예정된 연형묵 북한 총리의 방마 연기 가능성을 완곡하게 타진한바 있다고 언급함.

2. 상기 연기제의에 대해 북한 측으로부터의 반응을 기다리고 있다고 하는바 진전사항 추보하겠음. 끝

(대사 홍순영-국장)

예고: 91.12.31 일반 예고문에 의거 일반문서로 재분류

검토필(1991.6.30.)

아주국 차관 1차보 2차보 국기국 정문국 안기부 국방부

PAGE 1

91.01.18 20:26

외신 2과 통제관 CH

0012

관리 번호	91 -103

외 무 부

종 별 :

번 호 : MAW-0097 일 시 : 91 0118 1800

수 신 : 장관(아동,국연,정이,기정,국방)

발 신 : 주 말련 대사

제 목 : 북한 총리 방마(자료응신 3호)

대:WMA-0025,33,71

연:MAW-1671

1. 1.18 오상식 참사관은 WONG 외무부 동아과장과 면담, 연형묵 북한 총리 방마관련 그간의 진전사항을 문의한바, 동 과장 언급 내용 아래 보고함.

가. 금번 연 총리의 방마는 양국간 실질토의 사항이 있어서라기보다 기본적으로 친선 방문의 성격이라고 볼수 있으며 경제적으로도 무역(지난해 수출입 합계 500 만 미불 내외), 투자등이 미미한 실정잉서 특별한 현안이 없음.

나. 따라서, 양국 수상회담 의제도 국제정세, 지역정세, 양자관계등 LOOSE 한 형태로 이미 합의하였으며 쌍방이 자유롭게 의견을 개진하는 방식을 취할 예정임.

다. 양자관계 논의시 북측은 다음 사항을 거론할 것으로 예상된다고 하면서이에대한 주재국측 입장을 설명함.

1) 유엔 가입문제

0 북한은 최근 자국의 국내 정치 상황 설명후 남북한의 유엔 가입문제에 대한 주재국 입장 재검토 요청가능

0 본건에 관한 주재국의 한국 지지 방침은 지난해 마하틸 수상 방한, 45 차유엔 총회 기조 연설등에서 이미 명백히 밝힌바 있으므로 남북한의 조속한 유엔가입이 궁극적인 한반도 통일여건 조성에 도움이 될것임을 독일, 예멘을 예로 들어 설명예정(대호 포함, 동 관련 자료는 이미 수상실에 보고)

- 본직은 내주중 MAJID 정무차관보와 면담, 본건 재차 당부 예정.

2) 협정체결

0 북한측은 금번 방문의 성과(국내 홍보용)로서 비록 실질적인 내용은 없더라도 양국관계 증진을 위한 일반적 내용의 협정체결을 제의할 가능성이 있음.

아주국 차관 1차보 2차보 국기국 정문국 안기부 국방부

91.01.18 20:28

외신 2과 통제관 CH

0 상기 협정 내용에 대해 상금 구체적으로 논의한바는 없으나 JOINT COMMISSION 설치, 무역증진을 위한 공동 노력등의 내용이 포함될것이라고 하며 주재국측은 이에 반대치 않는 입장.

3) 합작 투자및 구상 무역

0 상기건은 북측이 항상 제의해 오는 문제로서 정부 차원에는 반대치 않으나 이는 민간 업계간의 문제이므로 정부가 관여할 성질이 아니라고 대응(그러나,양국간 경제 체제상이, 북한의 외환문제등으로 말측 민간업계의 관심 자체가 미미한 상태임.)

2. 금번 방한시 연 총리는 부인외에 김복신 부총리겸 경고업 위원회 위원장, 정송남 대외 경제 사업부부장, 주정일 외교부 부부장등 28 명이 수행 예정이라고 하며, 방마 일정은 양국 수상회담, 국왕예방, 팜 오일 연구소(PORIM), 고무연구소(RRI), PROTON SAGA 등의 산업시찰및 수행 각료들의 별도 회담을 각각 추진중에 있다고함. 끝

(대사 홍순영-국장)

예고:91.12.31 일반

의거 일반문서로 재분류

검토필(1991.6.30.)

PAGE 2

0014

관리 번호 91-169

외 무 부

종 별 :

번 호 : DJW-0156 일 시 : 91 0125 1115

수 신 : 장관(아동,미안,국연,정이,기정)

발 신 : 주 인니 대사

제 목 : 연형묵 동남아 순방(자료응신 제8호)

대:WDJ-0098

연:DJW-0146

본직이 1.24. WIRYONO 외무성 정무차관보를 면담, 북한의 IAEA 핵안전협정 서명문제와 유엔 한국문제등에 관해 협의한 결과를 아래 보고함(이참사관 배석)

1. 북한의 IAEA 핵안전협정 서명문제

가. 본직이 북한의 동 협정서명 필요성과 서명지연에 따른 우려를 표명하고연형묵 방문시 동건을 거론하여 줄것을 요청하였음.

나.WIRYONO 차관보는 연형묵 방문시 주로 경제문제가 논의될 것이라고 전제하고 자신은 캄보디아문제 협의를 위해 2.1.-7. 일간 월남과 태국을 방문하는 ALATAS 외상을 수행할 예정이고 대신 외교연구원장으로 하여금 북한 외교부 부부장을 만나게 할 예정이며, 따라서 인니로서는 금번 연총리 방문시 북한과는 중요정치문제 협의는 가급적 피할 생각이므로 외교연구원장과의 협의는 다소 학술적인 성격을 띄게될 것이라고 설명하였음.

다.WIRYONO 차관보는 사견임을 전제하고 전항의 인니입장에 비추어 금번 접촉에서는 북한의 IAEA 핵안전협정 서명문제를 거론할 분위기가 안될 것으로 보지만 ALATAS 외상에게 보고하여 지침을 받도록 하겠다고 하였음.

라. 또한 WIRYONO 차관보는 IAEA FRAMEWORK 내에서 동문제를 해결하는 것이좋겠으며, 주재국은 IAEA 총회, 이사회등에서 북한의 핵안전협정 서명을 촉구하겠다고 부언하였음.

2. 한국의 유엔 가입문제

가. 본직은 성공적인 북방정책에 따른 한반도 정세 변화와 한-인니간의 실질적인 협력관계의 증진 및 아국의 PMC 참여에 따른 ASEAN 과의 긴밀한 관계를 감안하여

아주국	장관	차관	1차보	2차보	미주국	국기국	정문국	안기부

PAGE 1

91.01.25 22:37

외신 2과 통제관 CE

0015

주재국이 아국의 유엔가입 입장을 지지하여 줄것을 요청하고, 제 45 차유엔총회에서 각국의 남북한 관련 기조연설 결과를 부연 설명하였음.

나.WIRYONO 차관보는 한국입장을 충분히 이해(PERFECTLY UNDERSTANDING)한다고 하면서 남북한 동시 유엔가입이 통일에 장애가 된다는 북한의 주장은 독일,예멘통일등으로 설득력이 약화되었으며, 북한의 입장이 어렵게 되었다고 언급하였음.

다.WIRYONO 차관보는 아국의 유엔가입 신청시기와 중국의 거부권 행사 여부등에 깊은 관심을 표명하면서, 본직이 전달한 관련자료(제 45 차 유엔총회시 각국의 기조연설 결과와 한-인니간 실질협력관계등을 종합하여 주재국의 아국입장 지지 필요성을 강조한 설명자료)를 참고하겠으며, 외상에게도 보고하겠다고 하였음. 끝.

(대사 김재춘-국장)

예고:91.12.31. 일반

19 . . . 에 예고문에 의거 일반문서로 재분류

검토필(1991. 6. 30.) 서명

PAGE 2

0016

관리 번호	91-167

외 무 부

종 별 :

번 호 : MAW-0145 일 시 : 91 0125 1700

수 신 : 장관(아동,국연,정이,기정,국방)

발 신 : 주 말련 대사

제 목 : 북한 총리 방마(자료응신 6호)

연:MAW-0094

WONG 외무부 동아광장에 의하면, 연형묵 북한총리는 걸프사태에도 불구, 당초 예정대로 동남아를 순방 할것이라함. 끝

(대사 홍순영-국장)

91.12.31 일반 예고문에 의거 일반문서로 재분류

검토필(1991. 6. 30.)

아주국 차관 1차보 2차보 국기국 정문국 안기부 국방부

PAGE 1

91.01.25 19:06

외신 2과 통제관 BA

0017

관리번호	91-168

외 무 부

종 별 :

번 호 : MAW-0146 일 시 : 91 0125 1700

수 신 : 장관(아동,국연,정이,기정,국방)

발 신 : 주 말련 대사

제 목 : 북한 총리 방마(자료응신 7호)

대:WMA-0079,0078,0033

연:MAW-0097

1. 본직은 1.25 CHOO 외무부 아주국장과 면담, 연형묵 북한 총리의 방마관련 대호 남북한의 조속한 유엔가입, IAEA 핵안정 협정체결및 북한의 STATE 테러리즘 포기등이 아측의 관심사항이라고 말하고 양국 회담시 주재국측이 상기 문제관련, 북한측에 설명내지 설득하여 줄것을 협조 요청함.(동 국장에게 상기문제에대한 아측 입장을 요약한 메모랜덤 전달)

2. 이에대해 동국장은 주재국은 이미 지난 유엔 총회에서 한국의 유엔 가입을 분명하게 지지 발언한바 있으며, 지난 9 월 제네바 개최 NPT 평가회의시 북한의 IAEA 안정 협정 체결을 촉구하는 등 상기 문제에 대한 아국의 입장을 숙지하고 있다고 하면서, 금번 말련-북한 총리회담에서도 여사한 입장에서 연 총리를 납득시키도록 노력하겠다고 대답함.

3. 아울러, 동 국장은 연 총리의 금번 방마는 별 SUBSTANCE 없이 동남아 순방길에 들리는 것으로서 주재국은 가볍게 생각하고 있으며 양국간 회의도 도착일오후 잠깐 만날예정으로 있는등 깊이 있는 협의가 될것으로 보지 않는다고 하면서 연 총리 방마결과를 아측에 알려주겠다고 말함. 끝

(대사 홍순영-국장)

예고:91.6.30 일반문에 의거 일반문서로 재분류됨

아주국 장관 차관 1차보 2차보 국기국 정문국 안기부 국방부

PAGE 1

91.01.25 19:09

외신 2과 통제관 BA

0018

관리번호 91-124

"한사람이 지킨질서 모아지면 나라질서"

주 인 도 네 시 아 대 사 관

인니(정) 2000-36　　　　1991. 1. 26.

수신 : 장 관

참조 : 국제기구조약국장, 아주국장

제목 : 유엔한국문제 설명자료

연 : DJW-0156(91.1.25)

1. 연호, 본직이 1.25. Wiryono 외무성 정무차관보에게 전달한 아국의 유엔가입 문제에 대한 설명자료(국.영문)를 별첨 송부합니다.

2. 동 자료는 아국의 기본입장을 중심으로 제45차 유엔총회시 각국의 기조연설 결과와 한-인니간 실질협력관계등을 종합하여 주재국의 아국입장 지지의 필요성을 강조한 것임을 첨언합니다.

첨부 : 상기 설명자료 국.영문 각1부. 끝.

예고 : 91.12.31. 일반

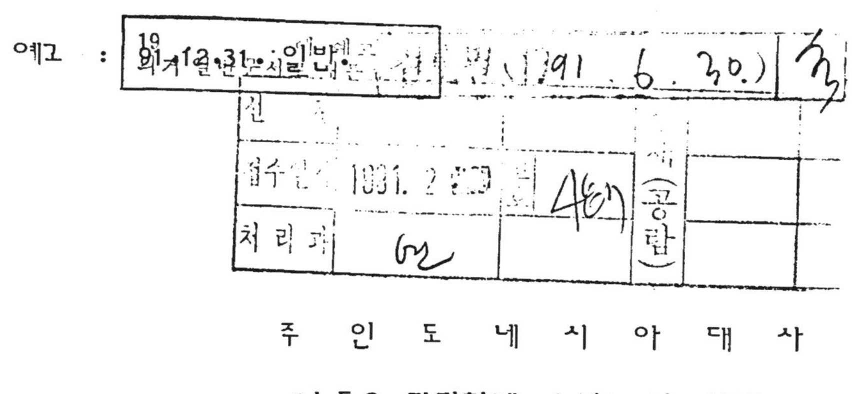

주 인 도 네 시 아 대 사

"소득은 정당하게, 소비는 알뜰하게"

0013

한국의 유엔가입문제에 대한 설명자료

1. 우리의 입장

가. 기본입장

o 한국은 세계평화와 국제협력에 기여할 자격과 의지를 충분히 갖추고 있으므로 유엔의 보편성 원칙에 따라 유엔에 가입되어야 함.

o 한국은 통일전까지의 과도적 조치로서 남북한의 유엔가입이 한반도의 평화정착과 긴장완화 나아가 평화통일에 기여할 것으로 확신함.

o 따라서 남북한의 유엔 동시가입이 바람직하나 북한의 가입여부는 북한이 결정할 사항이며, 만약 북한이 가입할 준비가 안되었다면 한국이 먼저 가입하는 것이 타당함.

나. 남북회담과의 관계

o 한국은 남북한간의 긴장완화와 평화정착을 위하여 남북한이 포괄적으로 대화하여야 한다는 정신하에 북한과 총리회담을 포함한 다양한 형태의 대화에 임하고 있음.

- 유엔가입문제에 관하여는 남북한 협의는 계속하되 유엔가입문제를 남북한 협의에 무한정 묶어둘 수는 없음.

0020

o 그러나 남북한간 문제와 유엔가입문제는 별개로서 명백히 구별되어야 하며, 유엔가입문제는 가입신청국과 유엔간에 다루어져야 할 사안임.

- 따라서 유엔가입문제는 유엔헌장규정에 따라 결정되어야 함.

2. 북한의 입장

가. 기본입장

o 북한은 통일이전 남북한 유엔동시가입 또는 한국의 단독 유엔 가입이 한반도 분단을 영구화한다는 이유로 반대하고 통일후 단일국호하에 가입되어야 한다는 입장

나. 북한의 단일의석하 유엔 공동가입안

o 북한은 90.5. 남북한이 통일전 유엔에 가입할 경우에는 단일 의석하에 공동으로 가입할 것을 제의

다. 북한제안의 문제점

o 법률적 문제

- 유엔헌장 제4조상의 회원자격인 국가(State)는 독립주권 국가를 의미함. 따라서 별개의 국제법상 주체인 남북한이 통일이전 단일의석하 유엔가입하는 것은 유엔헌장에 위배 되며 전례가 없음.

o 비현실성

- 남북통일 실현이나 통일에 관한 남북한간의 기본적 합의가 이루어지기까지 남북한이 국제무대에서 상이한 의사와 이익을 단일하게 대표한다는 것은 불가능함.

0021

o 유엔회원국 자격과 분단국 통일노력의 무관성

- 북한측 주장이 설득력을 갖기 위해서는 분단국의 별도 유엔가입이 통일노력에 저해가 된다는 전제가 성립되어야 하는데 최근 동서독과 남북예멘의 통일이 입증하듯이 그 전제는 전혀 타당하지 않음.

- 오히려 분단국의 유엔가입은 유엔헌장에 따른 분쟁의 평화적 해결의무를 부담하게 됨으로써 긴장완화와 평화 유지에 기여할 수 있고, 유엔 체제내에서 상호협력과 교류의 기회가 증대되므로 통일실현에 도움이 될 수 있음.

3. 한국의 유엔회원국 자격 및 유엔가입 분위기 성숙

가. 한국의 회원국 자격

o 인구 4,200만의 한국은 세계 10대 무역국가로써 1988년 올림픽을 주최하였음.

o 한국은 현재 145개국과 외교관계를 유지하고 있으며, 15개 유엔전문기구를 포함한 대부분의 국제기구에 가입하고 있음.

o 또한 한국은 유엔헌장에 의해 회원국에게 부과되는 모든 의무를 이행할 의사와 능력이 있음.

나. 한국의 유엔가입 분위기 성숙

o 제45차 유엔총회(1990년)에서 예년에 비해 많은 국가들이 한국 입장을 지지한 것은 우리의 유엔가입 분위기가 크게 성숙한 것을 입증

0022

- 기조연설국 : 155국
- 한국문제 언급국가 : 118국
  - 한국입장 지지국가 : 71국
  - 남북대화 또는 한반도 평화통일 지지국가 : 38국
  - 북한입장 지지국가 : 9국(단, 북한의 단일의석하 공동가입안 지지국가는 없음)

o 한국의 유엔가입을 반대해 온 유엔 상임이사국중 쏘련과의 수교(90.9.30), 중국과의 무역대표부 개설 합의(90.10.20)는 한국의 유엔가입 장애요인이 점진적으로 해소되는 여건 조성

4. 인도네시아의 한국입장 지지요청

o 한국의 유엔가입에 대한 국제적 분위기가 성숙되고 있는 점을 감안하여 인도네시아도 유엔문제를 포함한 남북한 문제에 대한 입장을 재검토할 적절한 시기라고 생각함.
- ASEAN 국가중 태국, 말련, 싱가폴, 부르나이가 한국지지
- 비동맹 주요국가중 인도, 나이제리아, 멕시코등이 지지하였으며 유고 대통령은 90.11. 방한시 한국지지 약속
- 동구국가중 체코, 헝가리, 불가리아, 루마니아가 한국지지

o 인도네시아는 한국과 우호협력관계를 유지하고 있으며, 한국의 실질적이며 중요한 경제협력 파트너인바, 이에 상응하는 외교분야 협력이 필요함.
- 90년말 양국간 교역은 약 24억불 규모

0023

- 한국의 대인도네시아 투자는 총 15억불(90.11.현재)로써 6-7위이며, 90년도는 2위를 차지하고 있음.
- 한국은 ASEAN 대화상대국으로서 ASEAN국과도 실질협력관계를 심화하고 있음.

o 따라서 국제적으로 중요한 위치에 있으며, ASEAN의 지도국인 인도네시아가 한국의 유엔가입을 지지하여 주기를 요청하며 한국의 유엔가입은 상기와 같은 이유에서 한반도의 평화정착 및 나아가서 지역의 평화에도 기여할 것임.

0024

인도네시아의 유엔총회 기조연설시 대한국 태도

o 인니는 아국의 유엔가입 문제에 대해 지지를 표명한 적이 없으며 구체적으로 인니의 유엔총회 기조연설 내용은 아래와 같음.

- 77-87년 : 한반도문제 불언급

- 88년 : 제43차 유엔총회에서 남북한 대화재개 촉구 내용 (중도적 발언으로 분류)

- 89년 : 제44차 유엔총회에서 남북한 평화통일 및 대화촉구 내용(중도적 발언으로 분류)

- 90년 : 제45차 유엔총회에서 남북한 평화통일 및 남북 고위급회담 개최 환영 (중도적 발언으로 분류)

0025

유엔총회 기조연설시 인도네시아의 한반도문제관련 발언내용

o <u>43rd Session of the UNGA(1988)</u>

The situation in the Korean peninsula remains a source of recurrent tensions in East Asia. It is regrettable, therefore, that the recent dialogue between the North and the South did not make much headway. At the same time we realise that after decades of mutual mistrust and suspicion the initiation of efforts towards national reconciliation is indeed a formidable task. It is our sincere hope, that the resumption of their talks later this month will lead to tangible results in conformity with their shared aspiration for peaceful reunification.

o <u>44th Session of the UNGA(1989)</u>

The situation in the Korean Peninsula which remains a source of recurrent tensions in East Asia calls for intensified efforts by both the North and South to initiate a process of national reconciliation. We hope that the talks to resolve outstanding issues will be resumed soon, leading to the fulfilment of their shared aspirations for peaceful reunification.

o <u>45th Session of the UNGA(1990)</u>

Indonesia has equally welcomed the initiation of high level talks between the two Korea's at the Prime Minister's level, in the hope that it may foster an atmosphere conducive to the realization of their shared aspirations for peaceful reunification.

0026

제45차 유엔총회 기조연설 분석

(9.24-10.10)

o 아국입장 지지국가(71)

- 아 주(14) : PNG, 일본, 몰디브, 말련, 인도, 부탄, 호주, 태국, 사모아, 싱가폴, 부르나이, 미얀마, 스리랑카, 휘지

- 미 주(22) : 세인트킷츠, 알젠틴, 코스타리카, 과테말라, 수리남, 카나다, 파라과이, 온두라스, 미국, 파나마, 멕시코, 엘살바돌, 아이티, 우루과이, 에쿠아돌, 그레나다, 도미니카(공), 안티구아, 바베이도스, 세인트루시아, 가이아나, 도미니카연방

- 서 구(16) : EC(12개국), 터키, 핀랜드, 몰타, 리히텐스타인
  * EC국중 독, 영, 폴투갈, 화란, 룩셈부르크, 스페인, 아일랜드는 별도 지지 발언

- 동 구(4) : 체코, 불가리아, 헝가리, 루마니아

- 중 동(4) : 튀니지, 오만, 시리아, 지부티

- 아프리카(11) : 가나, 케냐, 코모로, 나이제리아, 자이르, 소말리아, 세네갈, 감비아, 라이베리아, 모리셔스, 시에라리온

0027

o 북한입장 지지국가(9)

- 쿠바, 중국, 라오스, 적도기니, 탄자니아, 스와질랜드, 부룬디, 기니, 앙골라

  * 북한입장 지지국가중 북한의 "단일의석 가입안"지지국 전무

o 중도발언국가(38)

- 인니, 방글라데시, 솔로몬, 아일랜드, 몽고, 아프가니스탄, 이디오피아, 볼리비아, 세인트빈센트, T & T, 자마이카, 바레인, 알제리, UAE, 모리타니아,모로코, 이집트, 부르키나파소, 카메룬, 깝베르데, 보츠와나, 중앙아, 네팔, 잠비아, 가봉, 나미비아, 루안다, 모잠비크, 마다가스칼, 토고, 니제, 말리, 짐바브웨, 기네비소, 베넹, 말라위, 유고, 우크라이나, 콩고

0028

TALKING POINT ON THE U.N. MEMBERSHIP OF THE REPUBLIC OF KOREA

1. Position of the Republic of Korea

A. Basic Position

° The Republic of Korea should be admitted to the United Nations in accordance with the principle of universality of the United Nations because it is fully qualified and willing to contribute to promoting world peace and international cooperation.

° It firmly believes that the admission of both Koreas to the United Nations, as an interim measure pending unification, would help contribute to consolidating peace, reducing tension and further peaceful unification on the Korean peninsula.

° Thus the Government of the Republic of Korea wishes to join the United Nations together with North Korea. If North Korea is not ready to be a member of the United Nations, which North Korea has to decide, the early admission of the Republic of Korea to the United Nations membership should be realized without any further delay.

B. Relations to Inter-Korean Dialogue

° The Government of the Republic of Korea has engaged in any kind of dialogue with North Korea including Prime Ministers' meeting in the spirit that the South and the North should have comprehensive dialogue for solving the inter-Korean issues.

- While the Government of the Republic of Korea will continue to talk with North Korea on the issue of United Nations membership of two Koreas, it has the view that this issue cannot be tied up with dialogue we pursue with North Korea without time limit.

° It is necessary to draw a clear distinction between inter-Korean issues and the issue of United Nations membership. The issue of United Nations membership is essentially a matter between an applicant state and the United Nations.

- Therefore, the admission of the Republic of Korea to the United Nations membership should be determined only on its own merits in accordance with the requirements as set forth in the Charter of the United Nations.

2. Position of North Korea

A. Basic Position

° North Korea has maintained its position to enter the United Nations as a single state after unification, while it has persisted in opposing the entry of either or both of two Koreas into the United Nations before unification, contending that it would perpetuate national division.

B. Proposal on Joint Membership with Single Seat.

° On May 24, 1990, North Korea, however, suggested that "if the two Koreas are to join the United Nations before unification, they must not hold two seperate seats but enter it jointly as one member".

° The change of North Korean attitude in this regard is fully reflected the recent development of unification of two Yemens and two Germanys and the growing support for the legitimate cause of admission of the Republic of Korea to the United Nations membership.

C. Problems of the North Korean Proposal

° Legal Problem

- A "state" on Article 4 of the United Nations Charter regarding the membership should be interpreted as referring to "an independent sovereign state" generally accepted as such by the international community.

- Therefore, a joint membership of two Koreas before unification, each of them is regarded as a subject of international law, is contrary to the United Nations Charter and there is no precedent for it.

° Impracticality

- Unless unification is achieved or at least a preliminary agreement on unification is reached between the two Koreas, it is practically impossible that a single delegation represents their different opinions and interests at international forums.

° U.N. Membership of Divided Nations

- In order for North Korean argument on U.N. membership of divided nations to be sustained, the premise is necessary that seperate U.N. membership is detrimental to their unification efforts. However, this premise became totally false, as divided Germanys and Yemens were recently unified with seperate U.N. membership.

- On the contrary, U.N. membership of divided nations will place them under the obligation of peaceful settlement of disputes as set out in the Charter and provided them with more opportunities for mutual cooperation and exchange in the U.N. framework. This will naturally help to reduce tension and consolidate peace, thus contributing to efforts for their unification.

3. Qualification of the Republic of Korea and Favourable Atmosphere for its U.N. Membership

A. Qualification

° The Republic of Korea has now grown to be an important member of the world community.

- With 42 million population it is 10th largest trading country in the world and hosted Olympic Games in 1988.

° It maintains diplomatic relations with 145 countries and also enjoys full membership in most of the international organizations, including 15 Specialized Agencies of the United Nations.

° The Republic of Korea is a peace-loving state which is willing and able to carry out all the obligations required of the Member State in accordance with the United Nations Charter.

B. Favourable Atmosphere for its U.N. Membership

° The overwhelming support of the position of the Republic of Korea at the 45th Session of the U.N. General Assembly in 1990 by more countries than at the previous sessions showed the growing international atmosphere more favourable to the Republic of Korea.

- Countries delivered keynote speech: 155 countries
- Countries raised Korean question: 118 countries
  * Countries supported the position of the Republic of Korea: 71 countries
  * Countries supported inter-Korean dialogue and peaceful unification of Korea: 38 countries
  * Countries supported North Korean position: 9 countries
  * No country supported the North Korean proposal on joint membership with single seat

o In the past, the Soviet Union and China, which have veto power as permanent members of the United

Nations Security Council, have opposed the entry of the Republic of Korea into the United Nations. Since the Republic of Korea established diplomatic relations with the Soviet Union on September 30, 1990 and agreed to open the Office of Trade Representative with China on October 20, 1990, the major obstacle to the U.N. membership of the Republic of Korea is believed to be gradually cleared away.

4. Request of Indonesian Support for the Position of the Republic of Korea

o Considering the growing and favourable international atmosphere for the U.N. membership of the Republic of Korea, it is appropriate and right time for Indonesia to review its existing position on the South and the North Korea including the U.N. membership of both Koreas.

- Among the ASEAN countries, Thailand, Malaysia, Singapore and Brunei supported the position of the Republic of Korea at the 45th Session of the UNGA.

- Among the major countries of the Non-aligned, India, Mexico and Nigeria supported. And President of Yugoslavia promised to support during his visit to Seoul in November 1990.
- Among the East European countries, Czecho-slovakia, Hungary, Bulgaria and Rumania supported.

° Indonesia has been maintaining friendly and cooperative relations with the Republic of Korea and is a very important and substantial partner of economic cooperation.
Considering this fact, the Government of the Republic of Korea wishes to enjoy the corresponding cooperative relations with Indonesia also in the field of diplomacy.

- Two-way trade volume between our two countries in 1990 will be 2.4 billion U.S. dollars
- As of November 1990, the investment of the Republic of Korea to Indonesia totalled to 1.5 billion U.S. dollars which is ranked as 6th or 7th among the countries invested in Indonesia. Only in the year of 1990, the Republic of Korea is estimated as 2nd largest investment country in Indonesia.

- As a dialogue partner of ASEAN, the Republic of Korea has also intensified substantial cooperative relations with ASEAN countries.

° Therefore, the Government of the Republic of Indonesia is requested to support the admission of the Republic of Korea to the United Nations membership.

  Such support will be much helpful in further enhancing the international atmosphere favourable to the entry of the Republic of Korea into the United Nations, and contribute to the consolidation of peace on the Korean peninsula and also in this region of the world.

CLASSIFICATION OF KEYNOTE SPEECHES
REGARDING THE KOREAN QUESTION AT THE 45TH SESSION
OF THE UNITED NATIONS GENERAL ASSEMBLY

1. The countries supported the position of the Republic of Korea (71)

   ° Asia (14)

     Australia, Brunei, Butan, Fiji, India, Japan, Malaysia, Maldives, Myanmar, Papua New Guinea, Samoa, Singapore, Sri Lanka, Thailand.

   ° America (22)

     Antigua & Barbuda, Argentine, Barbados, Canada, Costa Rica, Dominica (Commonwealth), Dominica (Republic), El Salvador, Equador, Grenada, Guyana, Guatemala, Haiti, Honduras, Mexico, Panama, Paraguay, St. Lucia, St. Kitts-Nevis, Surinam, Uruguay, U.S.A.

   ° West Europe (16)

     12 EC Member Countries, Liechtenstein, Malta, Finland, Turkey

° East Europe (4)

Bulgaria, Czechoslovakia, Hungary, Rumania

° Middle East (4)

Djibouti, Oman, Syria, Tunisia

° Africa (11)

Comoros, Gambia, Ghana, Kenya, Liberia, Mauritius, Nigeria, Senegal, Sierra Leon, Somalia, Zaire

2. The countries supported the position of North Korea (9)

Angola, Burundi, China, Cuba, Equatorial Guinea, Guinea, Laos, Swaziland, Tanzania

* No country supported the North Korean proposal on joint membership with single seat.

3. The countries supported inter-Korean dialogue and peaceful unification of Korea (38)

Afghanistan, Algeria, Bahrain, Bangladesh, Benin, Bolivia, Botswana, Burkina Faso, Cameroon, Cape Verde, Central Africa Republic, Congo, Egypt, Ethiopia, Gabon, Guinea-Bissau, Indonesia, Jamaika,

Madagascar, Malawi, Mali, Mauritania, Mongolia, Morocco, Mozambique, Namibia, Nepal, Niger, Rwanda , Solomon Islands, St. Vincent, Togo, Trinidad & Tobago, Ukraine, United Arab Emirates, Yugoslavia, Zambia, Zimbabwe.

관리번호	91-177

외 무 부

종 별 : 지 급

번 호 : THW-0174 일 시 : 91 0127 1700

수 신 : 장 관(아동,정이,국연)

발 신 : 주 태국 대사

제 목 :

대 : WTH-0140

1. 본직은 1.26(토) 밤 노르웨이 국왕장례식에 주재국 조문사절로 참석하는 황태자 공항 환송식에 참가한 기회에 CHATICHAI 수상및 ARTHIT 외무장관을 연쇄 면담코 연형묵 북한 총리방태시 북한의 IAEA 핵안정협정가입, 남북한 유엔가입 및 연형묵 총리 방태활동의 언론 과도보도 지양문제등에 대하여 협조를 요청함

2. 이에대해 CHATICHAI 수상은 한국입장을 잘 이해하고 있다고 언급하면서 외무부등 정부 유관부서에 지시하여 잘되도록 하겠다고 말함. 한편 ARTHIT 외무장관은 자신이 연형묵 총리 방태기간중 부재중이나 외무성 부장관 및 고위간부들에게 본직의 요청을 재차 환기시켜 반여되도록 하겠다고 말하였음

3. CHATICHAI 수상은 GULF 사태등을 감안하여 연형묵총리 방태연기를 북한측에 완곡히 요청하였으나 북한측은 계획대로 방태하겠다는 반응을 보였다고 본직에 알려왔음

(대사 정주년-국 장)

예 고 :191.12.31. 일반고문에 의거 일반문서로 재분류

검토필(1991.6.30.)

아주국 차관 1차보 2차보 국기국 정문국 청와대 안기부

PAGE 1

91.01.27 20:33

외신 2과 통제관 CF

0042

관리 번호	91 -190

외 무 부

종 별 : 지 급

번 호 : THW-0188 일 시 : 91 0128 1900

수 신 : 장 관(아동,정이,국연,기정)

발 신 : 주 태국 대사

제 목 : 북한대사관 개설(자료응신 7)

연 : THW-0133

연호 본직은 금 1.28. SAROJ 주재국 외무부 정무국장과 접촉한바 하기 요지임

1. SAROJ 정무국장은 지난 1.25(금) 및 26(토) 양일간에 걸쳐 당지 김용문 북한 대표부단장을 초치하고 그간 아측이 태국측에게 북한에 대해 거론토록 요청한사항, 즉 북한테러리즘 포기, IAEA 핵안전협정 가입, 남북한 유엔가입 및 남북대화 진전등을 동 단장에게 강력히 설명 및 종용하였음

2. 동인은 상기 태국측 언급에 상당히 당황하고 불편한 기색을 드러내면서 본부에 보고하겠다고 답하였다함

3. SAROJ 국장은 상기 북한에 대한 주요 언급요지를 태국측 입장에서 적절히 소화하여 CHATICHAI 수상이 연형묵 총리의 방태시 언급할 예정이라고 알려줌

4. 한편 북한대사관 개설건에 대해서는 CHATICHAI 수상이 북한총리에게 통보할 방침이며 연호로 보고한 1) 대사관 설치시기 및 인원수 2)대사관 직원활동의 고유영역 준수 및 이를 위반할시 엄격한 제제 조치 부과등에 관하여는 JARUS 태국 외무부 부장관의 조규일 북한 외교부 부부장과의 면담시 태국측의 입장을 통보 및 논의예정이라고 언급함

(대사 정주년-국장)

예 고 : 91.12.31. 일반

검토필(1991.6.30.)

아주국 장관 차관 1차보 2차보 국기국 정문국 청와대 안기부

PAGE 1

91.01.28 22:40

외신 2과 통제관 FE

0043

관리번호 91-197

외 무 부

종 별 :

번 호 : BUW-0031 일 시 : 91 0129 1610

수 신 : 장관(아동, 국연, 경기, 통이, 정특반)

발 신 : 주 브루나이 대사

제 목 : 외무차관면담

본직은 1.28. 이임인사차 LIM JOCK SENG 외무사무차관을 방문, 임기중의 협조에 사의를 표명하고 현안 문제 협의한바, 동외무차관이 밝힌 주재국 입장 아래보고함.

1. 유엔가입문제

주재국은 독립이래 계속 한국의 유엔가입을 지지하여왔으며 금차 총회에서도 아국입장지지하겠음. 북한의 단일의석 가입은 비현실적이고 독일과 예멘의 예에서 보는바와같이 동시가입이 한반도 통일에 장애가되지않는다고 생각함

2. ASEAN

주재국은 1989 년 상임이사국시부터 한국이 완전협의 대상국이되어야된다고 생각해왔는바 차기 AMM 에서 한국의 완전협의 대상국 격상을 지지하겠음

3. 제 3 차 APEC 각료회의

제 1 차 회의시는 외무장관과 산업자원성장관, 제 2 차회의에서는 산업자원성장관만이 참석한바 금차 각료회의에는 외무장관 참석이 가능시되며 최대한 노력하겠음

4. ESCAP 총회

재무부소관으로서 장관이 왕제인관계로 재무차관이 수석대표로 참석하는것이 관례로 되어있는바, 현재 각료참석문제는 재무부측과 협의중임.

5. 제 2 차 한, 브 정책협의회

10 월말 또는 11 월초 서울개최를 희망하며 동차관이 수석대표로 참석시사.

6. 한, 브 항공협정

한국측이 원하는 장소에서 조기 개최 희망. 끝

(대사허세린-장관)

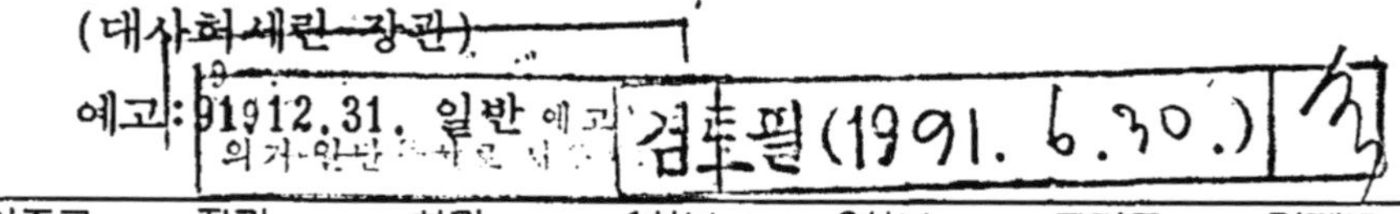

예고: 91.12.31. 일반 예고문에 의거 일반문서로 재분류 검토필(1991. 6.30.)

아주국 장관 차관 1차보 2차보 국기국 경제국 통상국 정특반
안기부

PAGE 1

91.01.29 20:35
외신 2과 통제관 DO

0044

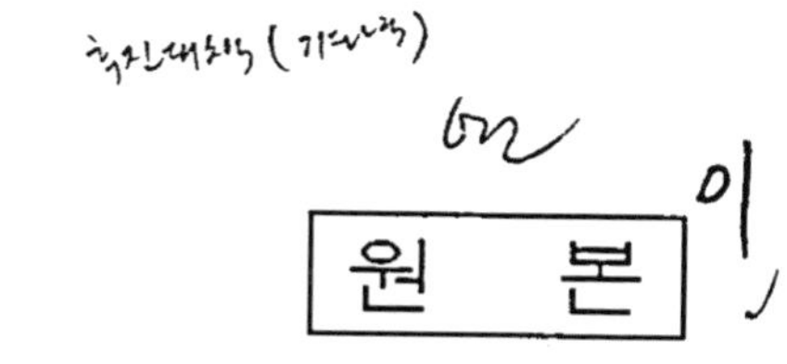

관리 번호	91 -232

원 본

외 무 부

종 별 :

번 호 : MAW-0182　　　　　일 시 : 91 0131 1730

수 신 : 장관(아동,국연,정이,해기,정홍,기정)

발 신 : 주 말련 대사

제 목 : 북한 총리 방마(자료응신 8호)

연:MAW-0146,0097

1. 1.31 오상식 참사관은 WONG 외무부 동아과장과 오찬, 북한 연총리 방마관련 사항을 탐문한바 동과장 언급 요지 아래보고함.

가. 금번 연 총리의 아세안국 순방은 별다른 SUBSTANCE 없이 친선 방문의 형식을 띤것으로서 쏘련 및 동구제국의 개방화, 자유화 추세로 인해 북한의 종래 구상무역에 의한 경협에 한계를 느끼고 아세안과의 경제관계 증진 방안을 모색해 보려는 데 주목적이 있는 것으로 분석됨.

나. 양국 정상회담에서는 한반도 통일, 유엔 가입문제및 걸프사태등이 논의될 것으로 예상되나 동 문제에 대한 주재국의 입장은 확고하므로 연호과 같이 북한측을 납득시키도록 노력할것임.

다. 연 총리 방마 준비차 1 월초 NOOR ADLAN 주중 말련 대사(북한 겸임)가 방북한바, 동 대사보고에 의하면 북측은 금번 방마시 양국 공동위 설치, 양국간 경협 증진, 문화및 통신분야 협력을 포함한 포괄적인 내용의 협정 체결을 제안할 것으로 예상된다고 하며, 또한 최근 마하틸 수상의 동아시아 경제협의체 (EAST ASIAN ECONOMIC GROUPING) 제안을 북한이 전폭지지하였다고함. 주재국은 경제체제가 상이한 양국간 협정 이행의 효율성에는 의문이나 북측이 동 협정을 제안해올 경우 이에 반대치는 않을 것이며, 마하틸 수상의 EAEG 제안은 북한을 염두에 둔것이 아니기 때문에 북한측의 지지에 사의를 표하는 정도로 가볍게 대응할것임. 2. 주재국측이 준비중인 연 총리 방마일정은 아래와 같음.

2.4(월)

14:30 환영식(국회의사당)

15:00-17:00 마하틸 수상 면담(단독 회담없이 정상회담 진행)

아주국	장관	차관	1차보	2차보	국기국	정문국	정문국	청와대
안기부	공보처							

PAGE 1

91.01.31 21:35

외신 2과 통제관 CF

0045

20:30 수상 주최 공식 만찬

2.5(화)

오전 팜오일 연구소 시찰및 AZLAN SHAH 국왕 알현

오찬 자유

오후 SAPURA HOLDING CO.(주재국 통신 회사), 관광 홍보 센터 방문

만찬 자유

2.6(수)

오(360)M 셀랑고 주정부 방문, PROTON SAGA 자동차공장 시찰, SUNGAI 자유무역 지대 방문

오후 고무연구소(RRI)방문

오.만찬 자유

2.7(목) 오전 마하틸 수상 방문, 이임인사및 출국

3. 한편, 주재국 외무부는 1.30 연형묵 총리의 방마를 공식 발표하였는바, 연 총리 방마결과는 추후 탐문 보고위계임.끝

(대사 홍순영-국장)

PAGE 2

0046

관리 번호	91 -244

외 무 부

종 별 : 지 급

번 호 : DJW-0212 일 시 : 91 0201 1040

수 신 : 장관(아동,국연,정이)

발 신 : 주 인니 대사

제 목 : 북한총리 방문(자료응신 제13호)

연:DJW-0156,0171,0186

1. 본직은 1.31 일 외상 및 정무차관보가 외국 출장중 이므로 BOER 아태국장(브루나이대사로 발령됨)을 만나, 본직이 1.24 일 WIRYONO 정무차관보 방문시 연형묵 북한총리의 인니 방문과 관련 협의한 사안에 대한 그후 인니측 조치내용을탐문 하였는바, 아래 보고함.

가. 인니는 걸프만 전쟁등 국제정세에 비추어 북한측이 자진하여 연총리의 동남아 각국 방문을 취소해 올것으로 기대 하였으나 계속 밀어 부친데 대하여 의아스럽게 생각하고 있음.

따라서 인니측은 금번 방문을 별 특이 사항없이 조용히 치루고저 함.

나. 김대사가 1.24. WIRYONO 정무차관보를 만나서 설명 제의한바 있는 한국의 UN 가입에 대한 기본입장 및 북한의 IAEA 와의 핵안전협정 체결문제 거론등에대해 내부협의를 하였는바, ALATAS 외상은 결론적으로 한국측의 요청을 수용하는 방향으로 검토할것을 지시한바 있음.

한편 금번에는 외상 및 정무차관보 부재등 이유를 들어 북한과는 가급적 예민한 정치문제 협의를 피하기로 하였으나 본건은 사안의 중요성에 비추어 인니 외교연구원장과 북한 외교부 부부장과의 회담시 인니측은 이문제를 거론키로 하였으며, 또 SUDHARMONO 부통령의 연총리 면담자료 중에도 한국의 유엔가입 입장 및 북한의 IAEA 핵안전협정 체결문제를 포함 시키기로 하였음.

다. 인니측 으로서는 주로 관심을 경제문제에 두기로 하고 그간 명목상 존속하는 과학기술협정 및 문화관계 협정을 재정비, 서명키로 한바 있음.

그러나 북한측은 각료를 수석으로 하는 북한-인니간 새로운 경제 공동위원회 설치문제를 집요하게 주장하고 있어 그간 교섭이 난항하였으나, 일단 공동위 설치를

아주국	장관	차관	1차보	2차보	국기국	정문국	청와대	안기부

PAGE 1

91.02.01 13:46

외신 2과 통제관 FE

0047

하지 않는 대신 경제 기술협력 협정 테두리 안에서 동 위원회를 설치할수있다는 구절을 삽입키로 하였음.

2. BOER 국장은 금번 연총리의 인니 방문과 관련 계속 한국 대사관과 접촉을하겠으며, 추후 상세한 브리핑을 해주겠다고 하였음. 끝.

(대사 김재춘-장관)

예고:91.12.31, 일반
의거 일반문서로 재분류

검토필(1991. 6. 30.)

PAGE 2

0048

관리 번호	91 -252

02, 01
(Indonesia, Malaysia 공사, K/UN)

외 무 부

종 별 : 긴 급

번 호 : THW-0232 일 시 : 91 0201 1150

수 신 : 장 관(아동,정이,기정)

발 신 : 주 태국 대사

제 목 : 태국-북한 관계

대 : WTH-0180,0191

연 : THW-0188

1. 본직은 2.1(금) 오후 SAROJ 외무성 정무국장을 면담, 연형묵 북한총리일행 방문시 협의된 사항을 타진 하였는바, 동국장 설명요지 아래 보고함(정참사관및 CHOLCHINEEPAN 동아과장 배석)

가. 총리회담시 협의된 사항

1) 주태 북한대사관 개설문제

0 차티차이 수상은 북한대사관 개설을 동의하다고 언급하였음

0 개설시기, 공관직원규모등 세부사항을 양국 외무성으로 하여금 계속 협의토록하기로함

2)차티차이 수상 방북초청

0 연형묵은 차티차이 수상을 방북초청(시기 불언급)하였으며 차티차이 수상은 이를 원칙적으로 수락하였음(오래전부터 STANTING INVITATION 으로 되어있음)

3) 김일성 친서 전달

0 연형묵은 차티차이 수상에게 김일성의 친서를 전달하였음

특별한 내용은 없는것으로 알고있으나 특이사항 있을시 당관에 알려주기로 하였음

4) 태국산 미곡, TAPIOCA 및 기타상품 수입

0 북한측은 금년 50 만톤을 시작으로 향후 2-3 년간 태국으로부터 1 백만톤미곡수입 희망표명

0 북한측은 금년중 50 만톤의 태국산 TAPIOCA(사료원료) 수입희망 표명

0 북한측은 또한 고무, 철광석(ORES), 아연및 주석등은 태국으로부터 수입희망표명

5) 북한산 철강(STEEL)및 시멘트수출

아주국	장관	차관	1차보	2차보	국기국	정문국	외연원	청와대
안기부								

PAGE 1

91.02.02 03:58

외신 2과 통제관 CW

0049

0 북한측은 철강 공급을 우선적으로 하겠다고 약속

0 북한측은 금년도 3 십만 내지 4 십만톤의 시멘트 공급용의를 표명하고 내년부터 년간 1 백만톤의 시멘트 공급용의 표명

6) 기타 북한산 상품 수출

0 북한측은 STEEL PRODUCTS, 강판, 합금, 생사, 비료등 제품의 계속 수출 희망표명

7) 태국.북한 합작부자

0 북한측은 WOLFRAM, ANTIMONY, 시멘트, MINERAL ORES, 양잠, 선박건조, MACHINE TOOL 분야의 합작에서 관심표명

0 태국측은 MINERAL ORES, 동물사료, 축우사육분야에 기술수준이 높다고 지적하고 동분야 합작추진 제의

8) ASEAN 및 APEC 가입 희망표명

0 북한측은 구체적 방법등을 명시 하지않고 단순히 ASEAN 및 APEC 가입희망표명

9) 지역정세 논의

0 걸프, 캄보디아사태, 한반도정세 등에 관한 의견교환

0 연총리는 남북한 유엔가입은 남북한 스스로 결정할문제라고 언급하고 고려연방제 통일방안설명

나. 외무성 간부회담시 협의된 사항(북한측에서는 조규일 외교부부부장, 김용문 통상대표부 대표등, 태국측에서는 PRACHA 차관보, 정무국장, 경제국장등이 참석하였으며 부장관 및 사무차관 불참)

1) 주태 북한대사관 개설문제

0 북한측에 외교공한으로 대사관 개설동의 사실통보

0 동시에 대사관설치 장소, 규모등을 구체적으로 문서로 제시토록 요청

0 동 외교공한에 주북한 태국대사관 설치에는 상당한시일이 소요될것이라는정도로 언급되어있다고 하며 현재 구체적 방침이 정해지지 않았다고함

2)북한의 IAEA 핵안전조치협정 가입

0 PRACHA 차관보는 동문제는 IAEA 이사국으로서의 태국의 관심사항임을 강조하고 북한가입 강력권고

0 북한측은 남한측도 IAEA 의 검사에 동의할경우 이를 고려해 보겠다는 정도로만 언급

PAGE 2

0050

3) 남. 북한 유엔가입

0 PRACHA 차관보는 유엔의 보편성 원칙에 따라 남. 북한 모두의 유엔가입을희망하였으며 독일, 예멘의 경우를 예로들면서 분단국의 유엔가입이 분단을 영구화 하는것이 아님을 강조

0 북한측은 자신들의 기존입장 설명

4) 시린돈공주 방북

0 북한측은 3.25-28 간 으로 예정된 시린돈공주의 방문이 성공적이되도록 최대한 노력하겠다고 언급

5) 기타 북한측은 한반도 통일문제, 일.북한 수교회담등에 관한 자신들의 입장을 설명하였으며 ESCAP 에 관한 정보제공 및 말련제의 동아시아 경제협력체구상에 관심을 표명하였다고함

6) 참고사항

0 아측 주요관심사항(IAEA, 유엔가입문제등)에 대해서는 외무성간부간 별도회담에서 중점거론키로 사전 내부방침을 정함에 따라 수상회담시 차티차이 수상은 동문제에 대해서는 언급하지 않기로 했다고함

다. 상무성 간부회담시 협의된사항

1) BARTER TRADE

0 북한측은 태국으로부터 수입할 미곡, 기타상품 및 농산물(타피오카 포함)과 북한산 시멘트를 구상무역으로 하자고 제의

0 태-북한 공동무역위원회(JOINT COMMISSION ON TRADE)개최

0 양측은 1987.9.23. 양국간 합의에 의해 설립된 표제위원회 제 1 차회의를수개월이내에 평양에서 개최키로 합의

0 상기 위원회 회의에서 구상무역제의를 포함한 양국간 교역증진전반에 관해 협의키로함

0 상기위원회 회의에 태국측 대표단장은 AMARET 상무장관이 될것임

라. 공업성간부 회담시 협의된 사항

1) JOINT ECONOMIC COMMISSION

0 북한측은 표제위원회 설치제의

0 태국은 개별 부처간 협의 FORUM 은 가하나 전부처 대표참석합동위원회 성격의 FORUM 은 수락곤란하다고 언급

2) 합작부자제의

0 북한측은 아연판(ZINC SHEET), 타이어, 섬유류, 진생의 합작부자전망이 밝다고 설명하고 동분야 합작부자제의

0 태국측은 검토가능성 언급

3) 공업성부장관 방북초청

마. 농업성 간부 회담시 언급내용

1) TAPIOCA 가공기술제공

0 북한측은 태국산 TAPIOCA 가공기술제공을 요청하였으며 태국측은 북한 전문가단이 방태하여 기술을 배우도록 제의

2) 관개시설 건설지원 용의표명

0 북한측은 DAM 공사건설에 기술이 있음을 설명하고 DAM 공사를 통한 태국관개시설 확충에 지원용의표명

3) 농업분야 합작부자제의

0 북한측은 CRUDE RUFFER PALM OIL, RICE 제품가공분야

0 태국측은 검토약속 및 양잠, 생사분야 합작제의

4) 수산분야합작제의

0 북한측은 수산분야합작으로 제 3 국 원양어업공동진출 가능성 타진

2. 금번 연형묵일행의 주재국 방문결과에 대한 당관 평가는 아래와 같음

0 북한측은 외교관계수립후 16 년간 PENDING 으로 되어있던 대사관 설치에 대한 동의를 받아냄으로써 기존대사관이 설치되어있는 말련, 인니, 싱가폴 및 태국을 연결하여 동남아 지역에 대한 무역, 경협, 합작부자 추진에 주안점을 두고 있는것으로 분석됨

0 그러나 이러한 경제적 관계 강화추진을 북한의 기술및 자본제약등으로 소기의 성과를 거두기는 용이하지 않을것으로 전망되며 태국 외무성 고위 관계관들도 대북경제관계 전망을 유사한 시각에서 보고있음

(대사 정주년-국장)

예 고 :1991.12.31. 일반

검토필(1991. 6. 30.) 최

PAGE 4

0052

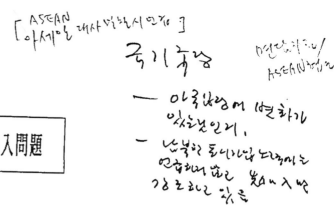

유엔加入問題

o 유엔加入問題는 금년도 우리의 최우선 外交課題로서 大統領께서도 깊은 관심을 갖고 계시는 力點 事項임.

o 유엔加入問題에 대한 韓國政府의 基本立場은 南北韓이 하루빨리 유엔에 함께 加入하여 責任있는 國際社會의 一員으로 正當한 役割을 遂行하는 것이 바람직하다는 것임.

o 이러한 見地에서 우리는 北韓側에 대해서 작년 9월이래 南北韓 高位級會談 및 實務代表 接觸등을 통하여 우리와 함께 유엔에 加入할 것을 적극 說得하였으나, 北韓側은 유감스럽게도 계속 非現實的인 "單一議席加入案"을 고집하면서 非妥協的인 姿勢를 보여 왔고, 특히 2.25-28間 평양에서 개최예정인 第4次 南北高位級會談을 一方的으로 취소한 바 있음.

o 이러한 狀況下에서, 우리는 北韓의 加入을 歡迎한다는 前提下에 금년중 우리의 先유엔加入을 적극 推進코자 함. 우리가 유엔加入을 具體化시키는 경우, 北韓도 諸般 對內外 與件上 우리와 함께 또는 연이어 유엔에 加入하게 될 것으로 確信하며, 이러한 南北韓의 유엔加入은 韓半島 및 東北아시아 情勢의 安定에 크게 기여할 것임.

0053

o 오늘날 開放과 協力이라는 새로운 國際秩序가 아시아지역에서도 하루빨리 確立되기 위하여는 그 어느때보다도 ASEAN 의 積極的 役割이 요망되고 있으며, 이러한 側面에서도 우리의 유엔加入問題 해결을 위한 ASEAN 의 建設的 寄與가 기대됨.

o 우리로서는 금후 ASEAN 이 결집된 意見으로 北韓 및 中國에 대해 유엔加入問題에 관하여 하루빨리 現實的인 態度를 취하도록 說得하여 주기를 기대함.

* 특히 인니大使에게 下記事項 言及하실 것을 建議드림.

o 최근 김재춘大使 報告에 의하면 Alatas 外相께서 韓國의 유엔加入問題에 관한 貴國의 態度를 재검토할 時期가 되었다고 생각하며 앞으로 韓國側의 立場을 수용하는 방향으로 檢討하겠다고 言及한데 대하여 깊은 관심을 갖고있는 바, 조속한 시일내 政策 檢討가 이루어 지길 기대함.

o 인니의 非同盟에서의 위치등을 감안할때, 우리의 유엔加入推進에 있어 貴國의 支援이 매우 중요하다고 보고 있음.

0054

관리 번호	91-284

외 무 부

종 별 :

번 호 : MAW-0204 일 시 : 91 0205 1800

수 신 : 장관(아동,국연,정이,해기,기정,국방)

발 신 : 주 말련 대사

제 목 : 북한 총리 방마결과(자료응신 9호)

연:MAW-0182,0097

1. 2.5 오상식 참사관은 WONG 외무부 동아과장과 면담, 2.4 하오 개최된 마하틸 수상과 연형묵 북한 총리간의 회담내용을 파악한바 아래 보고함.(상기 회담은 가까운 장래 마하틸 수상의 방북을 초청하는 김일성의 친서를 마하틸 수상에게 전달한후 양측간 잇슈별 토의없이 각자의 입장을 일방적으로 개진하는 형식으로 약 1 시간 30 분동안 진행되었다고함)

가. 연형묵 총리 언급 요지

1) 국제문제

0 냉전 종식에도 불구, 국제사회에는 걸프 전쟁등 여전히 긴장이 고조되고 있으며 한반도에서도 지난해에는 어느정도 긴장완화를 가져왔으나 금년들어 다시금 악화되고 있음(말련측은 팀스피리트 훈련을 지칭한것으로 추측)

0 걸프전쟁

- 미국등 연합군과 쿠웨이트 점령 이락군의 철군을 통한 즉각적인 전쟁 종식을 촉구및 대화를 통한 정치적 해결 주장

- 걸프 전쟁장기화는 유가앙등, 국제경제 환경악화등을 초래 결국 피해자는 제 3 세계가 될것임.

0 동아시아 경제협의체

- 북한은 마하틸 수상의 상기 제안(EAST ASIAN TRADE MARKET 용어사용)을 지지하며 동 제안에 많은 관심(VERY INTERESTED IN THE IDEA)을 가지고 있음을 언급(마하틸 수상은 북측의 상기 언급에 전혀 응대치 않음으로서 북한이 동 제안의 대상이 아님을 간접 시사했다고함)

0 캄보디아 사태

아주국 장관 차관 1차보 2차보 국기국 정문국 청와대 안기부
국방부 공보처

PAGE 1

91.02.05 21:24
외신 2과 통제관 DO

0055

- 캄보디아 인민의 자주 의사에 따라 평화적으로 해결되어야 하며 새로이 탄생될 정부는 비동맹.중립 노선을 견지해야 할것임.

0 아. 태 안보

- 아. 태 지역은 CSCE 와 같은 구라파식이 아닌 아시아 국가가 주도적 역할을 담당하는 ASIAN WAY 가 도입되어야 할것임을 주장.

- 아세안의 평화, 자유, 중립지대 개념(ZOPFAN)을 지지하며 유대 표명

2) 한반도 문제

- 한반도 평화는 한반도에 국한된 문제가 아니라 아. 태 지역 전체의 평화를 위해 긴요함.

- 휴전선은 세계에서 유일하게 대규모 병력이 상호 대치하여 제 2 의 한국전쟁을 촉발할 위험을 내포하고 있는바, 이의 평화적 해결을 위해 북한은 남북한 총리회담, 불가침 조약 체결, 경제협력 증진등을 제의한바 있음.

0 통일 문제

- 김일성 신년사에서 언급된바와 같이 각기 상이한 체제를 인정하는 1 국, 2 정부의 연방제 통일이 되어야함.

- 상기 연방제는 현실적 제안으로서 다수국들의 지지를 받고있음.

0 유엔 가입문제

- 3 차 총리회담에서 양측은 유엔가입을 위한 3 가지 선결과제를 협의하였음을 설명하고 남한의 독자적 유엔 가입은 한반도 사태를 악화시킬것임.

- 북한은 단일의석 유엔 가입 입장에 대한 말련측의 이해 촉구및 지지요청.

0 일본과의 관계개선

- 현재 일본과 관계 정상화를 위한 회담이 진행중이라고만 언급

0 국내 정세 설명

- 북한의 정치, 경제상태는 매우 좋은 상태이며 온 국민이 당을 중심으로 결속하는 등 국민총화를 이루고 있음.

- 북한은 여타 사회주의 모방이 아니라 독자적인 북한식 사회주의를 발전시키고 있음.

3) 양자관계

0 양국간의 무역증진 희망을 피력하고 양국간 직교역등 협력가능분야 모색을 위해 관계장관간 개별 회담 제의(이에따라 김복식 부총리와 RAFIDAH 상공장관, 정송남 대외

경제사업부 부장과 LIM KENG YAIK 1 차 산업성 장관, 주정일 외교부 부부장과 FADZIL 외무부 부장관의 개별 회담이 2.5-6 간 개최예정인바, 동 회담내용 추후 파악 보고위계임)

0 현재 싱가폴등 제 3 국을 통해 수입되고 있는 주요 원자재(예:천연고무)의 수입선을 말련으로 전환할 의사 표명(북측은 양국간 직교역 저조가 무역관계자 부족때문이라고 변명하고 있으나 말련측은 북한의 외환사정상 바터 교역이 가능한 싱가폴을 택하는 것으로 이해하고 있음).

0 양국간 고위인사 교류강화를 주장하며 조속한 시일내에 마하틸 수상의 방북 희망

(이하 나. 항부터 수상 언급요지 가 MAW-0205 호로 계속됨)

관리번호	91-384

외 무 부

종 별 :

번 호 : MAW-0205 일 시 : 91 0205 1800

수 신 : 장관

발 신 : 주 말련 대사

제 목 : MAW-0204호 PART 2 임

나. 마하틸 수상 언급요지

1) 국제관계(걸프전쟁에 관한 주재국 입장 설명후)

0 동아시아 경제협의체

- 동 제안은 역내 국가간 협력을 통해 EC 등 서구의 기존 경제 BLOC 및 국제회의시 개도국이 선진국들에게 보다 효율적으로 대응키 위한것이라는 일반적인 제안 배경과 취지 설명

0 캄보디아

- 동 문제는 이제 캄보디아인의 손에 달려 있으며 여타국은 더 이상 간섭치 않는것이 좋을 것으로 봄. 연이나, 말련은 과저 크메르루즈와 같은 억압적인 정권의 재등장은 반대함.

2) 한반도 문제는 상기 캄보디아 문제와 연계, 한반도 문제를 당사자간 대화를 통해 해결하려는 노력을 재평가한다고 간략히 언급했다고 하며 유엔 가입문제는 주재국의 한국 지지 입장이 분명함으로 언급치 않았다고함.

3) 양자관계

0 무역증진

- 북한의 직교역제안을 환영하는 바이나 자유경제 체제하에서는 정부간의 문제가 아니라 민간업계에 의해 주도됨으로 민간업계가 직접 접촉할수 있는 북한측의 창구개설이 필요함(상이한 경제 체제상의 문제점 극복이 과제임을 설명).

- 북한 상품 및 시장에 대한 정보가 부족한바, 북측의 보다 활발한 국제 박람회 참가, 상품및 시장 홍보, 문화교류(북한 곡마단 방마등)의 필요성 강조

2. 마하틸 수상은 2.4 연총리 일행을 위한 만찬을 개최한바, 동 만찬시 행한 양측 대표의 만찬사 요지는 아래와 갈음(전문은 파편 송부예정).

아주국	장관	차관	1차보	2차보	국기국	정문국	청와대	안기부
국방부	공보처							

PAGE 1

91.02.05 21:28

외신 2과 통제관 DO

0058

가. 마하틸 수상 만찬사

0 최근의 국제경제환경 변화에 발 맞추어 역내 무역및 대금결제 방식등에 보다 관심을 기울여야 할것임.

0 아. 태 지역내 해빙무드가 조성되고 있는바, 아세안은 과거 20 년간 상호 공동노력을 통해 상당한 수준의 안정을 가져왔음

0 북한이 형제국인 한국과 건설적인 고위급 대화를 지속하고 있음을 평가하며 북한을 위요한 각대국들도 긴밀한 경협과 원조를 바탕으로 남북한과 공히 새로운 관계를 정립해가고 있음을 주목함.

0 평화없이 번영은 기약할수 없을것인바, 말련은 걸프전쟁을 비롯 모든 국제문제가 평화적으로 해결되기를 희망함.

나. 연형묵 총리 답사

0 지난 20 년간 신경제 정책을 통해 이룩한 말련의 눈부신 경제발전 치하

0 말련이 제창한 동남아 평화, 자유, 중립지대 이념 지지(ZOPFAN)

0 최근 말련이 남남협력증진및 개도국 이익보호를 위해 제창한 동아시아 경제협의체 구상 지지

0 한반도 평화및 통일을 위한 김일성의 1 국가,2 정부 내용의 고려연방제 설명

3. 연총리의 방마는 상기 마하틸 수상과의 회담으로 실질적으로는 모두 종료되었으며 금일부터는 AZLAN SHAH 국왕 알현외에 산업시찰을 할 예정임.

4. 말련-북한 정상회담 내용 분석

가. 한반도 문제와 관련, 마하틸 수상은 유엔가입문제에 대한 연 총리의 북한 입장 지지요청에 대해 일체 대응치 않는등 매우 형식적으로 간략히 언급하였는 바, 이는 기존 주재국의 한국지지 입장을 간접시사한것임.

나. 또한, 마하틸 수상은 2.4 만찬사에서 주재국의 ZOPFAN 이념 강조및 동남아 지역에 대한 핵무기 반대를 천명함으로써 비록 북한을 직접 거명치는 않았으나 동국의 IAEA 핵안전 협정 체결을 간접촉구한것으로 평가됨.

다. 양국관계에서 북한측은 양국간 무역증진을 희망하였으나 마하틸 수상은 양국간 교역 저조가 상이한 경제체제에서 연유한것임을 강조하고 민간업계간의 교역 증대를 위해 북한측의 OPEN MARKET SYSTEM 도입등 보도 적극적이고 개방적인 자세를 촉구한것은 특기할 사실임.끝

(대사 홍순영-국장)

91.6.30 일반

1991.6.30에 예고문에 의거 일반문서로 재분류됨

PAGE 3

0060

기타국별,2

관리 번호	91 -305

분류번호	보존기간

발 신 전 보

번 호 : WUN-0242 910207 1650 FK 종별 :

수 신 : 주 유엔 대사. 총영사

발 신 : 장 관 (국연)

제 목 : 북한총리 아주순방 결과

연 : WUN-0038, 0098

대 : UNW-0112

연호, 연형묵 북한총리의 태국, 인니, 말련 방문시 유엔가입 문제관련 협의내용 하기 통보하니 참고바람.

1. 태 국

- 총리회담시, 연총리는 남북한 스스로 결정할 문제라고 언급, 태측은 불언급
- 외무성 간부 회담시 (북측 조규일 부부장, 태측 PRACHA 차관보등), 태측은 유엔의 보편성 원칙에 따라 남.북한 모두의 유엔가입을 희망하고, 독일, 예멘의 예로 보아 분단국의 유엔가입이 분단을 영구화하는 것이 아님을 강조

2. 인니 및 말련

- 북측은 단일의석 가입안에 대한 지지 요청하였으며 인니 및 말련은 이에 대해 언급치 않음. 끝.

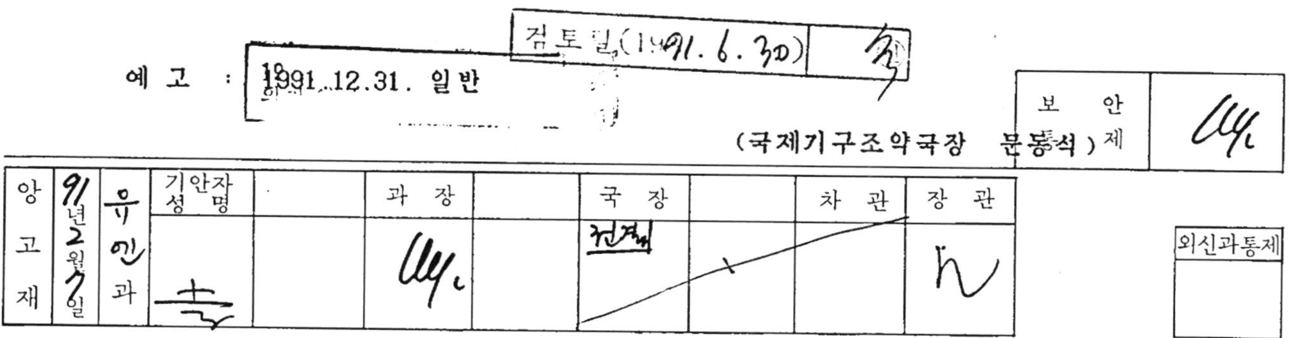

검토필(1991. 6. 30)

예 고 : 1991.12.31. 일반

(국제기구조약국장 문동석)

보안 통제	

앙고재	91년 2월 7일	유엔과	기안자 성명		과 장		국 장		차 관	장 관
							전결			

외신과통제

0061

北韓 延亨默 總理의 東南亞 巡訪 結果

1. 北韓의 延亨默 總理는 1.29 - 2.7간 泰國・印尼・馬聯을 차례로 訪問하여

   가. 相互 通商 및 經濟協力 增進原則에 合意하고 各國 總理의 訪北 招請에 대한 受諾을 獲得한 가운데

   나. 泰國과는 常駐大使館 開設, 「貿易共同委員會」開催, 泰國産쌀 輸入(100만톤) 및 시멘트(40만톤) 輸出, 鐵鑛・養蠶 合作投資 등에 대해 合意하였으며

   다. 印尼와는 「貿易協定」과 「經濟・技術協力 協定」을 締結하고 「經濟・技術 共同委」設立, 印尼産 原油(100만톤)・나프샤(10만톤) 임가공, 造船・化粧品 合作投資에 合意한데 이어

   라. 馬聯과는 구체적인 合意事項 없이 相互 通商增進 등에 대해 意見의 一致를 보았음.

2. 이번 北韓 延亨默 總理의 東南亞 3개국에 대한 巡訪外交는

   가. 當初 90.8 중순부터 推進된 것이나 泰國의 新內閣 構成(90.12.14) 등 對象國家의 國內 政治日程으로 延期되어 오다 實現된 것으로

   나. 一部 國家에서는 걸프戰爭(1.17) 등 情勢가 流動的임을 들어 北韓總理의 訪問을 再考할 것을 打診하기도 하였으나 強行되었으며

44-16

0062

다. 總理로서는 82.2 李鍾玉 總理의 訪問 이후 두번째임.

3. 이번 「延」總理의 巡訪에서 주목되는 점은

가. 金日成이 新年辭를 통해 「아시아國家들과의 親善協調關係를 發展시켜 나갈 것」을 밝힌데 이은 高位級 訪問으로 北韓이 對아시아 外交를 強化하고 있음을 보여주고 있는 가운데

나. 아세안 會員國중 影響力이 있고 쌀·原油·고무 등의 資源을 保有하고 있는 國家를 對象으로 하고 있으며

다. 副總理 兼 輕工業委員長 金福信, 對外經濟事業部長 鄭松南, 貿易部 副部長 姜정모 등 다수의 經濟 實務者들을 帶同하고 있고 訪問 對象國家 首相의 訪北을 적극 招請하고 있는 점 등임

라. 이같은 北韓의 態度는

○ 東歐圈의 親北 離脫과 中·蘇의 對韓關係 改善, 특히 蘇聯의 援助減少와 硬貨決裁 要求 등에 따라 經濟·外交的으로 深化된 困窮局面을 打開하기 위해 아세안의 主導國家들과 새로운 協力關係를 摸索하고

○ 最近 中國의 對印尼 外交再開(90.8.8), 싱가폴과 修交(90.10.3) 등 東南亞 國家들과의 關係增進에 便乘, 相互 實質 協力을 내세워 當面하게 切實한 問題로 擡頭되고 있는 食糧과 原油難을 해결하는 한편

○ 이밖에 아세안 會員國家들의 協調를 誘導, 아세안 會員國家로서 未修交國家인 필리핀과의 關係改善 雰圍氣를 造成해 보려는 企圖로 評價됨.

4. 北韓은 「延」總理의 巡訪을 통해

가. 巡訪 3개국과 貿易擴大基盤을 마련하는 등 당초의 目的을 어느정도 達成하였다고 할 수 있으나 이는 上記 3개국의 「全般的 國際 情勢가 理念外交가 崩壞되고 있으며 北韓을 國際社會에 參與시켜야 한다」는 共通된 認識이 作用된데 따른 것이며

나. 한편 北韓이 主張하고 있는 「南北韓 單一議席下 유엔 共同加入」說得 및 第85次 IPU 平壤總會(4.29 - 5.4)에 國會議長 參席 招請 등에 대해서는 各國이 否定的 反應을 보이고 있어 成果가 없었던 것으로 보임.

다. 특히 이들 國家들이 우리와의 通商擴大를 통한 實益을 重視하고 있어 今後 北韓이 기대한 劃期的인 成果를 獲得하기는 어려울 것으로 보임.

44-18

0064

<參　考>

「延」總理의 主要日程

國家	日程	備考
泰國 (1.29 - 2.1)	○ 1.30 - THAI CENTRAL STEEL사 訪問 - 「차티차이」首相 禮訪 및 會談 - 首相 主催 晩餐 參席 ○ 1.31 - 「완차수」國會議長 禮訪 - 「푸미폰」國王 禮訪	○ 金福信 副總理, 鄭松南 對外經濟部長, 趙奎一 外交部 副部長은 別途日程 進行
印尼 (2.1 - 4)	○ 2.1 - 「수다르모노」副統領 禮訪 - 副統領 主催 晩餐 參席 ○ 2.2 - 「수하르토」大統領 禮訪 - 紡織工場 및 造船所 訪問 ○ 2.3 - 民俗村, 博物館등 觀光	○ 金福信, 趙奎一 別途日程 進行
馬聯 (2.4 - 7)	○ 2.4 - 「마하틸」首相 面談 및 會談 - 首相 主催 晩餐 參席	○ 金福信, 鄭松南 別途日程 進行

國 家	日 程	備 考
	ㅇ 2.5 -「아즐란 샤」國王 禮訪 - 오일연구소 및 通信會社 訪問 ㅇ 2.6 - 自動車工場, 고무연구소 訪問	

44-20

0066

관리 번호	91 -146

외 무 부

종 별 :

번 호 : SGW-0088 일 시 : 91 0209 1200

수 신 : 장관(아동,정특반,국연)

발 신 : 주 싱가폴 대사

제 목 : 외무성 차관보 방한

연: SGW-0086

1. 주재국 외무성 KISHORE MAHBUBANI 차관보는 제 2 차 APEC/SOM 참석차 3.4.-7. 간 제주도 방문후 3.7.-9. 간 서울 체류 예정임. (구체적 항공일정 연호 참조)

2. 동 차관보는 과거 유엔주재대사를 역임한바 있기 때문에 한국문제를 잘 이해하고 있으며 작년 유엔에서 ''웡'' 싱가폴 장관이 유엔가입 관련 처음으로 아측입장을 지지한 것도 동 차관보의 건의로 이루어졌음. 동 차관보는 한국을 처음 방문하는 바, 이기회에 본부의 고위인사와 면담, 한싱관계 증진, 남북한 문제등에 관하여도 의견을 교환할 것을 희망하고 있음. 동 차관보의 측근인 KESAVAPANY 정무 3 국장은 2.8. 일 본직에게 동 차관보의 서울 체재일정 (3.7.-9.) 을 아측 외무부의 초청 형식으로 할수 없는지를 비공식으로 타진하여 온바, 상기를 참작, 차관보 명의 초청으로 접수하여 주실것을 건의하오니 선처바람.

3. 동 차관보를 접수할 경우 공관장회의로 본부 형편이 어려울 것으로 이해되나, 장관님 예방및 차관보주최 오찬 또는 만찬일정으로 하여 주실것을 건의함.끝.

(대사-국장)

예고: 91.12.31 까지

아주국 장관 1차보 2차보 국기국 정특반

PAGE 1

91.02.09 16:13

외신 2과 통제관 CH

0067

관리 번호	91 -382

외 무 부

종 별 :

번 호 : DJW-0333 일 시 : 91 0216 1120

수 신 : 장관(아동,국연,정특반,경기)

발 신 : 주 인니 대사

제 목 : ALATAS 외상 면담

연:DJW-0156(91.1.25)

1. 본직은 금 2.16(토) 09:30 외무성에서 거행된 한-인니 부자보장협정 서명식에 참가한 기회에 ALATAS 외상과 별도 면담을 갖고 아국의 유엔가입 문제에 대한 입장을 설명하고 특히 ASEAN 국가중 주재국만이 중립적인 입장을 견지하고 있음과 인도, 멕시코, 나이제리아등 주요 비동맹국이 아국의 입장을 지지하고 있음을 실례로 들면서 주재국이 아국입장 지지를 강력히 요청하였음.

2. 이에 대해 ALATAS 외상은 과거 주재국이 비동맹 외교노선에 따라 북한을소홀히 할수 없어 남북한 동등(EVEN-HANDED)대우를 하였으나, 실질적으로는 정치, 경제 및 국제사회에서 한국과 협력을 보다 중요시해왔다고 밝히고 제 45 차 유엔총회시 분위기와 한반도를 중심으로한 국제정세 변화등을 감안할때 한국의 유엔가입에 대한 인니의 입장을 재검토할 시기가 되었다고 생각하며 앞으로 한국측의 입장을 수용하는 방향으로 검토(WE WILL CAREFULLY STUDY AND REVIEW THE PRESENT POSITION IN THE LIGHT OF ACCOMODATING THE KOREAN POSITION)하겠다고 언급하였음.

3.ALATAS 외상은 특히 말레시아가 제 45 차 유엔총회시 아국을 지지하였는지를 재차 문의하였으며, 동 면담에 배석한 WIRYONO 정무차관보는 아국 유엔가입에 대한 중국의 태도변화 가능성과 아국의 가입신청 시기에 관심을 표명하면서 가입 결정 경우 사전에 통보하여 줄것을 요청하였음을 첨언함.

4. 또한 본직은 주재국이 아국의 PMC 참가를 지지하여 준데 사의를 표하고 서울개최 제 47 차 ESCAP 총회 및 제 3 차 APEC 각료회의에 ALATAS 외상이 참석하여 줄것을 요청하였는바, ALATAS 외상은 캄보디아 문제 해결을 위한 국제회의등 돌발사태가 없는한 가능한 참가하겠다고 밝혔음. 끝.

(대사 김재춘-장관)

아주국 장관 차관 1차보 2차보 국기국 경제국 정특반 청와대
안기부

PAGE 1

91.02.16 14:26

외신 2과 통제관 BW

0068

예고:91.12.31. 일반
19 . . 에 예고
의거 일반문서로 재

검토필(1991. 6. 30)

PAGE 2

0063

관리 번호	91-401

	분류번호	보존기간

발 신 전 보

번 호 : WDJ-0181 910218 1705 ER 종별 :

수 신 : 주 인니 대사. 총영사

발 신 : 장 관 (국연)

제 목 : 유엔가입문제 관련 주재국 태도

1. 유엔가입문제 관련, 인니의 우리입장 지지는 여타 아세아국가들의 태도에 큰 영향을 미침으로써 중국의 태도변화 유도에도 긍정적으로 작용할 것이며 또한 북한의 태도에도 직.간접의 영향을 미친다고 판단됨.

2. 대호 Alatas 외상이 언급한 입장 재검토가 조기에 이루어질 수 있도록 귀지활동을 강화하고 특이사항 수시 보고바람. 끝.

예고 : 91. 12. 31. 일반예고에 의거 일반문서로 재분류

검토필(1991. 6. 30)

(장 관) ~~이상옥~~

보안 통제	

아주국장:

앙 고 재	91년 2월 18일	유엔과	기안자 성 명		과 장		국 장		차 관	장 관

외신과통제

0070

관리 번호	91 -396

분류번호	보존기간

발 신 전 보

번 호 : WUN-0316 910218 1705 ER 종별 :

수 신 : 주 유엔 대사. ~~총영사~~

발 신 : 장 관 (국연)

제 목 : 가입문제 관련 인니태도

1. 주인니대사가 2.16(토) Alatas 인니외상 면담기회에 유엔가입 문제 관련 아국입장 지지를 요청한데 대해 ~~과거~~ 동외상은 인니가 비동맹 외교 노선에 따라 북한을 소홀히 할 수 없어 남북한 동등 대우를 하였으나, 실질적으로는 정치, 경제 및 국제사회에서 한국과 협력을 보다 중요시 해 왔다고 밝히고, 제45차 유엔총회시 분위기와 한반도를 중심으로한 국제정세 변화등을 감안할때 한국의 유엔가입에 대한 인니의 입장을 재검토할 시기가 되었다고 생각하며 앞으로 한국측의 입장을 수용하는 방향으로 검토하겠다고 언급함.

2. 상기관련, ~~인니의 아국입장 지지가 여타 ASEAN 국 및 비동맹국에 미칠 수 있는 긍정적 영향을 감안~~, 귀지에서도 ~~향후~~ 인니대표부측과의 접촉활동을 강화~~하고 특이사항 있을시 수시 보고바람~~ 하기 바람. 끝.

예고 : 1991.12.31. 일반 의거 일반문서로 재분류 | 예고문 검토필 (1991.6.30) (서명)

~~(국제기구조약국장 문동석)~~

보 안 통 제	(서명)

앙 고 재	91년 2월 18일	유엔과	기안자 성명		과 장		국 장		차 관	장 관
			(서명)		(서명)		전결			(서명)

외신과통제

0071

기기국행정관 / 원본 / 국연

관리번호	91-402

외 무 부

종 별 :

번 호 : THW-0335 일 시 : 91 0218 1800

수 신 : 장 관(국연,아동)

발 신 : 주 태국 대사

제 목 : 91년도 유엔가입 추진대책

대 : 국연 2031-104

1. 본직은 2.18(월) BIRATH 신임 외무성 국기국장을 면담(정참사관 배석), 태국정부가 89 년 최초로, 이어 90 년에 유엔총회 기조연설을 통해 아국입장을 지지하여준데 사의를 표하고 대호 입장을 설명하면서 금년에도 계속해서 아국입장을 지지하여 주도록 요청하였음

2. 이에대해 동국장은 한국의 유엔가입 논리가 타당하다고 말하면서 외무성내 유관부서 및 여타 아세안 회원국들과 협조, 한국입장에 대한 공감대를 확충시켜 나가겠다고 하면서 한국과도 계속 긴밀히 협조해 나갈 예정이라고 말했음

(대사 정주년-국 장)

예 고 : 1991.12.31. 일반고 의거 일반문서로 재분류

검토필(1991. 6. 30)

국기국 장관 차관 1차보 2차보 아주국 미주국 청와대 안기부

PAGE 1

91.02.18 20:28

외신 2과 통제관 DO

0072

관리 번호	91 -409

	분류번호	보존기간

발 신 전 보

번 호 : WUN-0330 910219 1545 BX 종별 :

수 신 : 주 유엔 대사 (총영사)

발 신 : 장 관 (국연)

제 목 : 유엔가입 추진 (태국반응)

주태국대사가 2.18(월) BIRATH 신임 외무성 국기국장을 면담, 89년이래 태국이 아국입장을 지지하여준데 사의를 표하고 금년에도 계속해서 아국입장을 지지하여 주도록 요청한데 대해, 동 국장은 한국의 유엔가입 논리가 타당하다고 말하면서 외무성내 유관부서 및 여타 아세안 회원국들과 협조, 한국입장에 대한 공감대를 확충시켜 나가겠다고 하면서 한국과도 계속 긴밀히 협조해 나갈 예정이라고 언급함. 끝.

예 고 : 91.12.31. 일반예고에 의거 일반문서로 재분류

(국제기구조약국장 문동석)

검토필(1991.6.30)

보안 통제	

앙 고 재	91년 2월 19일	유엔과	기안자 성명		과 장		국 장		차 관	장 관
							전결			

외신과통제

0073

원 본

관리번호	91-531

외 무 부

종 별 :

번 호 : DJW-0388 일 시 : 91 0226 1000

수 신 : 장관(국연,아동)

발 신 : 주 인니 대사

제 목 : 유엔가입 문제

대:WDJ-0181

연:DJW-0333, 인니(정)2000-36(91.1.26)

1. 대호, 주재국 외무성은 아국의 유엔가입 문제에 대한 입장을 검토하기 위하여 WIRYONO 정무차관보 중심으로 실무작업을 시작하였음이 외무성 관계관에 의해 확인됨.

2. 이와 관련, 현재 외무성내에는 기존 남북한 동등외교(EVEN-HANDED PALICY)를 계속 견지해야 된다는 견해와 새로운 국제정세 변화, 제 45 차 유엔총회 분위기 및 한-인니 실질협력관계등을 감안하여 아국의 유엔가입을 지지해야 한다는 견해로 대별되고 있는 것으로 알려지고 있으며, 주요검토 사항은 주재국이 아국을 지지할 경우 기존 인니-북한 관계에 어떠한 영향이 미칠 것인가 하는 점이라 함.

3. 당관은 연호 당관이 작성한 설명자료를 중심으로 인도가 비동맹국으로써남북한 등거리 외교를 견지하고 있지만 아국의 유엔가입 지지로 인해 북한-인도 관계에 아무런 영향이 없음을 설명하는등 외무성 관계자들에 대한 설득작업을강화하고 있음을 우선 보고함. 끝.

(대사 김재춘-장관)

예고:91.12.31. 일반 의거 일반문서로 재분류

검토필(1991.6.30)

국기국 장관 차관 1차보 2차보 아주국

PAGE 1

91.02.26 13:19

외신 2과 통제관 BW

0074

관리번호 91-617

원 본

외 무 부

종 별 : 지 급

번 호 : DJW-0398

일 시 : 91 0227 1020

수 신 : 장관(국연,아동)

발 신 : 주 인니 대사

제 목 : 유엔가입 문제

대:WDJ-0181

연:DJW-0333,0388

1. 본직은 2.26. BOER 외무성 아. 태국장에게 연호, 아국 유엔가입 문제에 대한 외무성내 논의 동향을 타진한바, 동 국장은 실무선에서는 3 월 초순까지 검토 보고서를 마무리할 예정이라고 밝히고 자신으로서는 동 보고서가 한국 입장을수용하는 방향으로 노력하겠다고 언급 하였음.

2. 동 국장은 주재국 입장 검토에 있어 중국의 입장이 주요 관심이 되고 있다고 말하고, 또한 ASEAN 국가중 말련등 비동맹국의 입장에 대해서도 관심을 갖고 있다함.

3. 당관이 탐문한바에 의하면, 외무성 아태국은 당지 중국 참사관에게 동건에 대한 중국의 입장을 문의 하였으나 중국 참사관은 동건에 대하여 당지 공관으로서는 충분한 답변을할 위치에 있지 않으며 주유엔 중국대표부에 문의하는 것이좋겠다고 언급 하였다함.

4. 이와 관련 주재국 외무성은 2.26. 동건에 대한 쏘련, 중국, 인도, 유고,나이제리아 및 ASEAN 국가의 입장을 확인, 보고토록 주유엔 대사에게 훈령하였다 함. 끝.

(대사 김재춘-장관)

예고:91.12.31. 일반

검토필(1991.6.30)

국기국 장관 차관 1차보 2차보 아주국

PAGE 1

91.02.27 13:19

외신 2과 통제관 BW

0075

관리 번호	

원 본

외 무 부

종 별 : 지 급

번 호 : DJW-0402 일 시 : 91 0227 1715

수 신 : 장관(국연,아동)

발 신 : 주 인니 대사

제 목 : 유엔가입 문제

대:WDJ-0181

연:DJW-0388(1),0398(2)

1. 주재국 외무성은 아국의 유엔가입 문제와 관련 실무차원에서 본격적인 검토를 하고 있는바, 외무성 국제기구국은 기존 남북한 동등외교(EVEN-HANDED POLICY)를 견지하는 입장이고 아태국은 한반도를 위요한 정세변화에 비추어 아국의 유엔가입에 보다 호의적인 것으로 알려지고 있음.

2. 외무성 국제기구국은 유엔관련 문제에 대해서는 일차적으로 주유엔 대표부의 의견을 존중하는 방향이고, 주유엔 인니대표부도 아직까지는 남북한 문제에있어 기존 입장에 별다른 변화를 보이지 않는것으로 알려짐.

3. 따라서 주재국이 동건 관련 기존 입장에 대한 검토를 시작한 현 시점에서 주유엔 인니대표부의 연호(2)와 관련된 보고는 국제기구국을 포함한 외무성의동건 검토에 중요하게 작용할 것으로 관측되는바, 주유엔 아국대표부의 간부가주유엔 인니대표부 와 접촉하여 한반도 주변정세 변화, 제 45 차 유엔총회 결과 및 차기 유엔총회 전망등을 포함한 우리측 입장을 설명하고 지지를 요청할 것을 건의드림.끝.

(대사 김재춘-차관)

예고:91.12.31. 일반고 의거 일반문서로 재분류

검토필(1991.6.30)

국기국 장관 차관 1차보 2차보 아주국

PAGE 1 91.02.27 22:11

외신 2과 통제관 CH

0076

기타협의

관리 번호	91 -549

	분류번호	보존기간

발 신 전 보

번 호 : WUN-0412 910227 1922 FD 종별 :

수 신 : 주 유엔 대사.총영사

발 신 : 장 관 (국연)

제 목 : 가입문제 인니 태도

연 : WUN-0316

1. 연호관련, 인니 외무성 아.태국장은 아국 유엔가입문제에 대한 검토 보고서를 3월초순까지 작성 마무리 예정이라 언급하고 동 참고를 위해 주유엔 인니대표부에 훈령, 소련, 중국, 인도, 유고, 나이제리아 및 ASEAN 국가의 입장을 확인, 보고토록 조치하였다 함.

2. 상기에 따라 귀지에서도 인니대표부측에 대한 접촉 활동을 강화하기 바람.

예 고

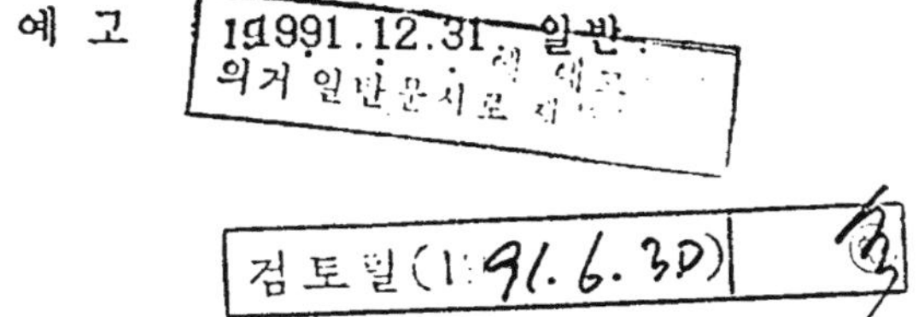
1991.12.31. 일반
의거 일반문서로 재분류

검토필(1991.6.30)

(국제기구조약국장 문동석)

보안 통제	

앙고재	91년 2월 27일	유엔과	기안자 성명		과 장		국 장		차 관	장 관
							전결			

외신과통제

0077

관리 번호 91-562

분류번호	보존기간

발 신 전 보

번 호 : WUN-0419 910228 1716 FD 종별 :

수 신 : 주 유엔 대사.총영사

발 신 : 장 관 (국연)

제 목 : ~~유엔가입문제 관련 인니태도~~

연 : WUN-0412

1. 연호관련 본부는 주인니대사로 하여금 대주재국 실무진 접촉시 하기 요지에 따라 우리의 입장을 분명히 밝히도록 지시한 바 있음.

o 우리의 유엔가입은 유엔의 보편성원칙과 우리의 국제사회내 위상에 비추어 독립주권국가로서 당연한 것임.

o 우리는 북한과 함께 가입하기를 희망하나 북한이 가입을 원치 않거나 가입할 준비가 되어 있지 않다면 북한의 추후 가입을 환영한다는 전제하에 우리의 선가입을 추진하겠다는 입장인 바, 우리와 외교관계를 맺고 오랜기간 긴밀한 협력관계를 유지해온 주재국이 우리의 유엔가입문제에 대하여 유보적 태도를 취해야 할 특별한 이유가 없을 것임.

o 인니측은 그간 남북한 동시가입을 지지한 바 있으며, 우리로서는 그동안 꾸준히 북한에게 우리와 함께 유엔에 가입할 것을 권유하여 왔고, 특히 작년 9월이래 고위급회담을 포함한 6차례에 걸쳐 남북

//계속..

보안 통제	

앙 고 재	91년 2월 28일	유엔과	기안자 성명		과 장		국 장		차 관	장 관
							전결			

외신과통제

0078

대화를 통해 북한에게 남북한 동시가입을 촉구하여 왔음. 이러한 상황하에 지금도 우리로서는 북한이 우리와 함께 가입할 것을 희망하고 있으나, 북한이 끝내 원치않아 우리가 선가입을 신청하게 될 경우에도 인니측이 우리의 가입신청에 대해 불분명한 태도를 취한다면, 이는 결과적으로 북측의 입장을 강화시켜 주는것임.

2. 한편 주인니대사의 보고에 의하면 아국의 유엔가입문제와 관련 인니외무성 국제기구국은 기존 남북한 동등외교를 견지하는 입장이고 아태국은 한반도를 위요한 정세변화에 비추어 아국의 유엔가입에 보다 호의적인 것으로 알려지고 있다함. 외무성 국제기구국은 유엔관련 문제에 대해서 일차적으로 주유엔대표부의 의견을 존중하는 방향이고, 주유엔 인니대표부도 아직까지는 남북한 문제에 있어 기존입장에 별다른 변화를 보이지 않는 것으로 알려지고 있다함. 연호 귀관에서의 대 인니대표부 접촉 활동에 참고바람. 끝.

예고 : 89.12.31. 일반에 의거 일반문서로 재분류

검토필(1991.6.30)

(국제기구조약국장 문동석)

0079

원 본

관리 번호	91-634

외 무 부

종 별 :

번 호 : UNW-0520 일 시 : 91 0306 1900

수 신 : 장관 (국연,아동,기정) 사본:노창희대사

발 신 : 주 유엔 대사

제 목 : 유엔가입문제 관련 인니 태도

대: WUN-0419,0412,0316

1. 대호, 본직은 3.6.(수) 인니대표부 WISNUMURTI 대사대리 (차석대사)와 유엔에서 면담한바, 요지 아래와 같음.

2. 본직이 대호를 토대로 아국의 유엔가입의 당위성, 45 차 유엔총회 등에서 나타난 아국가입문제에 대한 광범위한 지지분위기, 남북대화 계기를 활용한 대북한 동시가입 설득 노력, 최근 북한의 일방적 대화중단 사실 및 그 의도에 대한 평가, 최근 중국의 태도변화 조짐 및 여타 아세안 국가들의 아국가입 적극지지 입장등을 설명한후, 아국이 연내 가입 실현 방침임을 밝히고, 아국의 우방이자 아시아 및 비동맹의 지도국인 인니가 이제는 한국민의 유엔가입에 관한 정당한 염원 (ASPIRATION)을 보다 분명하고 적극적으로 지지해 줄것을 요청함.

3. 본직이 최근 인니 본국정부로 부터 아국 가입문제에 관한 지시를 접수한지 여부를 자연스럽게 타진한데 대하여 동인은 상금 특별한 지시를 받은바 없다고 말함. 이에 본직이 인니정부의 본건 입장 결정에 현지공관 견해가 크게 고려될것이므로 현지에서 보다 적극적인 내용의 건의를 해주도록 당부한바 동 대사대리는 알겠다고 하면서 사안의 중요성에 비추어 금일 면담내용을 상세히 본국정부에 보고한후 반응 있는대로 아측에 알려주겠다고 말하였음.

4. 동 대사대리가 아측의 년내가입 방침과 관련, 언제 가입신청서를 제출할것인지 문의한데 대하여 본직은 가입신청서 제출 시기가 현재 확정된것은 아니나 ~~45~~ 46 차 정기총회 개최에 맞추어 유엔가입 신청 절차에 필요한 소요기간을 감안하여 신청서를 제출하게 될것으로 본다고 언급함.

5. 동 대사대리는 이어 아국 가입문제에 대한 중국의 태도에 특별히 관심을보였으며, 이에 본직은 중국측도 아국의 년내가입 가능성을 염두에 두고 있음과

국기국 장관 차관 1차보 2차보 아주국 ~~국기국~~ 안기부

PAGE 1

91.03.07 09:52

외신 2과 통제관 BW

0080

국제적 지지 분위기에 비추어 중국만이 아국가입을 반대하기 어려움을 충분히인식하고 있다고 설명해줌.

6. 동 대사대리는 2.22. 자 안보리문서로 배포된 북한외교부 각서를 의식, 한국이 먼저 유엔에 가입하게 될 경우 북한측이 문제를 일으킬 가능성은 없는지를 문의한바, 이에대해 본직은 한. 쏘 수교시에도 북한이 크게 반발했으나 오래가지 않아 이를 수용하였음을 설명하고, 아국의 유엔가입시 북한도 결국은 유엔에 가입하게 될것으로 본다고 언급함. 끝

(대사대리 신기복-국장)

예고:91.12.31. 일반

19 . . . 에 예고문에 의거 일반문서로 재분류

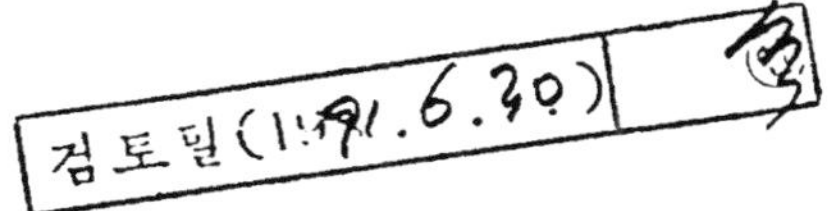

PAGE 2

0081

주한 인도네시아대사 접견 참고자료

(91.3.8(금) 10:00, 차관실)

I. 인적사항

1. 성　　명 : 루돌프 카센다 (Rudolf Kasenda)

2. 생년월일 : 1934.5.15. (56세)

3. 학　　력 :

   1955　해군사관학교 졸업

   1971　참모대학 졸업

   1976　미국 중견 국방관리 과정 수료

4. 경　　력 :

   1975-78　해군본부 작전부장

   1981-85　함대사령관

   1985-86　해군본부 병참차장

   1986-89　해군 참모총장

5. 가족사항 : 기혼 (1남 2녀)

6. 종　　교 : 기독교

* 90.2.6. 신임장 제정

앙고재 91년 3월 7일	담 당	과 장	국 장
	(서명)	(서명)	(서명)

0082

Ⅱ. 언급요망사항 (요지)

ㅇ 우리의 유엔가입 당위성

- 유엔의 보편성원칙

- 우리의 국제사회내 위상

ㅇ 인도네시아의 적극적 태도표명 요청

- 우리의 유엔가입 정책 (남북한의 동시가입 선호, 단 북한이 원치 않을 경우, 추후 가입 환영 전제하 선가입 추진)에 비추어 인도네시아가 유보적 태도를 취해야 할 특별한 이유가 없다고 봄.

- 작년 9월이래 남북대화등을 통한 우리의 북한설득 노력 불구, 북한의 비타협적 태도로 인해 우리가 선가입 신청할 경우, 인니가 불분명한 태도를 취한다면 이는 북한 입장을 강화시켜 주는것임.

Ⅲ. 참고 사항

1. 아국의 유엔가입 문제관련 인도네시아의 최근 동향

ㅇ 91.2.1-4간 연형묵 북한총리의 인니 방문기간중 북한측은 외무차관 회담(2.2)시 유엔가입문제 관련 기존입장을 설명, 인니측 지지를 요청하였으나 인니측은 이에 응답치 않음.

ㅇ 91.2.16. Alatas 인니 외상은 김재춘 주인니대사에게 과거 비동맹 외교 노선에 따라 남북한 동등 대우를 하였으나 실질적으로는 한국과의 협력을 중시해 왔다고 언급하면서 제 45차 유엔총회시 분위기와 한반도주변 정세 변화등을 감안할때 한국의 유엔가입에 대한 인니 입장을 재검토할 시기가 되었으며 앞으로는 한국측의 입장을 수용하는 방향으로 검토하겠다고 언급

0083

o 91.2.27. 인니 아.태국장은 아국 가입문제에 관한 검토보고서를 3월초순까지 작성 예정이라 언급하고 동 참고를 위해 주유엔 인니 대표부에 훈령, 소련, 중국, 인도, 유고, 나이제리아 및 ASEAN 국가의 입장을 확인토록 지시하였다고 언급

- 국제기구국은 기존 남북한 동등 외교정책을 견지, 아.태국은 한반도를 위요한 정세변화에 비추어 아국의 유엔가입에 보다 호의적 태도 견지

  * 동건관련 주유엔대표부로 하여금 주유엔 인니대표부 접촉 활동 강화토록 기지시(91.2.28)

2. 유엔총회 기조연설시 인니측 발언내용

제 43차(1988) : 남북대화 재개촉구 및 대화를 통한 평화통일 달성희망

제 44차(1989) : 대화를 통한 평화통일 달성 희망

제 45차(1990) : 남북고위급회담 개최 환영, 평화통일 달성 희망

0084

아누원장

이

주한 인도네시아대사 접견 참고자료

(91.3.8(금) 10:00, 차관실)

I. 인적사항

1. 성 명 : 루돌프 카센다 (Rudolf Kasenda)

2. 생년월일 : 1934.5.15. (56세)

3. 학 력 :

   1955 해군사관학교 졸업

   1971 참모대학 졸업

   1976 미국 중견 국방관리 과정 수료

4. 경 력 :

   1975-78 해군본부 작전부장

   1981-85 함대사령관

   1985-86 해군본부 병참차장

   1986-89 해군 참모총장

5. 가족사항 : 기혼 (1남 2녀)

6. 종 교 : 기독교

* 90.2.6. 신임장 제정

0085

Ⅱ. 언급요망사항 (요지)

o 우리의 유엔가입 당위성

- 유엔의 보편성원칙
- 우리의 국제사회내 위상

o 인도네시아의 적극적 태도표명 요청

- 우리의 유엔가입 정책 (남북한의 동시가입 선호, 단 북한이 원치 않을 경우, 추후 가입 환영 전제하 선가입 추진)에 비추어 인도네시아가 유보적 태도를 취해야 할 특별한 이유가 없다고 봄.
- 작년 9월이래 남북대화등을 통한 우리의 북한설득 노력 불구, 북한의 비타협적 태도로 인해 우리가 선가입 신청할 경우, 인니가 불분명한 태도를 취한다면 이는 북한 입장을 강화시켜 주는것임.

Ⅲ. 참고 사항

1. 아국의 유엔가입 문제관련 인도네시아의 최근 동향

o 91.2.1-4간 연형묵 북한총리의 인니 방문기간중 북한측은 외무차관 회담(2.2)시 유엔가입문제 관련 기존입장을 설명, 인니측 지지를 요청하였으나 인니측은 이에 응답치 않음.

o 91.2.16. Alatas 인니 외상은 김재춘 주인니대사에게 과거 비동맹 외교 노선에 따라 남북한 동등 대우를 하였으나 실질적으로는 한국과의 협력을 중시해 왔다고 언급하면서 제 45차 유엔총회시 분위기와 한반도주변 정세 변화등을 감안할때 한국의 유엔가입에 대한 인니 입장을 재검토할 시기가 되었으며 앞으로는 한국측의 입장을 수용하는 방향으로 검토하겠다고 언급

0086

o 91.2.27. 인니 아.태국장은 아국 가입문제에 관한 검토보고서를 3월초순까지 작성 예정이라 언급하고 동 참고를 위해 주유엔 인니 대표부에 훈령, 소련, 중국, 인도, 유고, 나이제리아 및 ASEAN 국가의 입장을 확인토록 지시하였다고 언급

- 국제기구국은 기존 남북한 동등 외교정책을 견지, 아.태국은 한반도를 위요한 정세변화에 비추어 아국의 유엔가입에 보다 호의적 태도 견지

  * 동건관련 주유엔대표부로 하여금 주유엔 인니대표부 접촉 활동 강화토록 기지시(91.2.28)

2. 유엔총회 기조연설시 인니측 발언내용

제 43차(1988) : 남북대화 재개촉구 및 대화를 통한 평화통일 달성희망

제 44차(1989) : 대화를 통한 평화통일 달성 희망

제 45차(1990) : 남북고위급회담 개최 환영, 평화통일 달성 희망

0087

면 담 요 록

1. 개 요

   ㅇ 일 시 : 91.3.8(금) 10:00-10:30

   ㅇ 장 소 : 차관실

   ㅇ 면 담 자 :

   아 측 / 인 니 측

   외무차관 / 카센다 주한 인니대사

   (기록 : 국제연합과 이수택 서기관)

2. 면담내용

인사교환

차 관 : 금일 귀하를 만나고자한 이유는 유엔가입문제를 협의키 위함임. 우리의 유엔가입 문제에 관한 귀국정부의 입장을 통보받은 적이 있는지?

대 사 : 아직 통보받은 바 없음.

차 관 : 우리가 이해하기에는 귀국정부가 우리의 우방국중 유일하게 우리의 가입문제에 관해 불분명한(unclear) 태도를 보이고 있는 국가임.

유엔헌장 제 4조의 회원국 자격요건 설명 및 동 내용수고

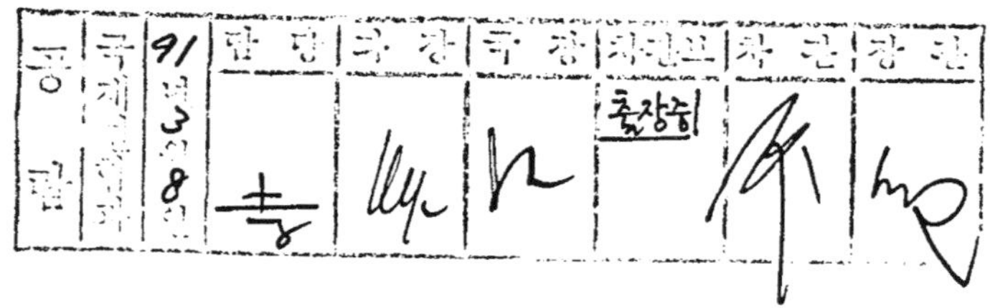

0088

우리가 아직 정식으로 가입신청을 하지 않은 상태에서 귀국 정부가 가.부간의 반응을 보일 필요가 없다는 점은 이해하나, 거의 모든 국가가 우리의 가입에 관해 pledge 한 상태에서 귀국 정부만이 유일하게 불분명한 태도를 보이고 있음을 다시한번 지적코자 함.

만일 우리의 가입문제가 정치적인 판단을 요하는 문제라면 각국이 이 문제에 관한 개별적인 판단을 할 수 있겠으나, 우리의 유엔가입문제는 정치적 문제가 아닌 "원칙의 문제(question of principle)"임.

우리와 외교관계를 가진 모든 국가가 우리의 가입을 지지하고 심지어는 우리와 우방국관계라고는 할 수 없으나, 균형적 관계(correct relations)를 맺고 있는 소련까지도 그들이 유엔의 보편성원칙을 확고히 지지하며 유엔헌장에 의거 가입할 자격이 있는 국가는 모두 유엔회원국이 되어야 한다는 입장을 분명히 밝히고 있음.

중국도 우리와 외교관계는 없고 통상관계만 맺고 있으나, 우리가 이해하기로는 유연한 입장을 보이고 있음. 대외적으로 밝히지는 않고 있으나 그들은 북한의 단일의석 가입안이 비합리적이며 실현불가능한 것으로 판단하고, 북한으로 하여금 태도를 바꾸도록 설득하고 있는 것으로 우리는 알고 있음.

다시한번 강조하지만, 우리의 가입문제와 관련 태도가 분명치 않은 국가는 인도네시아 뿐임. 우리는 귀국이 우리의 가입문제에 관해 정확히 무엇을 생각하고 있는지 알기를 원함.

0083

한국의 유엔가입문제는 협상을 필요로하는 정치문제가 아니며 원칙의 문제입을 다시한번 분명히 함.

유엔헌장에 의거 인니가 우리의 가입에 대해 반대~~한다면 어떠한 점에서 그러한지를 알고 싶음. 만일 그런것이 아니고~~ 북한입장에 대한 고려때문이라면 우리로서는 이를 수용할 수 없음.

통일을 달성할때까지 남북한은 분명한 두개의 주권 독립 국가입. 따라서 우리의 대외문제가 북한의 동의에 억매어야 한다는 것은 우리로서는 받아들일 수 없음.

인도, 유고,알제리등 모든 비동맹 주요국 및 동구권국가는 물론, ASEAN 국가도 모두가 우리의 가입을 지지하고 있음.

귀국은 그동안 우리와 수차례에 걸친 정상회담, 외상회담을 통해 우호관계를 돈독히 해왔음에도, 불구 우리의 가입문제에 불분명한 태도를 취하고 있음에 우리 외무부내 모든 직원들이 의아하게 생각하고 있음.

물론 북한은 우리의 입장에 반대하고 있음. 만일 우리가 북한의 유엔가입을 반대하면서 우리만의 가입을 추진한다면, 세계 여타국가들이 이를 정치문제화할 수 있음. 그러나 우리의 입장이 북한과 함께 유엔에 가입하고자 하는 것임에 비추어 우리의 우방국인 귀국이 애매한 태도를 취하고 있음은 이해가 안됨.

따라서 귀국이 우리의 가입문제에 관해 가지고 있는 생각을 알려주기 바랍.

0090

우리는 중국이 우리의 가입문제에 관해 내심으로 어떻게 생각하고 있는지 알고 있으며, 소련이 무슨 생각을 가지고 있는지 그리고 대부분의 국가가 어떤 생각을 하는지 다 알고 있으나, 다만 귀국이 내심으로 무슨 생각을 하고 있는지 알지 못함. 따라서 귀국의 정확한 생각을 알려주실 것을 요망함. 외무장관이하 모든 외무부 관계관들이 귀국의 애매한 태도에 당혹해 하고 있음을 다시한번 말씀드리고자 함.

대 사 : 차관님의 말씀 충분히 알겠음. 인니 외무장관은 변호사출신임. 본직은 군출신이기 때문에 모든 문제에 가부간 명확히 하는 것이 좋다고 생각하지만 외고관들의 생각은 그렇지 않은것 같음.

차 관 : 인니가 북한과의 우호관계를 가지는 것에 대해 반대하지 않음. 인니는 얼마든지 북한과 정치, 경제적으로 좋은 관계를 가질 수 있음. 그러나 우리가 분명히 하고자 하는 것은 우리의 대외주권 행사가 북한-인니관계 때문에 지장을 받아야 한다는 것은 수용 할수 없음. 통일이 달성될때까지 남북한은 엄연한 2개의 독립 주권국가임.

대 사 : 인니정부가 상기 두개문제를 혼동하고 있는것 같음. 외무성에 보고하는 한편, 가능하면 외상과 직접 연락, 인니의 입장을 곧바로 확인, 알려드리겠음.

차 관 : 인니가 우리의 우방중 유일하게 우리의 유엔가입 문제에 관해 불분명한 태도를 보이고 있는 국가라는 점도 전달해 주기바람. 참고로 지난 1월 한.소 경제협력위원회시 발표된 공동성명중 유엔가입 문제관련 부분을 알려드리고자 함.

동 자료 수고

- 끝 -

0091

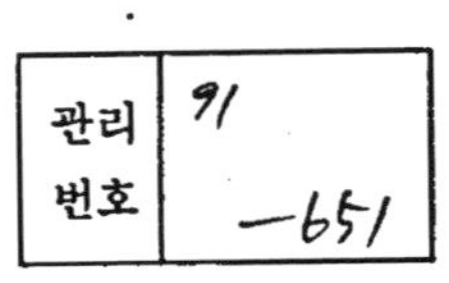

외 무 부

원 본

종 별 :

번 호 : DJW-0463　　　　일 시 : 91 0308 1100

수 신 : 장관(국연,아동)

발 신 : 주 인니 대사

제 목 : 유엔가입 문제

대:WDJ-0181

연:DJW-0388

1. 본직은 금 3.8. SUDOMO 정치.안보 조정장관을 예방, 아국의 유엔가입에 대한 입장을 설명하고 현재 외무성에서 동건에 대한 검토가 진행중임을 감안하여주재국 정부가 아국의 유엔가입을 지지토록 하는데 필요한 지원과 협조를 하여줄것을 요청하였음.

2. SUDOMO 장관은 본직의 요청에 호의적인 반응을 표시하고 외상을 도와서 한국의 요청이 성사되도록 노력하겠다고 하였음.

3. SUDOMO 장관은 주재국의 정치, 외교, 군사 및 안보문제를 총괄, 조정하는 중요 각료로서 주재국 정부내에서 주요 실력자중의 하나임을 첨언함. 끝.

(대사 김재춘-장관)

예고:91.12.31. 일반

검토필(1991.6.30)

국기국　장관　차관　2차보　아주국　미주국

PAGE 1　　　　91.03.08 15:19

외신 2과 통제관 BA

0092

관리 번호	91 -662

원 본

외 무 부

종 별 :

번 호 : DJW-0464 일 시 : 91 0308 1110

수 신 : 장관(국연,아동)(사본:주유엔대사,본부 중계필) WUN-0475

발 신 : 주 인니대사

제 목 : 유엔가입 문제

대:WDJ-0181

1. 당관 이참사관이 외무성 관계관 으로부터 탐문한 바에 의하면, 주유엔 미국대표부의 MR. DANIEL RUSSEL 이 1.23. 주유엔 인니대표부 직원에게 미국은 남북한 유엔가입을 금년 여름 유엔안보리나 제 45 차 유엔총회(RESUMED SESSION OF THE 45TH UNGA)기간중 신청 예정임을 알리면서, 북한과 우호 관계에 있는 인니가 북한을 설득시켜 주기 바라며, 미국은 주인니 미국대사와 주미 인니 대사를통해 이를 요청할 계획임을 밝혔다 함.

2. 이와 관련, 주유엔 인니대표부는 북한의 유엔 단일의석 가입 입장이 단호하여 협상 가능성이 없는 것으로 보고 있으며, 한국의 유엔 가입문제는 최근 국제정세 변화와 한. 인니 및 북한-인니 관계를 고려하여 신중하게 대처해야 한다고 보고하여 왔다 함.

3. 당지에서 아국의 유엔가입에 대한 주재국의 지지확보를 위한 교섭이 진행중임을 감안, 동건과 관련하여 유엔등에서 주재국과 교섭이 있는 사항은 당관에도 참고로 알려주시기 바람. 끝.

(대사 김재춘-국장)

예고:91.12.31. 일반 의거 일반문서로 재분류

검토필(1991.6.30)

국기국	장관	차관	1차보	2차보	아주국	청와대	안기부

PAGE 1

91.03.09 00:15

외신 2과 통제관 FE

0093

관리 번호	91 —657

	분류번호	보존기간

발 신 전 보

번 호 : WDJ-0252 910308 1917 FD 종별 : 지급

수 신 : 주 인니 대사. /총영사

발 신 : 장 관 (국연)

제 목 : 주한 인니대사 면담

대 : DJW-0398, 0402, 0463

1. 유종하차관은 금 3.8(금) '카센다' 주한 인니대사를 초치, 우리의 가입문제에 관해 하기 요지로 언급하였으니 귀주재국 외무성 접촉시 참고바람. (면담록 파편 송부예정)

- 인니는 우리의 우방국중 유일하게 우리의 가입문제에 관해 불분명한(UNCLEAR) 태도를 취하고 있는 국가임.
- 우리의 가입문제는 정치적 고려가 필요한 정치문제가 아니라 원칙의 문제이며, 따라서 인니가 우리입장을 지지하는데 하등의 문제가 없다고 생각함.
- 기존의 한.인니 관계에 비추어 인니측의 불분명한 태도는 이해하기 곤란함. 우리의 유연가입 문제에 관한 귀측의 정확한 견해를 알려 주기바람.
- 남북한은 통일될때까지는 엄연히 2개의 독립된 주권국가임. 우리는 인니-북한관계가 발전되는데 반대하지 않으나 우리의 대외주권행사가 인니-북한간 관계로 인해 저해받을 수는 없음.

/ 계속 /

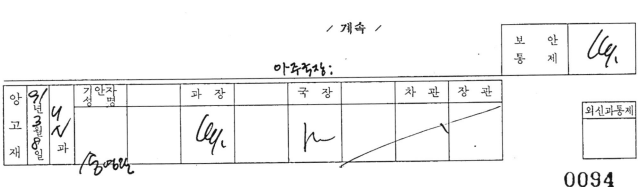

보안 통제	

아주국장:

앙 고 재	91년 3월 8일	국연 과	기안자 성명		과 장		국 장		차 관	장 관

외신과통제

0094

2. 귀관 참고로 우리의 유엔가입 문제에 관한 소련, 중국, 유고 나이지리아 및 ASEAN 국가의 최근 태도를 하기 통보하니 적의 활용바람.

가. 중 국

- 작년도에는 남북한 협의에 의한 해결을 강하게 희망
- 우리의 6차례에 걸친 남북대화를 통한 대북한 설득노력 및 중국의 입장도 고려한 가입신청 보류 결정을 평가
- 최근 외무성내에는 남북한 유엔가입문제에 관한 현실적 접근 태도 대두 (단일의석안은 현실적으로 불가능한 안이라고 평가)

나. 소 련

- 금년 1월 아국방문 귀로에 중국을 방문한 바 있는 로가쵸프 외무차관은 금년중 아국의 가입신청시 중국이 반대치 말것을 설득

다. 인 도

- 지난 2월 인도외상 중국방문시, 아국의 협조 요청에 따라 우리의 유엔가입문제 거론
- 제 45차 총회 기조연설시 아국입장 지지

라. 아세안 국가

- 금년 1월 연형묵 북한총리 방문시, 태국은 유엔의 보편성 원칙에 따라 남북한의 유엔가입 희망 입장 표명 및 독일, 예멘의 예로 보아 분단국의 유엔가입이 분단영구화가 아님을 강조
- 태국, 말련, 싱가폴은 작년 제 45차 총회 기조연설시 아국 입장 지지 (말련측은 연총리 방말시 북한의 입장 지지 요청에 응답치 않음).

/ 2. . . .

0095

마. 나이제리아

o 제 45차 총회시 아국입장 지지

바. 유고슬라비아

o 제 45차 총회시 중도입장 표명(한반도 평화통일)하였으나, 양국 외상회담에서 우리의 유엔가입 정책에 깊은 이해표명.

끝.

예 고 : 1991.12.31. 일반

(국제기구조약국장 문동석)

검토필(1991.6.30)

0096

8368

기 안 용 지

분류기호 문서번호	국연 2031-	(전화 :)	시 행 상 특별취급	
보존기간	영구·준영구. 10. 5. 3. 1.	장 관		
수 신 처 보존기간				
시행일자	1991. 3. 9.			

보조기관	국 장	전 결	협조기관		문 서 통 제
	과 장				검인 1991. 3. 11
기안책임자	송영완				발 송 인

경 유 수 신 참 조	주인니대사 (사본: 주유엔대사)	발신명의		발송 1991. 3. 11 외무부
제 목	면담요록 송부			

연 : WDJ-0252

연호, 91.3.8. 유엔가입문제에 관한 유종하 차관과 주한 인니 대사와의 면담시 언급내용을 별첨 송부하오니 업무에 참고하시기 바랍니다.

첨 부 : 면담요록 1부.   끝.

0097

1505-25(2-1) 일(1)갑
85. 9. 9. 승인 "내가아낀 종이 한장 늘어나는 나라살림"
190㎜×268㎜ 인쇄용지 2급 60g/㎡
가 40-41 1990. 5. 28

분류기호 문서번호	국연 2031- 47	협조문용지 ( )	결재	담당	과장	국장
시행일자	1991. 3. 9.					(서명)
수 신	아주국장	발 신	국제기구조약국장			
제 목	면담요록 송부					

91.3.8. 유엔가입문제에 관한 유종하 차관과 주한 인니대사와의 면담시 언급내용을 별첨 송부하오니 업무에 참고하시기 바랍니다.

첨 부 : 면담요록 1부. 끝.

0098

1505 - 8 일(1)
85. 9. 9 승인 "내가아낀 종이 한장 늘어나는 나라살림"
190㎜×268㎜(인쇄용지 2급 60g / ㎡)
가 40-41 1989. 11. 14

면 담 요 록

1. 개 요

   o 일 시 : 91.3.8(금) 10:00-10:30

   o 장 소 : 차관실

   o 면 담 자 :

아 측	인니측
외무차관	카센다 주한 인니대사

   (기록 : 국제연합과 이수택 서기관)

2. 면담내용

인사교환

차 관 : 금일 귀하를 만나고자한 이유는 유엔가입문제를 협의키 위함임. 우리의 유엔가입 문제에 관한 귀국정부의 입장을 통보받은 적이 있는지?

대 사 : 아직 통보받은 바 없음.

차 관 : 우리가 이해하기에는 귀국정부가 우리의 우방국중 유일하게 우리의 가입문제에 관해 불분명한(unclear) 태도를 보이고 있는 국가임.

유엔헌장 제 4조의 회원국 자격요건 설명 및 동 내용수교

0093

우리가 아직 정식으로 가입신청을 하지 않은 상태에서 귀국 정부가 가.부간의 반응을 보일 필요가 없다는 점은 이해하나, 거의 모든 국가가 우리의 가입에 관해 pledge 한 상태에서 귀국 정부만이 유일하게 불분명한 태도를 보이고 있음을 다시한번 지적코자 함.

만일 우리의 가입문제가 정치적인 판단을 요하는 문제라면 각국이 이 문제에 관한 개별적인 판단을 할 수 있겠으나, 우리의 유엔가입문제는 정치적 문제가 아닌 "원칙의 문제(question of principle)"임.

우리와 외교관계를 가진 모든 국가가 우리의 가입을 지지하고 심지어는 우리와 우방국관계라고는 할 수 없으나, 균형적 관계(correct relations)를 맺고 있는 소련까지도 그들이 유엔의 보편성원칙을 확고히 지지하며 유엔헌장에 의거 가입할 자격이 있는 국가는 모두 유엔회원국이 되어야 한다는 입장을 분명히 밝히고 있음.

중국도 우리와 외교관계는 없고 통상관계만 맺고 있으나, 우리가 이해하기로는 유연한 입장을 보이고 있음. 대외적으로 밝히지는 않고 있으나 그들은 북한의 단일의석 가입안이 비합리적이며 실현불가능한 것으로 판단하고, 북한으로 하여금 태도를 바꾸도록 설득하고 있는 것으로 우리는 알고 있음.

다시한번 강조하지만, 우리의 가입문제와 관련 태도가 분명치 않은 국가는 인도네시아 뿐임. 우리는 귀국이 우리의 가입문제에 관해 정확히 무엇을 생각하고 있는지 알기를 원함.

0100

한국의 유엔가입문제는 협상을 필요로하는 정치문제가 아니며 원칙의 문제입을 다시한번 분명히 함.

유엔헌장에 의거 인니가 우리의 가입에 대해 반대하지 않고 북한입장에 대한 고려때문이라면 우리로서는 이를 수용할 수 없음.

통일을 달성할때까지 남북한은 분명한 두개의 주권 독립 국가임. 따라서 우리의 대외문제가 북한의 동의에 억매어야 한다는 것은 우리로서는 받아들일 수 없음.

인도, 유고,알제리등 모든 비동맹 주요국 및 동구권국가는 물론, ASEAN 국가도 모두가 우리의 가입을 지지하고 있음.

귀국은 그동안 우리와 수차례에 걸친 정상회담, 외상회담을 통해 우호관계를 돈독히 해왔음에도, 불구 우리의 가입문제에 불분명한 태도를 취하고 있음에 우리 외무부내 모든 직원들이 의아하게 생각하고 있음.

물론 북한은 우리의 입장에 반대하고 있음. 만일 우리가 북한의 유엔가입을 반대하면서 우리만의 가입을 추진한다면, 세계 여타국가들이 이를 정치문제화할 수 있음. 그러나 우리의 입장이 북한과 함께 유엔에 가입하고자 하는 것입에 비추어 우리의 우방국인 귀국이 애매한 태도를 취하고 있음은 이해가 안됨.

따라서 귀국이 우리의 가입문제에 관해 가지고 있는 생각을 알려주기 바람.

0101

우리는 중국이 우리의 가입문제에 관해 내심으로 어떻게 생각하고 있는지 알고 있으며, 소련이 무슨 생각을 가지고 있는지 그리고 대부분의 국가가 어떤 생각을 하는지 다 알고 있으나, 다만 귀국이 내심으로 무슨 생각을 하고 있는지 알지 못함. 따라서 귀국의 정확한 생각을 알려주실 것을 요망함. 외무장관이하 모든 외무부 관계관들이 귀국의 애매한 태도에 당혹해 하고 있음을 다시한번 말씀드리고자 함.

대 사 : 차관님의 말씀 충분히 알겠음. 인니 외무장관은 변호사출신임. 본직은 군출신이기 때문에 모든 문제에 가부간 명확히 하는 것이 좋다고 생각하지만 외교관들의 생각은 그렇지 않은것 같음.

차 관 : 인니가 북한과의 우호관계를 가지는 것에 대해 반대하지 않음. 인니는 얼마든지 북한과 정치, 경제적으로 좋은 관계를..가질 수 있음. 그러나 우리가 분명히 하고자 하는 것은 우리의 대외주권 행사가 북한-인니관계 때문에 지장을 받아야 한다는 것은 수용할수 없음. 통일이 달성될때까지 남북한은 엄연한 2개의 독립 주권국가임.

대 사 : 인니정부가 상기 두개문제를 혼동하고 있는것 같음. 외무성에 보고하는 한편, 가능하면 외상과 직접 연락, 인니의 입장을 곧바로 확인, 알려드리겠음.

차 관 : 인니가 우리의 우방중 유일하게 우리의 유엔가입 문제에 관해 불분명한 태도를 보이고 있는 국가라는 점도 전달해 주기바람. 참고로 지난 1월 한.소 경제협력위원회시 발표된 공동성명중 유엔가입 문제관련 부분을 알려드리고자 함.

| 동 자료 수고 |

- 끝 -

0102

관리 번호	91 -671

원 본

외 무 부

종 별 :

번 호 : DJW-0469

일 시 : 91 0309 1050

수 신 : 장관(국연,아동)

발 신 : 주 인니 대사

제 목 : 유엔가입 문제

연:DJW-0464

연호, 당관 이참사관은 3.8. HAMILTON 당지 미국참사관에게 아국의 유엔가입 문제와 관련 본국 정부로부터 훈령여부를 타진한바, 상금 아무런 훈령이 없다고 하면서 여사한 훈령이 있는 경우 당관에 알려주겠다고 하였음. 끝.

(대사 김재춘-국장)

예고:91.12.31. 일반

의거 일반문서로 재분류

검토필 91.6.30

국기국 아주국

PAGE 1

91.03.09 15:08

외신 2과 통제관 BA

0103

관리 번호 91-670

외 무 부

종 별 :

번 호 : DJW-0472 일 시 : 91 0309 1130

수 신 : 장관(아동,국연,정이,기정)

발 신 : 주 인니 대사

제 목 : 국회부의장 면담

1. 본직은 3.12-19 간 북한을 공식 방문하는 주재국 국회 SAIFUL SULUN 부의장을 3.8. 면담하고, 최근 남북한 총리회담 진전상황, 아국의 북방정책, 한-쏘,한-중 관계 및 UN 가입문제등에 대한 우리의 입장을 설명하였음.

2. 동 부의장은 금번 방문의 배경에 대하여,88.12. 북한의 양형섭 최고인민회의 의장 인니 방문의 답방형식으로 국회의장 대신 자신이 의회친선 사절단장 자격으로 북한을 방문케된 것이라 말하고, 한반도를 위요한 최근 정세에 대한 본직의 설명에 사의를 표명하고, 한국문제는 한국민 스스로 해결되어야 하는 것이 인니의 기본 입장이나, 급변하는 세계정세에 상응하는 변화를 인니도 외면할수 없다고 전제하고, UN 가입문제는 원칙적으로 행정부 소관사항이기는 하나, 한국의 설득력 있는 이유를 행정부 관계부처에 전달하는 한편 방북시 북한의 폐쇄정책이 남북한간 경제적 격차는 물론 국제사회에서 고립이 더욱 가속화될 것임을 지적하겠다고 하였음.

또한 쏘련의 페레스트로이카를 비롯, 모든 공산주의 국가가 체제변화를 통해 경제발전에 진력하고 있는 시점에 북한도 국제사회에서 책임있는 일원으로서 협력을 강화할수 있기 위하여 문호를 개방하고 한국과의 대화에 적극 참여토록 권고하겠다고 함. 끝.

(대사 김재춘-차관)

예고:91.12.31. 일반
의거 일반문서로 재분류

검토필(1991.6.30)

아주국 장관 차관 1차보 2차보 국기국 정문국 안기부

PAGE 1 91.03.09 15:10

외신 2과 통제관 BA

0104

공 란

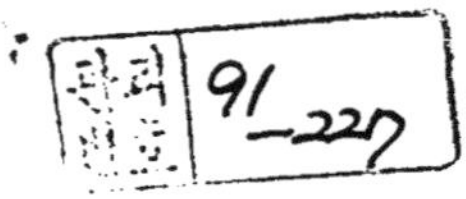

심의관

분류기호 문서번호	아프이20221- 198	협 조 문 용 지 ( )	결재	담 당	과 장	국 장
시행일자	1991.3.12.					
수 신	아주국장, 국제기구조약국장	발 신	중동아프리카국장 (서명)			
제 목	면담록 송부					

91.3.11자 유종하 외무차관과 Ismail Budin 말련 경제차관보와의 면담록을 별첨과 같이 송부하오니 참고하시기 바랍니다.

첨 부 : 동 면담록 사본 1부. 끝.

1991.12.31.에 예고문에 의거 일반문서로 재분류됨

검토필(1991.6.30.)

0106

1505-8일(1)
85. 9. 9 승인 "내가아낀 종이 한장 늘어나는 나라살림"
190㎜×268㎜(인쇄용지 2급 60g/㎡)
가 40-41 1990. 3. 15

면 담 요 록

일 시 : 1991. 3. 11(월) 11:00 -11:50

장 소 : 차관실

면 담 자 : 외무차관 유종하, 말련 경제차관보 Ismail Budin
(배 석) 아프리카2과장 유시야, 주한말련대사 Zik Mohamed Hassan

유차관 : 방한을 환영하며 귀하의 방한에 대해 현지 한국 대사관으로부터 연락을 받은 바 있음.

Budin 차관보 : 본인에 대한 면담기회를 마련해 주어 감사하며 비동맹 아프리카 기금 문제를 말씀드리고저함. 작년말 나미비아에서 개최된 동 기금회의에 의하면 모든 기금공여국들은 약속된 기금의 집행 등 모든 약속을 조속 이행토록 결의하고 있는바, 다음번 회의(91.5.7-11)개최국으로 결정된 말련으로서는 동 개최전 각국의 이행상태 등을 확인코저하며 동 이행 확인은 92년 개최 예정인 비동맹 정상회의 준비를 위하여도 필요한 것임. 한국은 몇년전 100만불 지원을 서약하고 89년까지 40만불, 90년까지 60만불을 집행한것으로 알고있음. 한국의 기금 공여가 92년도에 종료가 되는데 그 이후에도 동 기금에 계속 참여를 하고 기금을 증액할 용의가 있으며 또한 금년 5월 말련에서 개최되는 기금회의에 대표단을 파견할 계획이 있는지 등을 확인코저 함.
동 기금 의장국인 인도로부터도 초청이 있겠지만 금번회의에 한국도 대표단을 파견해 주기 바랍.

유차관 : 말련의 금번 기금회의 개최에 감사함. 아국은 아프리카와 30여년에 걸친 접촉 실적을 쌓고 있는바, 무상원조의 계속 제공과 아울러 최근 들어 무역부문 등에서의 상호협력관계가 증진되어 가는 추세임.

공람	기안일자	담당	과장	심의관	국장	차관보	차관	장관
	91. 3. 11		[signature]	[signature]	[signature]		[signature]	

0107

아국은 아프리카 기금을 5년에 걸쳐 제공중에 있는바 금년 5월 귀국 개최 회의에 가능한 대표단을 보내도록 노력하겠음. 동 기금에의 계속 참여 여부 및 기금증액 등은 추후 연구, 검토토록 하겠음.

Hassan 대 사 : 잠비아에 한국 대사관은 개설 되었는지?

유차관 : 잠비아 뿐만 아니라 나미비아에도 대사관이 개설되어 있음.

Budin 차관보 : 한국은 짐바브웨에 대사관이 있는지? 말련은 동국에 대사관이 개설되어 있는바, 동 대사관에서 역내 9개국을 관할하고 있음. 그외 나이제리아, 리비아, 모로코, 이집트 등에 대사관을 가지고 있음.

유차관 : 한국은 짐바브웨와 관계개선을 추진중인 바, 말련정부의 동 문제와 관련한 제반 협조를 부탁함. 아국은 짐바브웨 뿐만 아니라 탄자니아, 모잠비크, 앙골라 등 전선국가와의 관계개선도 희망하고 있음. 아국과 짐바브웨와의 관계개선이 지연되고 있는 주요원인으로는 무가베와 김일성과의 개인적인 친분일 것인바 짐바브웨로서는 개인적인 친분 때문에 국가 이익을 해치고 있다고 봄. 한국은 북한의 우방국중 소련과 관계를 가지고 있고 중국과도 무역사무소 설치 등 일정 범위의 관계를 맺고 있는바 동 예외적인 국가로는 이집트, 짐바브웨, 탄자니아 등을 들수 있겠음. 탄자니아는 최근 아국이 통상 대표부를 설치토록 제의하였음. 탄자니아 등 미수교국가들에는 아국기업인들이 진출을 꺼리고 있는바 동국 정부들은 기업인 진출을 권유하고 있지만 외교관계의 부재가 장애요인으로 되고 있음. 잠비아의 Kaunda 대통령은 매우 현명한 인물로 보임.

Hassan 대 사 : 북한은 최근 잠비아로부터 대사관을 폐쇄한다고 들었는데?

유차관 : 그러함. 북한은 동 폐쇄이유를 주로 재정적인 이유에서라고 하고 있음. 말련 정부에서 아국과 탄자니아와의 관계증진 문제에 대해서도 협조하여 주기 바람.

0108

Budin
차관보 : 비동맹 아프리카 기금문제는 인도가 상설 의장국이기 때문에 인도가 동 기금의 운영 등에 깊이 관여하고 있음. 짐바브웨와의 관계개선을 위한 차관님 요청은 주짐바브웨 말련대사에게 통보토록 하겠으며 무가베와 말련 수상이 매우 절친한 사이이니 만큼 수상을 통해서도 한국측 희망을 전달토록 유의하겠음. 무가베는 말련측의 충고를 잘 듣고 있는바 모든국가와 관계를 가지지 않으면 큰 실수가 될 것임을 충고토록 하겠음. 탄자니아에도 동일한 조치를 취하겠음.

Hassan
대 사 : 말련 수상이 가까운 시일내 무가베와 만날 것으로 알고 있음.

유차관 : 감사함. 금번 면담기회에 아국의 유엔가입 노력에 대해 또한 협조를 부탁하고 싶음. 한국은 보편성의 원칙 및 평화애호국에 문호가 개방되어 있다는 유엔 헌장의 정신에 따라 유엔 가입을 추진하고 있는바 현재 소련 및 중국의 태도가 문제라고 봄. 소련은 한국의 유엔 가입문제에 대해 이해하는 편이며 일단 아국이 가입 신청을 하면 그때가서 보자는 태도를 보이고 있으나 문제는 중국의 거부권 행사 가능성이라고 봄. 북한측이 주장하고 있는 단일의석에 의한 유엔 가입은 소·중 모두 현실성 없는 제안이라 평가하고 있고 우리와 국교가 있는 모든 국가들이 한국의 유엔 가입에 지지를 보내고 있음. 중국은 한국의 가입문제에 좀 더 참아 줄 것을 바라고 있으며 북한을 설득한 후 가입 신청을 하라고 하고 있음. 유엔 가입은 어느 특정한 자격 및 지역, elite group 등으로 자격이 제한되어 있는 배타적인 것이 아님. 한가지 우리가 이해할 수 없는 것은 인도네시아의 태도임. 인도네시아는 한국의 유엔 가입문제를 인도네시아의 대한국, 북한, 중국관계와 결부시켜 생각하고 있으며 한국의 가입에 북한의 동의가 있어야 한다고 주장하고 있음. 인도네시아는 한국의 우호국중 유엔문제와 관련 우리와 견해가 다른 유일한 국가인바, 이러한 인도네시아의

0103

태도는 매우 이해하기 힘듬. 기회 있는데로 인도네시아의 태도에 변화가 있도록 설득하여 주기 바람.

우리는 우리 우방국들의 북한과의 관계증진은 반대하지 않으나 북한이 대외관계에 있어 한국과 경쟁적인 태도를 보이고 있는것이 문제임.

한국은 북한과 3차례에 걸친 총리회담 등 남북대화를 꾸준히 계속코저 하고 있으나 현재 북한측의 태도변화가 없어 아쉬워하고 있음.

인도네시아는 최근 외상, 대통령 등이 한국을 방문하였고 경제관계 등 긴밀한 관계를 유지중임. 우리와 말련과의 관계는 귀 차관보도 알다시피 경제, 외교 등 모든 부문에서 무척 좋다고 봄.

Budin 차관보 : 아세안 Standing Committee 등에서도 한국과의 경협강화를 강조하고 있고 Sectoral Meeting 등에서도 한국의 경제상황 등을 연구하고 있음. 한국은 매우 실용적인 정책을 가지고 있는 국가로서 한국, 일본 등이 이룩했던 발전을 말련도 이룩할수 있다고 봄.

유차관 : 홍콩, 싱가폴, 대만 등이 급속한 발전을 이루고 있는바 말련도 앞으로 많은 발전의 여지가 있다고 봄.

Budin 차관보 : 말련의 발전을 위해서는 한국, 일본, 대만과 같은 나라의 투자가 긴요함.

유차관 : 최근 여타국가들의 대한국 투자는 감소 추세에 있는바 한국의 문제점의 하나인 고임금 등 때문으로 봄.

Budin 차관보 : 장시간 면담 기회를 주어 감사하며 귀국의 전선국가 수교, 유엔 가입문제 등은 가능한 최선의 협조를 하도록 노력 하겠음.

0110

관리번호	91-693

원 본

외 무 부

종 별 :

번 호 : DJW-0485 일 시 : 91 0312 1300

수 신 : 장관(국연,아동)

발 신 : 주 인니 대사

제 목 : 아국의 유엔가입 문제

연:DJW-0398,0402

대:WDJ-0181

본직은 금 3.12. 외무성 WIRYONO 정무차관보를 면담, 아국의 유엔가입 문제에 관하여 협의한바, 동 요지 아래 보고함.

1. 본직은 먼저 아국의 유엔가입에 대한 주재국의 지지가 여타 아세안 국가들은 물론 국제적 분위기 조성에 유리하게 작용하여 중국의 태도변화 유도에 기여할 것임을 강조하고 주재국이 아국 지지입장을 조속히 결정, 표명해 줄것을 다시 요청함.

2. 이에 대해 동 차관보는 최근 주한 인니대사의 차관면담 보고서를 접수하였는바, 아국정부가 유엔가입 문제에 대한 인니의 불명확한 입장으로 상당히 불만을 갖고 있는듯한 느낌을 받았다고 말하고, 인니는 아국의 유엔가입 희망과 그논지를 십분 이해하며 ALATAS 외상도 한반도 문제 및 유엔헌장등 유엔에 관한 높은 수준의 전문적 식견이 있으므로 아국 입장에 대한 충분한 이해와 공감을 갖고 있다고 설명함.

동 차관보는 또한 현재의 한-인니 관계 및 국제정세 변화에 비추어 인니가 언제까지나 불분명한 입장을 견지할수 없을 것임을 인정하고 다만 지금까지 견지해온 남북한 동등외교 원칙에 대한 INCONSISTENCY 와 아국입장 지지시 인니-북한관계에 미칠 영향(DAMAGE)등을 계속 면밀히 검토하고 있으며, 동 결과에 따라 기존의 원칙보다 현실적 접근방법이 필요하다고 판단될 경우 적절한 시기에 보다명확한 입장표명이 있게 될것이라고 언급함.

3. 동 차관보는 또한 남북한이 분단국인 이상 남한이 유엔의 보편성 원칙에따라 충분한 유엔가입 자격을 갖추었다 하더라도 인니로서는 남북한 관계에 대하여 관심을 갖지 않을수 없다고 말하고 유엔가입이 유엔 5 개 상임이사국의 향배에 달려 있으므로 앞으로 중국의 태도변화를 주시하면서 인니로서도 이러한 제반여건을 충분히 감안,

국기국 장관 차관 1차보 2차보 아주국 미주국 청와대 안기부

91.03.12 16:50

외신 2과 통제관 CA

0111

보다 명확한 입장을 마련케될 것이라고 부연함. 끝.

(대사 김재춘-차관)

예고:91.12.31. 일반고문에 의거 일반문서로 재분류됨

검토필(1991.6.30)

PAGE 2

0112

관리번호	91-695

원 본

외 무 부

종 별 :

번 호 : THW-0565

일 시 : 91 0312 1800

수 신 : 장 관(국연,아동)

발 신 : 주태국대사

제 목 : 유엔가입추진

대 : WEM-0007

연: THW-0528

본직은 3.12(화) VITHAYA 외무성 사무차관 내정자를 외무성에서 접촉, 아국의 유엔가입관련 89 년,90 년에 이어 금년에도 태국이 적극 협조하여 주도록 요청해 두었음

(대사 정주년-국장)

예 고 :1991.12.31. 일반고 의거 일반문서로 재분류

검토필(1991.6.30)

국기국 차관 1차보 아주국

PAGE 1

91.03.12 21:52

외신 2과 통제관 CW

0113

ASEAN

관리 번호	91 -233

외 무 부

종 별 : 지 급

번 호 : THW-0575 일 시 : 91 0313 1500

수 신 : 장 관(아동,국연,정특반)

발 신 : 주 태국 대사

제 목 : 신임외무장관의 외교단 상견례

ARSA SARASIN 신임외무장관은 3.12(화) 11:00-13:00 간 당지주재 외교단및 국제기구대표를 외무성연회장으로 초청, 상견례를 겸한 리셉션을 개최하였는바, 동리셉션에서 본직과 외무장관및 외무성간부들과의 대담내용중 특이사항 아래보고함

1. ARSA SARASIN 외무장관은 본직을 반가이 맞이하면서 자신의 장관취임에 즈음하여 사저로 화환을 보내준데 감사를 표하고 향후 한. 태 외교현안문제에 관하여 긴밀히 협조해나가겠다고 말했음

2. 본직은 VITTHYA 외무성 사무차관내정자에게 아국의 유엔가입문제등 주요외교사안에 관하여 설명하고 협조를 요청한바, 동차관내정자는 계속협조해 나가겠다고 말했음

3. 본직은 LAXANACHANTORN 외무성 아세안국장에게 제 2 차 APEC-SOM 결과에대한 평가를 타진한바, 동국장은 금번 제주도 회의는 자타가 공인할만큼 성공적인 회의였다고 말하고 한국측이 동회의를 치밀하게 준비하여 참가국대표들에게좋은인상을 준것은 서울총회는 물론 향후 APEC 협력사업 실천의 전도를 밝게해줄것이라고 말했음. 동국장과의 담소시에는 당지주재 말련, 뉴질랜드대사가 같이담소하였음을 참고로 보고함

(대사 정주년-국장)

예 고 : 91.12.31. 일반

검토필(91.6.30)

아주국 장관 차관 1차보 2차보 국기국 정특반

PAGE 1

91.03.13 18:19

외신 2과 통제관 CH

0114

관리번호 91-725

원 본

외 무 부

종 별 :

번 호 : DJW-0492

일 시 : 91 0313 1610

수 신 : 장관(국연,아동)

발 신 : 주 인니 대사

제 목 : 유엔가입 문제

대:WDJ-0181

1. 당관 신공사는 3.8. MR. KUSNADI 신임 외무성 아. 태국장(전 주튜니시아대사)을 방문, 아국의 유엔가입에 대한 입장을 상세히 설명하고 주재국의 지지를 요청하였음.

2. 동 국장은 우리측 입장을 충분히 이해하고 있으며, 동건에 대한 검토가 진행중이라고 밝히고 유엔가입 절차와 관련 중국의 태도 변화에 관심을 표명하였음. 끝.

(대사 김재춘-국장)

예고:91.12.31. 일반

의거 일반문서로 재분류

검토필(1991.6.30.)

국기국 . 장관 아주국 청와대 안기부

PAGE 1

91.03.13 20:27

외신 2과 통제관 CA

0115

관리 번호	91-748

원 본

외 무 부

종 별 :

번 호 : DJW-0497 일 시 : 91 0314 1310

수 신 : 장관(국연,아동) 사본:주유엔대사(본부중계필)

발 신 : 주 인니 대사

제 목 : 유엔가입 문제

대:WDJ-0181

연:DJW-0398

1. 당관 이참사관이 외무성 관계관에게 탐문한바, 주유엔 인니대사는 연호 주재국 외무성 지시와 관련, 아래 요지로 우선 보고하여 왔다 함.

가. 주유엔 한국대표부의 신기복 대사가 3.6. 주유엔인니대사를 면담, 한국의 유엔가입에 대한 주재국의 지지를 요청하였음.

나. 주유엔 인니대표부가 ASEAN 국가대표부와 접촉한바, 한국측이 거명한 국가들(말련, 태국, 싱가폴)이 제 45 차 유엔총회에서 보편성 원칙에 의거, 남북한 동시 유엔가입을 지지하였음.

0 싱가폴은 보편성 원칙 이외에도 한국이 ASEAN 과 대화상대국이며, 중요 APEC 회원국임을 감안, 지지하였다고 함.

다. 말레시아는 중국이 거부권을 행사하지 않을 경우 한국의 유에가입 신청은 금년 6-7 월경, 유엔가입은 금년 9 월경 실현될 것으로 예상하고 있다 함.

2. 주재국 정부가 아국의 유엔가입 신청시기에 관심을 갖고 있는 점을 감안,제 46 차 총회에 가입신청할 경우 유엔헌장에 의한 절차와 시기를 당관에 참고로 알려주시기 바람. 끝.

(대사 김재춘-국장)

예고:91.12.31. 일반 의거 일반문서로 재분류

검토필(1991.6.30)

국기국 차관 1차보 아주국 청와대 안기부

PAGE 1

91.03.14 15:50

외신 2과 통제관 BA

0116

관리 번호	91-042

분류번호	보존기간

발 신 전 보

번 호 : WDJ-0282 910314 1931 FK 종별 :

수 신 : 주 인니 대사. /총영사

발 신 : 장 관 (국연)

제 목 : 유엔가입문제

대 : DJW-0497

1. 대호, 아국은 제46차 유엔총회 개막(91.9월)이전 가입 여건이 성숙되었다고 판단되는 시점에 유엔가입 신청을 할 예정인 바, 안보리는 연중 수시로 개최되므로 ~~가입여건이 성숙되었다고 판단될 경우~~ 언제라도 시행할 수 있음.

2. 가입절차와 관련, 안보리 규정상 신규회원국 가입 신청은 원칙적으로 정기총회 개시 35일전까지 안보리 가입심사위원회 (안보리이사국 전원으로 구성)가 심사토록 되어 있음. 끝.

예 고 : 1991.12.31. 일반 / 의거 일반문서로 재분류

(국제기구조약국장 문동석)

검토필(1991.6.30.)

보안 통제	

앙 고 재	91년 3월 14일	유엔과	기안자 성명		과 장		국 장		차 관	장 관
			송영완				전결			

외신과통제

0117

관리번호	91-771

외 무 부

종 별 : 지 급

번 호 : THW-0598 일 시 : 91 0314 2300

수 신 : 장 관(아동,국연,정특반)

발 신 : 주 태국 대사

제 목 : 신임외무장관예방

본직은 3.14(목) 15:45 ARSA SARASIN 신임외무장관을 예방, 장관취임에 대한 축의를 전달하고 한. 태관계등 주요외교적 관심사에 관해 의견교환한바, 동요지 보고함(정참사관배석)

1. 외무장관취임축하

0 본직은 외무장관 취임을 축하하고 조만간 본국정부에서도 취임축하 메시지를 보낼것으로 기대한다고 말했음

0 동장관은 이에대해 감사표시를 하였음

2. 시린돈공주방한

0 본직이 시린돈공주의 대통령각하 내외분 예방및 영부인의 오찬은 확정되었다고 설명하자 동장관은 정중히 사의를 표한다고 말하면서 아래와 같이 부연하였음

- 동장관은 태국정부가 시린돈공주의 방한에 가장 큰 중요성(GREATEST IMPORTANCE)을 부여하고 있다고 설명하고 시린돈공주는 한국과 태국을 연결하는 가장 유능한 대사역할을 할것이라고 강조했음

- 이어 동장관은 태국왕실및 정부는 시린돈공주 방한시 노태우대통령을 예방할수 있느냐 여부에 지대한 관심을 가지고 있었다고 말하고 만일 노대통령각하예방이 실현되지 않을경우 동장관은 주저치않고 시린돈공주에게 방한을 취소하도록 건의하였을것이라고 진지한 표정으로 말했음(참고사항 : 과거 외무성 고위간부가 시린돈공주의 해외여행관련 문책받은 사례도있고하여 왕실및 외무성 고위인사들은 시린돈공주방한시 예우문제에 관해 우리가 일반적으로 생각하는것보다 훨씬더 과민하게 신경을 쓰는것으로 감지되었음)

3. 유엔가입문제

0 본직이 아국의 유엔가입정책을 설명한데이어 태국이 89 년및 90 년 유엔총회

아주국	장관	차관	1차보	2차보	국기국	정특반	청와대	안기부

PAGE 1

91.03.15 14:27

외신 2과 통제관 BA

0118

기조연설시에 아국입장을 지지하여준대 사의를 표하고 금년에도 계속해서 아국의 유엔가입입장을 적극지지하여주도록 요청하였음

0 동장관은 한국의 유엔가입을 확고하게 지지하겠다고 약속하였음

4. ASAEN 및 APEC

0 본직은 한국이 아세안의 완전한 대화상대국으로 격상된것과 관련 태국의 협조에 사의를 표하였음. 이에대해 동장관은 아세안은 한국을 중요한 경제적 PARTNER 로 간주하고 큰기대를 갖고있다고 말하고 한. 아세안간에 실질협력관계가 더욱 심화되기를 기대한다고 말했음

0 본직이 APEC 에서 한. 태간의 긴밀한 협조에 만족을 표하고 계속 긴밀한 협조를 기대한데 대해 동장관은 아. 태지역의 경제적 잠재력이 큰만큼 계속 긴밀히 협조해 나가자고 말했음

5. 한. 태 경제관계증진

0 동장관은 한국기업의 대태국투자진출에 큰관심을 표명하고 양국간의 협력잠재력이 크므로 양국간 인사교류및 여타 경제협력증진 필요성을 강조하였음

0 그실례로 자신이 최근까지 회장직을 맡고있던 PAELAENG 사와 한국 풍산금속간의 동 제품 합작부자를 예시하였음

(대사 정주년-국 장)

예 고 : 91.12.31. 일반

검토필(1991.6.30)

외 무 부

원 본

관리번호	91-770

종 별 :

번 호 : THW-0599 일 시 : 91 0314 2300

수 신 : 장 관(국연)

발 신 : 주 태국 대사

제 목 : 유엔가입추진

대 : WEM-0005,0007

연 : THW-0579

본직은 3.14(목) ANAND 신임수상 및 ARSA SARASIN 신임 외무장관을 각각예방(정참사관 배석), 아국의 유엔가입과 관련 협조를 요청한바, 동요지 아래보고함

1. ANAND 수상예방

가. 일반적사항

0 본직이 아국의 유엔가입정책및 남북대화 현황을 설명한데이어 태국이 89.90년 유엔총회 기조연설시에 아국입장을 지지하여준데 사의를 표하고 금년에도 계속해서 아국의 유엔가입 입장을 지지하여 주도록 요청하였음

0 동수상은 자신이 과거 유엔대사 재직시절부터 한국의 유엔가입 문제에 관여하였다고 회상하면서 태국의 한국 유엔가입 지지입장은 일관성있게 계속될것이라고 말했음

나. 양상곤 중공 국가주석 방태시 협조요청

0 본직이 아국의 유엔가입의 관건은 --의 태도에크게 달려있다고 설명하고 양상곤 국가주석 방태시 중공측에 대해 아국 유엔가입지지를 설득해주도록 협조 요청하였음

0 동수상은 며칠전 중공이 한국의 유엔가입을 반대하지 않을것이라는 언론보도를 읽었는적이 있다고 말하고 중공측이 어느정도로 받아들일지는 잘 모르겠으나 한국 유엔가입의 당위성을 중공측에 잘 설명하겠다고 말했음

2. ARSA 외상예방

0 본직이 아국의 유엔가입 정책을 설명한데이어 태국이 89 년 및 90 년 유엔총회 기조연설시에 아국입장을 지지하여준데 사의를 표하고 금년에도 계속해서아국의

국기국 차관 1차보 2차보 청와대 안기부

PAGE 1 91.03.15 14:52

외신 2과 통제관 BN

0120

유엔가입입장을 적극 지지하여 주도록 요청하였음

0 동장관은 한국의 유엔가입을 확고하게 지지하겠다고 약속하였음

(대사 정주년-국 장)

예 고 : 91.12.31. 일반 예고문에 의거 일반문서로 재분류

검 토 필(1991. 6. 30.)

PAGE 2

0121

관리 번호	91 -805

원 본

외 무 부

종 별 :

번 호 : DJW-0529 일 시 : 91 0316 1910

수 신 : 장관(국연,아동)

발 신 : 주 인니 대사

제 목 : 유엔가입 문제

대:WDJ-0181

연:DJW-0388,0463

1. 본직은 금 3.16. MOERDANI 국방상을 예방, 아국의 유엔가입에 대한 입장을 설명하고 최근 한반도를 포함한 국제정세 변화와 한-인니간 우호협력 관계등을 고려하여 주재국이 아국의 유엔가입을 지지토록 하는데 필요한 지원과 협조를 각별히 부탁하였음.

또한 본직은 유엔의 보편성 원칙에 따라 남북한이 유엔에 가입토록 지원하는 것이 주재국의 남북한 동등외교(EVEN-HANDED POLICY)에도 부합되는 것임을 강조하였음.

2. MOERDANI 국방상은 본직의 설명에 깊은 이해를 표시하고 ALATAS 외상을 비롯한 관계요로 하여금 아국 입장을 수용토록 노력하겠다고 하였음.

3. 주재국 주요정책 결정에 영향력이 있는 군부의 입장을 대변하는 MOERDANI 국방상은 외상 부재시 외상을 대리하여, 제 2 대 주한 총영사를 역임한 주재국내 친한인사임을 첨언함. 끝.

(대사 김재춘-장관)

예고:91.12.31. 일반

의거 일반문서로 재분류

검 토 필(1991. 6. 30)

국기국 장관 차관 1차보 아주국 청와대 안기부

PAGE 1 91.03.16 23:35

외신 2과 통제관 DO

0122

관리번호	91-247

외 무 부

종 별 :

번 호 : DJW-0534　　　　일 시 : 91 0318 1310

수 신 : 장관(아동,국연)

발 신 : 주 인니 대사

제 목 : 인니선원 구속 사건

연:DJW-0435

1. 주재국 외무성의 SAMSUL HADI 북동아과장은 3.18. 당관 이참사관에게 연호, 인니선원 및 선박사건에 대한 외무성내의 분위기를 전달하고 동건의 원만한 해결을 위하여 당관이 협조하여 줄것을 요청하였음.

2. 동 과장은 또한 주재국 정부가 아국의 유엔가입 문제를 호의적으로 검토하고 있는 시기에 동 사건발생으로 동 검토에 바람직하지 않은 영향을 미치지 않을까 우려된다고 완곡하게 언급하였음.

3. 이참사관은 동건의 원만한 해결을 위해 아국정부가 노력하고 있음을 설명하고 동건을 유엔문제와 연계시키는 것은 양국관계를 위하여도 바람직하지 않으며, 주재국 정부가 보다 냉정하게 대응해 주기를 바란다고 답변하였음. 끝.

(대사 김재춘-국장)

예고:91.12.31. 일반

검 토 필(1991. 6. 30)

아주국　차관　국기국　청와대　안기부

PAGE 1

91.03.18　15:59

외신 2과　통제관 CF

0123

관리 번호 91-837

원 본

외 무 부

종 별 :

번 호 : SGW-0169 일 시 : 91 0319 1900

수 신 : 장관(국연,아동,아이,사본:김성진대사)

발 신 : 주 싱가폴 대사대리

제 목 : 양상곤 중국 국가주석 방문

대: WSG-0181

1. 대호건 주재국 외무부 중국담당관에게 확인한바, 주재국측은 상금 양주석의 주재국 방문요청을 받은바 없다고 함.

2. 동인은 양주석의 금년 중반 태국방문 계획은 확인되었으며, 인니의 경우수하르토 대통령이 작년 방중한바 있어 이번 양주석의 답방 가능성이 크다고 말함. 끝.

(대사대리-국장)

예고:1991.12.31. 일반

국기국 차관 1차보 2차보 아주국 아주국 대사실

PAGE 1

91.03.19 21:08

외신 2과 통제관 CH

0124

관리번호	91-868

원 본

외 무 부

종 별 :

번 호 : PHW-0387　　　　일 시 : 91 0320 1510

수 신 : 장관(국연,아동)

발 신 : 주 필리핀 대사

제 목 : 양상곤 중국 주석 방문문제(자료 32)

대:WPH-234

본직은 3.19.(화) 주재국 외무부 ONG 아주국장을 동인 사무실에서 면담하고대호 중국 주석의 주재국 방문 계획 여부를 문의하였던바, 현재까지 주재국은 중국측으로부터 양주석의 방문문제를 협의 요청받은 사실이 없다고 하였음.

(대사 노정기-국장)

예고:91.12.31. 일반
의거 일반문서로 재분류

검 토 필(1991. 6. 30.)

국기국　　아주국

PAGE 1

91.03.20　16:48

외신 2과　통제관 BN

0125

원 본

관리번호	91-865

외 무 부

종 별 :

번 호 : DJW-0557　　　　일 시 : 91 0320 1615

수 신 : 장관(국연,아동)

발 신 : 주 인니 대사

제 목 : 유엔가입 문제

대:WDJ-0181

1. 당관이 외무성 관계관으로 부터 탐문한바에 의하면, WIRYONO 외무성 정무차관보는 3.18. 당지 북한대사 한봉화 를 외무성으로 초치, 아국의 유엔가입 문제에 대한 북한측 입장을 타진하였는바, 북한대사는 2.22 일자 북한 외교부 비망록을 전달하면서 북한의 기존입장을 설명하고 아국이 유엔가입 신청을 하면 중국이 거부권을 행사할 것이라고 주장하였다 함.

2. 주재국의 금번 북한대사 초치는 주재국이 동건 검토를 위하여 필요하다고 생각하는 국가의 입장을 타진하는 과정의 일환으로 보임.

3. 동건 관련 동향을 계속 파악 보고 위계임.끝.

(대사 김재춘-차관)

예고:91.12.31. 일반 의거 일반문서로 재분류

검 토 필(1991. 6.30.)

국기국　장관　차관　1차보　2차보　아주국　청와대　안기부

PAGE 1　　　　91.03.20 21:29

외신 2과 통제관 CE

0126

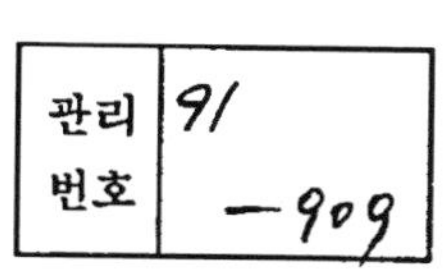

관리 번호	91 -909

원 본

외 무 부

종 별 :

번 호 : SGW-0173 일 시 : 91 0322 1100

수 신 : 장관(국연,아동,사본:김성진대사(동남아과경유)

발 신 : 주 싱가폴 대사대리

제 목 : 유엔가입

1. 당관 정영조 참사관은 작 3.21. 4 월초 주유엔대사로 부임하는 CHEW TAISOO 주재국 외무부 정무 2 국장 부부를 자택으로 초청, 송별만찬을 가졌음.

2. 만찬에 참석했던 당지 미대사관 KOBLER 공사가 금년도 유엔에서의 한국측 관심사가 무었이냐는 질문을 한데 대해 정참사관은 금추 유엔총회에서 한국의유엔 가입을 추진하는 것이라고 말하고, 북한이 현실적으로 불가능한 단일의석가입을 아직도 주장하고 있음을 감안, 한국의 선유엔 가입은 북한의 유엔가입을 유도하는 계기로 작용할 것으로 생각한다고 말함. 이에대해 CHEW 대사는 싱가폴정부의 입장은 한국의 유엔가입을 지지하는 것이라고 분명하게 밝혔음. 끝.

예고: 91.12.31. 일반

검 토 필(1991. 6. 30.)

국기국	차관	1차보	2차보	미주국	아주국

PAGE 1

91.03.22 13:40

외신 2과 통제관 BW

0127

원 본

관리 번호	91 —983

외 무 부

종 별 :

번 호 : BUW-0074 일 시 : 91 0327 1530

수 신 : 장관(국연,아동)

발 신 : 주 브루나이 대사

제 목 : 주요인사예방

대:EM-7

1. 본직은 신임인사차 3.26. 27. 간 주재국외무부 MOHD ALI 차관, LIM JOCKJOCK SENG 사무차관및 MAIDIN 정무국장을 예방(한명재서기관대동), 그간 UN 및ASEN 에서의 주재국의 적극적협력에 대해 사의를 표명하고 계속적인 지원을 요청함.

2. 이에대해 상기 3 인은 공히 그간주재국은 UN 및 ASEAN 에서 한국의 입장을 항시 지지해왔음을 상기시키며 향후에도 지속적인 협력을 아끼지 않을것이라고 언급함. 끝.

(대사백성일-국장)

예고:91.12.31. 일반고 의거 일반문서로 재분류

검 토 필(1991. 6 .30.)

국기국 아주국

PAGE 1

91.03.27 20:45

외신 2과 통제관 EE

0128

관리번호	91-1028

원본

외 무 부

종 별 :

번 호 : GVW-0598 일 시 : 91 0328 1800

수 신 : 장관(국연,아이,정문,기정) 사본:주유엔대사(본부중계필)

발 신 : 주 제네바대사

제 목 : 주 유엔 말련대사 접촉

(사본-중국반응, 유엔사무총장 선출)

1. 본직은 금 3.28(목) 본직과 평소 친분이 두텁고, 현재 유엔 환경개발회의(UNCED) 제 2 차 준비회의(PREPCOM) 참석차 당지 체류중인 RAZALI 주 유엔말련대사를 오찬에 초청, 아국의 유엔 가입문제등에 관해 의견교환을 가진바 동 결과아래 보고함. 가. 아국 유엔가입에 대한 중국의 태도

0 90 년까지 안보리 비상임이사국 대사로서 자신이 주 유엔 중국대사와 접촉해본 결과, LI 중국대사는 북한의 입장을 전혀 도외시할 수는 없는 것이 중국의 사정이나 한국의 유엔가입은 기본적으로 시간 문제일뿐이며, 동 시간도 그다지 길지는 않을 것으로 개인적으로 판단하고 있다는 인상을 받았으므로 금년중에는 한국의 유엔가입이 이루어질 것으로 봄.

0 남. 북한 단일의석 가입의 북한안에 대해서는 중국대사도 일고의 가치도 없는 제안(LAUGHABLE IDEA)이라는 반응을 보였음.

0 자신은 주 유엔 쿠바(전 안보리 비상임이사국) 대사와도 가깝게 교류하고있는바, 쿠바의 경우도 한국 가입안에 대해 반대는 하지 않을 것으로 알고 있음.

나. 차기 유엔사무총장 선출문제

0 아프리카 그룹이 금번에는 반드시 동지역 출신 사무총장을 배출해야 한다는 결의하에 비공식 WORKING GROUP 등을 통해 활발한 막후 조정활동을 하고 있으나, TANZANIA 의 AHMED SALIM-SALIM(현 OAU 사무총장), UGANDA 의 OLALA OTUNU(뉴욕소재 INT'L PEACE ACADEMY 소장), ZAMBIA 의 BERNARD CHIGZERO 기획개발성 장관, NIGERIA 의 GARBA(제 44 차 UNGA 의장)등 다수 인사가 경합을 벌이고 있고, 가장 유력시되는 AHMED SALIM-SALIM 의 경우 미국이 수락할 가능성이 없기 때문에 동 절충 작업이 용이치 않을 것으로 전망함.

0 아프리카 그룹 내부 절충이 실패할 경우의 대안으로서 ALITAS 인니 외상,TOMMY

국기국 장관 차관 1차보 2차보 아주국 정문국 안기부

PAGE 1

91.03.29 09:14

외신 2과 통제관 CA

0123

KOH 전주미 싱가폴대사등이 아시아지역 후보로서 거론되고 있음. ALITAS의 경우 인니의 체질상 적극적인 의사표명없이 타국에 의해서 DRAFT 되기를 희망하고 있는 인상이며, TOMMY KOH 의 경우 미.소 양국이 모두 수락할 가능성이 높다고 봄.

0 유엔 이외에는 자신들의 영향력을 행사할 적절한 활동 무대가 없는것으로평가되고 있는 특수사정이 있는 NORDIC GROUP 의 경우에도 노르웨이의 MRS. BRUNDTLAND 현 수상의 입후보를 적극 추진중에 있음

0 금번 사무총장 선출작업 관련 특이사항으로는 개도국들이 CORE GROUP 를 구성하여 적극적으로 대처하고 있는등, 종전과 같이 안보리 권고안을 총회가 기계적으로 인준할 것으로는 보이지 않기 때문에 경우에 따라서는 총회와 안보리의불협화음등 상당한 혼선이 초래될 가능성도 불무함.

0 상황이 이와같이 전개될 경우 CUELLAR 현사무총장이 미.소의 합의하에 3 번째 TERM 으로 재추대될 가능성도 있으나, 현재 모든 상황이 극히 유동적이므로단정적으로 전망키 어려움.

2. 본직은 RAZALI 대사에게 아국의 UN 가입문제등에 대한 지속적인 협조를 당부하면서 특히 노창희 대사와 긴밀히 협력해 줄것을 당부한바, 동 대사는 노대사와의 적극적인 협조를 약속함과 동시에, 앞으로 ECOSOC 회의 및 환경회의등과 관련 당지 방문기회 및 기타 방법으로 본직과도 계속 긴밀히 협조해 나가겠다고 하였음. 끝.

(대사 박수길-장관)

예고:

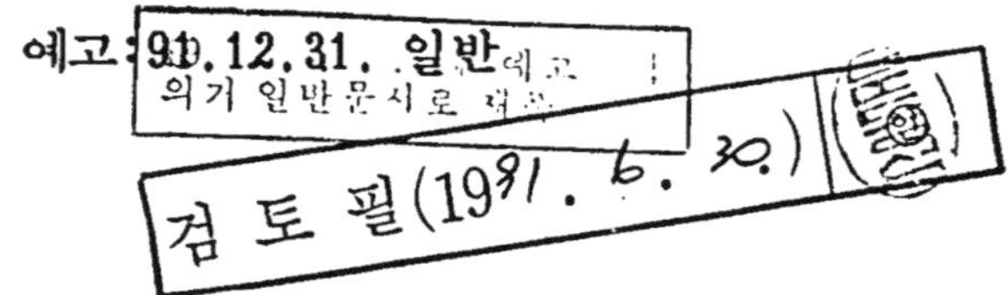

PAGE 2

0130

관리 번호	91 -1089

원 본

외 무 부

종 별 :

번 호 : DJW-0638 일 시 : 91 0401 1240

수 신 : 장관(국연,아동)

발 신 : 주 인니 대사

제 목 : 유엔가입 문제

연:DJW-0557

1. 당관 신공사가 3.30. 외무성 국기국장 HADI WAYARABI 에게 확인한바에 의하면, 연호 WIRYONO 정무차관보가 3.18. 북한대사 면담시 주재국은 아국의 유엔가입을 지지할 것이며, 북한이 유엔가입을 희망할 경우 북한의 가입도 지지할 것이라는 요지의 입장을 전달하였으며, 북한 대사는 이에 매우 놀라는(SURPRISING)반응을 보였다 함.

2. 한편, 주재국 외무성은 3.23. 상기의 지지 입장을 주평양 자국대사관을 포함하여 서울 주재 대사관 및 유엔대표부등 관련 공관에도 통보한 것으로 확인됨. 끝.

(대사 김재춘-차관)

예고:91.12.31. 일반

의거 일반문서로 재분류

검 토 필(1991. 6. 30.)

국기국 장관 차관 1차보 2차보 아주국 청와대 안기부

PAGE 1

91.04.01 15:26

외신 2과 통제관 BN

0131

관리번호	91-1996

외 무 부

종 별 : 지 급

번 호 : SGW-0199 일 시 : 91 0401 1700

수 신 : 장관(아동,의전,국연)

발 신 : 주 싱가폴 대사

제 목 : 웡칸셍 외무장관 면담

1. 본직은 금 4.1. 웡칸셍 외무장관을 신임인사차 예방하고 신임장 사본을 제출하였음. (정영조참사관 수행)

2. 본직은 웡장관 면담시 장관님의 각별한 안부말씀을 전하고 한. 싱 양국관계가 교역뿐만 아니라 유엔에서의 협력을 비롯, 모든분야에서 더욱 친밀해지고있음을 지적하고 이러한 관계가 앞으로도 계속 유지되기를 희망하였음.

2. 웡장관은 지난 11 월 방한시 한국정부가 베풀어준 각별한 환대에 사의를표하고 오는 7 월 아세안 외상회담 및 확대외상회담 전후하여 이상옥장관께서 싱가폴을 방문해 주시도록 초청코자 한다고 언급하면서 주한 싱가폴대사관에 이미 초청장을 보냈다고 말하였음. 이에 본직은 이장관께서 동남아 어느나라보다 싱가폴을 먼저 방문하고 싶어하신다는 말씀을 전하였음.

4. 금일 웡장관 면담 전후하여 RAJAN 의전장, 그리고 PETER CHAN 사무차관,PETER HO 차관보, KISHORE MAHBUBANI 차관보, BILAHARI 정무 3 국장, TOH HOCKGHIM 아세안국장등 외무부 전간부들을 신임인사차 면담하고 양국관계, 아세안,유엔, 남북한관계, APEC, EAEG 등에 관해 상호 의견을 교환하였음.

5. 본직은 4.5. 위킴위 대통령에게 신임장을 제정할 예정임.끝.

(대사-국장)

예고: 91.12.31. 일반

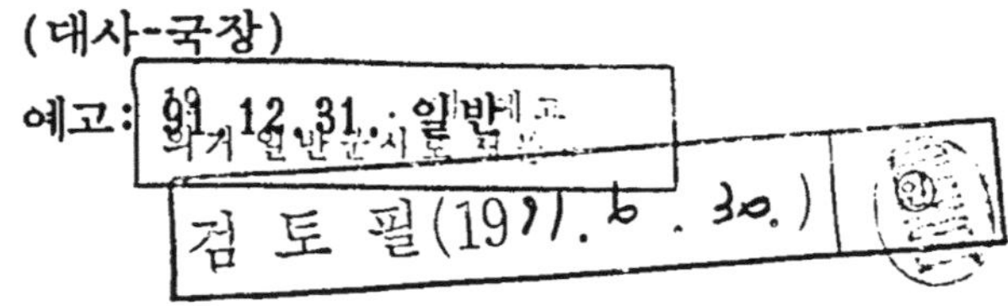

아주국 장관 차관 1차보 의전장 국기국 청와대

PAGE 1

91.04.01 19:20

외신 2과 통제관 BS

0132

관리 번호	91-1997

원 본

외 무 부

종 별 : 지 급

번 호 : SGW-0200 일 시 : 91 0401 1700

수 신 : 장관(국연,아동)

발 신 : 주 싱가폴 대사

제 목 : 유엔가입지지

연: SGW-0199

1. 연호 본직이 KISHORE 외무성 차관보 면담시 한국의 유엔가입, 남북한관계 등에 관해 의견 교환하였는바, 동 차관보는 한국이 유엔가입 신청하는 경우 총회에서는 2/3 획득에 아무런 문제가 없을 것으로 본다고 말하고 그러나 안보리이사국인 소련과 중국, 특히 중국의 태도가 상금도 부정적이 아닌가 생각한다고 말함.

2. 동 차관보는 싱가폴은 한국의 유엔가입을 지지할 것이라고 분명하게 밝힘. 끝.

(대사-국장)

예고: 91.12.31. 일반

검 토 필(1991.6.30.)

국기국 장관 차관 1차보 2차보 아주국 청와대 안기부

PAGE 1

91.04.01 19:25

외신 2과 통제관 BS

0133

관리 번호	91 -2002

	분류번호	보존기간

발 신 전 보

번 호 : WUN-0725 910402 1403 FN 종별 :

WUS -1294

수 신 : 주 유엔 대사.//총영사 (사본: 주미대사)

발 신 : 장 관 (국연)

제 목 : 유엔가입문제 (인니반응)

1. 인니 국기국장이 3.30 아측에 언급한 바에 의하면, 인니 Wiryono 정무차관보가 3.18. 주인니 북한대사 면담시 자국은 한국의 유엔가입을 지지할 것이며, 북한이 유엔가입을 희망할 경우 북한의 가입도 지지할 것이라는 요지의 입장을 전달하였으며, 북한대사는 이에 매우 놀라는 반응을 보였다 함.

2. 한편 인니 외무성은 3.23. 상기 아국가입 지지방침을 주유엔대표부등 관련 공관에도 통보하였다 하는 바, 귀지 인니대표부 관계관을 접촉시 자연스럽게 동건 확인 보고바람. 끝.

예 고 : 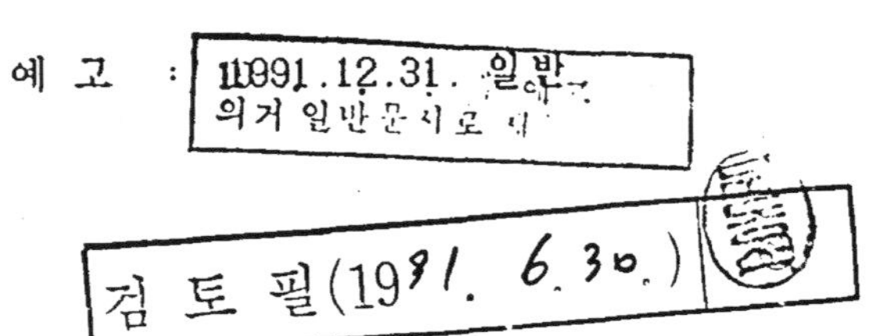
1991.12.31. 일반
의거 일반문서로
검 토 필(1991. 6.30.)

(국제기구조약국장 문동석)

보 안 통 제	

앙 고 재	91년 4월 2일	과	기안자 성 명		과 장		국 장		차 관	장 관
							전결			

외신과통제

0134

관리 번호	91 -2023

원 본

외 무 부

종 별 :

번 호 : UNW-0764　　　　일 시 : 91 0402 1900

수 신 : 장관(국연,아동,기정)

발 신 : 주 유엔 대사

제 목 : 인니대사 면담

대:WUN-0725

1. 본직은 금 4.2. SUTRESNA 인니대사를 부임인사차 예방 , 아국 유엔가입 추진현황을 설명하고 비동맹 핵심국인 인니의 지지가 긴요함을 강조함.

2. 동대사는 인니로서는 보편성원칙에 따라 아국의 유엔가입을 지지못할 이유가 없다고 본다면서 중국의 태도를 문의함. 본직은 이에대해 중국은 분명한 태도변화는 없으나 현재의 전반적인 분위기에따라 아국가입을 지지할수 밖에 없을것이라고 하고 설사 중국의 거부권 행사가 예상되는 경우에도 확고히 가입을 추진할 것임을 밝힘.

3. 동 대사는 중국-인니 양국관계가 양호하므로 LI 중국대사를 자주 접촉하고 있으며 작년에는 아국가입입장 문의에 대해 LI 중국대사는 남북한 합의시 까지 기다리자고 하였으나 금년에는 직접적인 대답을 회피하면서 중국입장을 밝히지 않고있다고함. 본직은 이에대해 아국의 단독가입 신청방침을 가급적 일찍 공개적인 문서로 돌릴 예정이라고 설명함.

4. 동대사는 또한 ALATAS 외상이 작년 총회 기간중 당지에서 강석주 북한 외교부 부부장 면담시 독일통일의 예로보아서 북한 주장이 비현실적이라고 (상당히 직선적으로) 지적한데 대해 강부부장은 웃으면서 통일이되면 모든 문제가 해결될 것이라고 하였다함.

5. 대호관련, 본부지시 접수여부를 타진한바, 동 대사는 WIRYONO 정무 총국장(동대사의 후임) 의 언급내용은 간접적으로 알고있으며 정식으로 본부지침은 없었다고 하고 동 언급내용은 자국정부의 기본정책 노선과 동일한 것으로 본다고함.

6.ALATAS 외상의 유엔사무총장 입후보 관계를 문의한바 현재 정세를 관망중이며 사무총장 직의 아프리카 지역 순번 주장은 유엔관행에 없는 것이라고 언급함. 끝

(대사 노창희-국장)

국기국　장관　차관　1차보　2차보　아주국　청와대　안기부

PAGE 1　　　　91.04.03 09:26

외신 2과 통제관 BN

0135

예고:91.12.31. 일반고문에 의거 일반문서로 재분류됨

검토필(1991. 6. 30.) ㊞

PAGE 2

0136

外務長官, ESCAP 首席代表 個別面談 結果

1991. 4. 3.
外　務　部

外務長官은 4. 2. ESCAP總會 參席中인 印尼, 泰國, 日本, UN 事務次長, 방글라데시, 印度, 中國의 首席代表와 個別面談을 가졌는 바, 同 要旨를 아래 報告드립니다.

1. 알라타스 印尼 外務長官 面談

o 우리側, 유엔加入問題 説明 및 支持 要請
  - 印尼側은 유엔加入에 대한 從前 立場을 修正, 我國加入을 全幅 支持키로 하였다고 通報
  - 北韓側에 대해 印尼의 立場 變化를 알리고 北韓의 유엔加入을 説得해 갈 것임을 表明
  - 保安維持 要請

o 말련 提議 東아시아 經濟그룹, 亞.太閣僚會議 3個 中國 加入問題, 韓.아세안 對話 協議體, 아세안 擴大 外相會談(7月, 말련 開催) 關聯 問題 協議

0137

o 인천港 廢油事件 關聯 印尼船舶 및 拘束 船員 問題의 圓滿한 解決 對策 協議

2. 카셈스리 泰國 首相室 長官 面談

o 유엔加入에 대한 泰國側의 支持 確約

o 泰側은 韓.泰 通商長官會談의 早速開催 및 今年 10月 방콕開催 世界銀行總會에 우리側의 高位級 代表團 派遣 希望

3. 스즈끼 日本 外務政務次官 面談

o 우리側은 日本의 對北韓 修交交涉時 우리側 要望事項 留念 對處 事實을 評價하고, 今後로도 愼重對處 當付
  - 同 次官은 日側이 서두를 必要가 없다는 생각이며, 大統領 提示 5個項을 念頭에 두고 對處 다짐

o 同 次官은 盧 大統領의 訪日時 國會演說에 큰 感銘을 받았으며, 카이후 首相은 訪韓時의 따뜻한 歡待에 感謝하고 있다고 傳言

0138

4. 스파이어스 UN 事務次長(總會擔當) 面談

o 유엔加入問題 關聯 積極 協力 約束

5. 라만 방글라데시 財務企劃長官 面談

o 방側은 兩國間 貿易逆調 改善을 위한 "방" 農産物 輸入에 대한 我國의 制限 緩和, 韓.방共同委 早期 開催 및 輸出入銀行 借款提供을 要請

6. 스와미 印度 財務長官 面談

o 우리의 유엔加入에 대한 支持立場 確保
o 韓.印度 通商長官會談의 早期 開催 希望

7. 유화추 中國 外務次官 面談 : 別途 報告. 끝.

예고 : 수신처 - 독후파기
발행처 - 1991.12.31. 일반

0133

관리 번호	91 —2024

분류번호	보존기간

발 신 전 보

번 호 : WUN-0734 910403 1808 CO 종별 :

WUS -1323

수 신 : 주 유엔, 미 대사. 총영사

발 신 : 장 관 (국연)

제 목 : 인니외상 면담

본직은 작 4.2(화) ESCAP 총회 참석차 방한한 Alatas 인니외상과 면담한 바, 유엔가입문제 관련 인니측 언급 내용을 하기 통보하니 참고바람.

o 인니측은 유엔가입에 대한 종전 입장을 수정, 아국 가입을 전폭 지지키로 하였다고 통보

o 북한측에 대해 인니의 입장 변화를 알리고 북한의 유엔가입을 설득해 나갈 것임을 표명. 끝.

예 고 : 1991.12.31. 일반

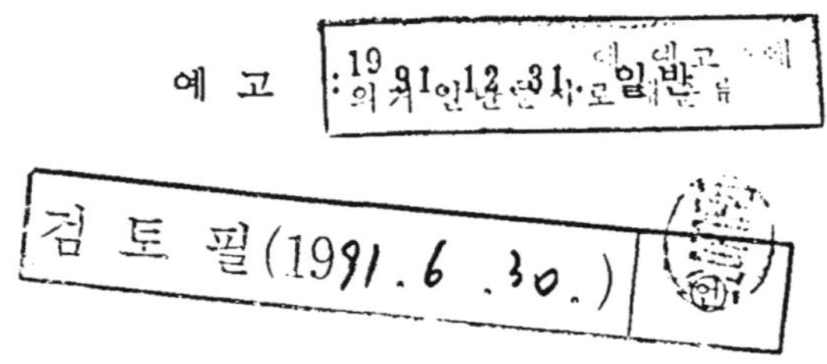

(국제기구조약국장 문동석)

보 안 통 제	

앙 고 재	91년 4월 3일	유엔과	기안자 성 명		과 장		국 장		차 관	장 관

외신과통제

0140

관리 번호	91-2149

원 본

외 무 부

종 별 :

번 호 : UNW-0783　　　　일 시 : 91 0403 1900

수 신 : 장관(국연,아동,기정)

발 신 : 주 유엔 대사

제 목 : 태국대사면담

1. 본직은 금 4.3. 부임인사차 PIBULSONGGRAM 태국대사를 예방, 아국의 유엔가입 관련상황을 설명하고 계속적인 협조를 요망한데 대해 동대사는 양국관계에 비추어 여하한 형태로든 아국의 가입에대해 아무런 주저없이 이를 지지한다고함.

2. 본직은 계속 협조를 당부하면서 아세안 전체가 남북한 동시가입이 불가능할시 아국의 선단독가입을 지지한다는 분명한 공동입장을 밝힌다면 문제해결에큰도움이 될것이라고 시사한데 대해 동대사는 사견임을 전제로 아세안 각국이 독자적으로 아국지지입장을 밝히는것은 문제가 없으나 유엔차원에서 아세안 공동입장을 표명하는 문제는 아세안이 과거 10 여년간 가장 중요한 지역문제로 다루어온 캄보디아 사태와 직.간접으로 연계되어 있기때문에 (즉, 캄보디아 문제해결에는 중국, 시아누쿠의 협조가 필요하고 북한은 시아누크와 관련되어 있으므로) 이를 고려해야 할것이라고 회의적인 반응을 보임.끝

(대사 노창희-국장)

예고:91.12.31. 일반 (예고문에 의거 일반문서로 재분류됨)

첨 토 필(1991. 6. 30.)

국기국　차관　1차보　2차보　아주국　청와대　안기부

PAGE 1　　　91.04.04 10:19

외신 2과 통제관 CA

0141

관리번호	91-2085

외 무 부

종 별 : 지 급

번 호 : DJW-0669 일 시 : 91 0405 1100

수 신 : 장관(아동,국연,경기,기정)

발 신 : 주 인니 대사

제 목 : ALATAS 외상 귀국

대:WDJ-0369

1. 본직은 4.4. 저녁 ALATAS 외상을 공항 영접하였는바, ALATAS 외상은 짧은 방한 기간이었으나 이상옥 장관의 각별한 환대와 유익한 면담등에 대해 깊은 사의를 표하고 ESCAP 총회의 준비와 진행이 훌륭하였다고 언급하였음.

2. ALATAS 외상은 공항에서 기자회견을 가졌는바, 주요 언급요지는 아래와 같음.

가. ESCAP 서울총회

0 노태우 대통령께서 직접 개회사를 하시고 이상옥 장관이 의장, 본인등이 부의장에 선출되었음.

0 금번 총회에서는 키리바시가 정회원국이 되었고, 산업구조 재조정 신천강령 채택, 걸프전 이후 국제정세, UR 협상과 보호무역 대책등을 토의하였음.

0 ESCAP 협력강화를 위한 STANDING COMMITTEE 구성 및 무역, 관광, 가습등 SECTORAL FORUM 구성에 대한 협의가 있었음.

나. 유엔가입 문제

0 한국의 유엔가입은 보편성 원칙에 따라 남북한 가입을 지지함.

북한은 분단 영구화를 이유로 이에 반대하고 있으나, 독일, 예멘등의 예로 비추어 유엔가입이 남북한 통일에 장애가 되지 않았음이 실증됨.

0 한국이 쏘련등 동구 국가의 지지도 확보하고 있어 한국의 단독 가입에 대해서는 SERIOUS 하고 SYMPATHETIC 하게 고려하고 있음.

다. 인니 선원.선박 문제

0 이상옥 장관과 면담시 인니선원 구속과 선박억류와 관련, 국제법과 관행에 따라 조속히 석방해줄것을 요청하였으며, 양국 외무장관은 긴밀한 우호관계를감안하여 원만하게 해결하기로 합의하였음.

아주국 차관 1차보 2차보 국기국 경제국 안기부

PAGE 1 91.04.05 22:44

외신 2과 통제관 CA

0142

0 동 문제가 장기화된 것은 선원으로부터 주한 인니대사관에 보고가 지연되었으며, 또한 대사관의 조치도 다소 지연된데 기인하나 오늘 아침 본인의 서울 출발전 억류선원이 석방되었다는 보고를 받았으며, 선박 석방에 대비해 교체선원을 한국에 대기시키고 있음.

3. JAKARTA POST 지등 주재국 신문은 4.5. 상기 ALATAS 외상의 기자회견 내용을 보도하였음. 끝.

(대사 김재춘-차관)

예고:91.12.31. 일반

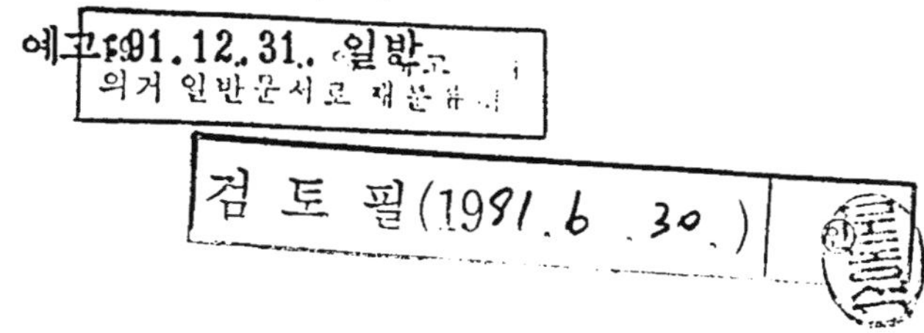

관리 번호	91 -2135

분류번호	보존기간

발 신 전 보

번 호 : WUN-0789 910408 1457 FL 종별 :

수 신 : 주 유엔 대사. 총영사 (사본: 주미대사 WUS -1409)

발 신 : 장 관 (국연)

제 목 : 유엔가입추진 (인니반응)

연 : WUN-0734

인니 Alatas 외상은 91.4.4. 귀국하여 공항에서 기자회견을 한 바, 아국의 유엔가입에 관하여 하기 요지로 언급하였음을 참고바람.

- o 한국의 유엔가입관련, 보편성원칙에 따라 남북한 가입을 지지함. 북한은 분단영구화를 이유로 이에 반대하고 있으나, 독일, 예멘등의 예로 비추어 유엔가입이 남북한 통일에 장애가 되지 않았음이 실증됨.
- o 한국이 소련등 동구국가의 지지도 확보하고 있어 한국의 단독가입에 대해서는 serious 하고 sympathetic 하게 고려하고 있음. 끝.

예 고 :

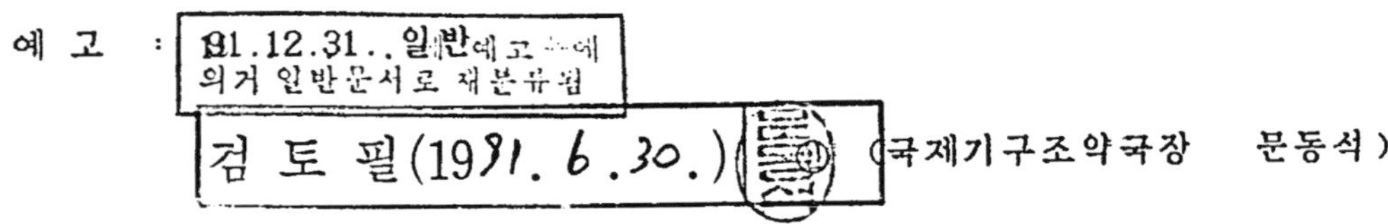
91.12.31., 일반예고문에 의거 일반문서로 재분류됨
검 토 필(1991. 6.30.)

(국제기구조약국장 문동석)

보 안 통 제	

앙 고 재	91년 4월 8일	유엔과	기안자 성 명		과 장		국 장		차 관	장 관

외신과통제

0144

관리번호	91-2169

원 본

외 무 부

종 별 :

번 호 : DJW-0682 일 시 : 91 0408 1515

수 신 : 장관(국연,아동)

발 신 : 주 인니 대사

제 목 : 유엔가입 문제

대:WDJ-0369

연:DJW-0638,0669

주재국 외무성 관계관에 의하면, 외무성은 4.6. ALATAS 외상의 지시에 따라주재국이 아국의 유엔가입을 지지하기로 결정함에 따라 아국의 유엔가입을 위하여 최대한 지원(MAXIMUM SUPPORT)하라고 주유엔대사에게 지시하였다함. 끝.

(대사 김재춘-국장)

~~예고:91.12.31. 일반~~

19 . . . 에 예고문에 의거 일반문서로 재분류됨

검 토 필(1991. 6 .30.)

국기국 장관 차관 1차보 2차보 아주국

PAGE 1

91.04.08 21:07

외신 2과 통제관 CH

0145

0l2 농

관리 번호	91 -2197

원 본

외 무 부

종 별 :

번 호 : BUW-0082　　　　일 시 : 91 0409 1310

수 신 : 장관(국연)(사본:주유엔대사-중계필)

발 신 : 브루나이대사

제 목 : 유엔가입

대:EM-9

1. 본직은 주재국외무부 MAIDIN 정무국장과면담 대호 메모랜덤을 수교하면서 아국의 연내 유엔가입 의지및 당위성을 설명하고 브루나이정부가 적절한계기에 공개적으로 아국 지지 입장을 천명하여줄것을 요청하였음.

2. 이에대해 동국장은 주재국은 아국의 입장을 변함없이 지지하고 있으며 기회가 있는대로 과거 유엔총회시 외상연설에서 언급한것과같이 공개적으로 천명할것이라하고 금번 쿠알라룸프르의 PMC 회의에서도 AGENDA 상 본건문제가 포함되어있는지는 아직잘모르겠으나 아국문제가 제기된다면 이를 적극적으로 지지할것이며 시기적으로도 PMC 를 통한 지지의사 천명은 매우 효과적인 방법이 될것이라고하였음. 끝

(대사백성일-국장)

예고:91.12.31. 일반 예고문에 의거 일반문서로 재분류됨

검토필(1991. 6. 30.)

국기국　차관　1차보　아주국　청와대　안기부

PAGE 1　　　　91.04.09　15:14

외신 2과　통제관 BA

0146

0ㄴ, 40

관리 번호	91 -2219

원 본

외 무 부

종 별 :

번 호 : DJW-0692 일 시 : 91 0409 1620

수 신 : 장관(국연,국기,아동,정이,기정) 사본:주유엔대사-필

발 신 : 주 인니 대사

제 목 : 유엔등 국제기구관련 교섭

대:EM-0009, 국기 20332-266(91.3.19)

대호, 당관 신공사는 4.9. HADI WAYARABI 외무성 국제기구국장을 면담, 아국의 유엔가입 문제, IPU 평양총회 및 아국의 국제기구 이사국 입후보등에 관해 협의하였는바, 주요 요지는 아래와 같음(이참사관 배석)

1. 아국의 유엔가입 문제

0 신공사는 유엔가입에 관한 정부각서를 전달하고 주재국이 아국 유엔가입을 지지한데 대해 사의를 표명하면서 가입시까지 지속적인 협조를 당부하였음.

0 HADI 국장은 아국정부 각서가 유엔 안보리 문서로 배포될 예정임을 알고 있었다고 하면서, 중국의 태도 변화등에 관심을 표명하고 앞으로 중국 외무차관의 인니 방문시 중국의 태도를 탐문해 보겠다고 하였음.

0 또한 HADI 국장은 주재국은 아래와 같은 논리로 중국에 설명할 예정이며 이와 같은 논리를 인도, 유고 및 기타 우방국이 중국에 반복하여 설명할 경우 효과가 있을 것으로 본다고 하였음.

- 중국은 유엔 안보리 상임이사국의 하나로 동북아를 포함한 국제평화와 안정을 유지할 책임과 의무가 있음.

- 중국은 또한 한반도 인접국가로써 한반도 평화와 안정의 유지에도 책임이 있음.

- 따라서 중국은 한반도에서 평화, 안정 및 안보를 유지하는데 기여할 남북한의 유엔가입을 지지하여야 할것임.

2. IPU 평양 총회

0 신공사는 IPU 평양총회시 의제 3 과 관련하여 북한이 한반도 문제를 정치적으로 선전할 경우, 주재국 대표단이 북한의 SAFE GUARDS AGREEMENT 체결을 촉구하도록 협조를 요청하였음.

국기국	장관	차관	1차보	2차보	아주국	국기국	정문국	안기부

PAGE 1

91.04.09 23:49

외신 2과 통제관 CF

0147

0 HADI 국장은 자신도 IPU 총회에 참석 예정임을 밝히고 의제 3 은 북한측의 관심 사항이며, 아국에게도 민감하고 정치적인 의미가 있는 것으로 생각된다면서, 인니 국회의원들로 하여금 협조토록 하겠다고 하였음.

0 또한 동 국장은 미, 일, 호주등이 동건과 관련한 그들 국가들의 우려를 표명하는 보충 의제를 제의할 예정인 것으로 알고 있으며, 호주는 관련된 결의안 제출에 인니의 공동 제안국으로 참여를 요청한바 있음.

따라서 동 의제는 반드시 북한에 유리한 것만은 아니며 비교적 균형된 토의가 있을 것으로 본다고 하였음.

3. 국제기구 이사국 입후보

0 아국의 IAEA 및 FAO 이사국 입후보에 따른 주재국의 지지요청에 대해 HADI 국장은 앞으로 시간적 여유를 갖고 신중하게 검토(SERIOUS CONSIDERATION)하겠다고 하였음.

0 본건 외무성과 계속 접촉 지지를 얻도록 노력하겠음. 끝.

(대사 김재춘-국장)

예고:91.12.31. 일반

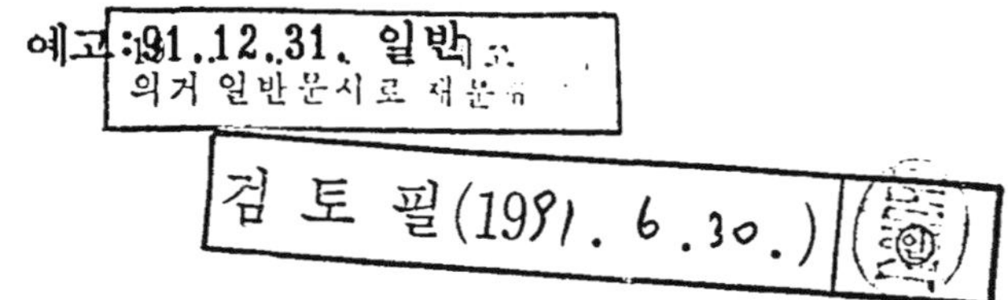

PAGE 2

0148

관리번호	91-2227

원 본

외 무 부

종 별 :

번 호 : UNW-0850 일 시 : 91 0409 1930

수 신 : 장관(국연)

발 신 : 주 유엔 대사

제 목 : 유엔가입

하 서기관은 4.9 하기 대표부 담당관들을 접촉, 안보리 문서를 수교하면서 아국가입 추진현황을 설명하고 지지를 요청한바, 동결과 다음 보고함.

1. 말레이지아 RASTAM 참사관

말레이지아는 항상 아국입장을 지지하여 왔음.91.2 연형묵 총리 말련 방문시에도 단일의석 가입지지 요청에대해 마하티르 수상이 아무런 대답을 하지 않으므로써 아국입장을 간접적으로 지지하였음. 동 문서내용은 금일 제네바에서 귀임한 대사에게 보고하고 본부에도 즉시 연락하겠음. 아국가입 신청시기가 결정되면참고로 통보하여 주기바람.

2. 태국 SINHASENI 참사관

4.3. 아국-태국 양대사 면담내용을 잘알고 있으며 동 문서는 본부에 즉시 보고하겠음.3. 미얀마 TUN 1 등서기관

미얀마는 아국입장을 항상 지지하여 왔음. 동 문서내용은 본부에 보고예정이며 서울 ESCAP 총회 참석중인 GYAW 외무차관이 결정권자인 만큼 동인에게도 지지요청바람.

4. 호주 GRIFFIN 1 등서기관

지난 1 월 당지 부임전까지 본부에서 남북한 관계를 맡아왔음. 동 문서내용은 본부에 이미 보고하였는바, 가입신청일자등 향후 진전사항에 대해 수시통보바람.4 월말 호주 외상이 중국방문 예정으로 알고있는바, 결과 아측에 통보하겠음. 끝

(대사 노창희-국장)

예고:91.12.31. 일반

의거 일반문서로 재분류

검 토 필(1991.6.30.)

국기국 장관 차관 1차보 2차보 청와대 안기부

PAGE 1

91.04.10 09:05

외신 2과 통제관 BW

0143

관리번호 91-330

분류기호 문서번호	아동 20234- 101	협조문용지 (720-2319)	결재	담 당	과 장	심의관
시행일자	1991. 4.10					
수 신	수신처참조	발 신	아주국장 (서명)			
제 목	인니외상 면담요록					

1. 91.4.2(화) 장관님의 인니 Alatas 외상 면담요록을 별첨 송부합니다.

2. 동 면담내용중 동아시아 경제그룹(EAEG) 및 유엔 가입문제에 대해서는 Alatas 외상의 언급내용이 직접인용되지 않도록 유념 바랍니다.

첨부 : 동 면담요록. 끝.

1991.12.31. 에 예고문에 의거 일반문서로 재분류됨

수신처: 국제기구조약국장, 정특반장

검토 필(1991. 6. 30.)

0150

면 담 요 록

==================

1. 일 시: 1991. 4. 2(화) 16:00-16:30

2. 장 소: Lotte Hotel (ESCAP 총회의장실)

3. 참석자: 제47차 ESCAP 총회참석 계기

우 리 측	인 니 측
이상옥 외무장관	Alatas 인니외무장관
김정기 아주국장	Koentarso 외무부 경제차관보
장철균 동남아과장	Kasenda 주한 대사

4. 면담요지

(외무장관)

o ESCAP 서울총회에 직접 참가하여 주신데 감사함. 양국 우호·협력관계에 만족하며, 한·아세안 대화격상을 계기로 더욱 발전될 것으로 믿음.

o 한가지 유감스러운 일은 선박사고 문제임. 현재 재판에 계류중이기는 하나, 우리정부로서는 사건의 원만한 해결을 위해 최대한 노력하고 있음. 구속선원 1-2일내 불구속 재판이 결정될 것으로 봄. 이문제가 양국 국민간의 감정문제로 발전되어서는 안될 것이므로 냉정히 다룰 필요가 있다고 봄. 동사건은 법적문제로서 정부가 개입하기는 어려우나, 양국 우호관계가 손상되지 않도록 우리정부가 가능한 개입을 하겠으며, 인니측이 수긍할 수 있는 해결책이 나올수 있도록 노력할 것임.

0151

(Alatas 장관)

o 양국의 관계에 대한 장관의 말씀에 전적으로 공감함. 양국관계가 나날이 발전하고 있음을 느끼게되며, 인니는 한·아세안 협의체의 대화대상국으로서 만족스럽게 생각함. 한국은 완전대화대상국으로 격상이 결정된 바 있고, 오는 7월 아세안 각료회담에서 추인하는 절차만 남겨놓고 있음. ASEAN WEEK 는 한·아세안 우호관계를 상징하는 행사이기도 함. 양국간에는 통상·투자면에서 급격히 증진되고 있으며, 한국측의 노력에 감사함. 노태우 대통령께서 88.11. 인니 방문시 지원한 개발차관이 그 시발로서 현재 수마트라섬 개발에 긴요히 활용되고 있음.

o 이런 가운데 선박사고가 발생한 것은 매우 유감임. 인니의 언론·국회에서 논란이 됨에따라 인니정부로서는 문제해결을 위해 노력치 않을수 없게 되었음. 이문제가 법적 문제이기는 하나 정치적 측면도 있으므로 한국정부가 좀더 강하게 개입해 주기를 기대함. 법적인 문제는 변호사가 다루겠고 선원이 협의가 있다면 재판 결과에 따라야 하겠음. 구속선원의 불구속 재판이 수일내 이루어지게 된데 깊히 감사드림. 또한가지 문제는 억류된 선박임. 인니 공보장관이 본인에게 동선박이 출항될 수 있도록 특별히 요청하고 있음. 책임이 있다면 선원이 지게될 것이므로 억류된 선박의 출항 문제도 고려하여 주시기 바람.

(외무장관)

o 이문제는 관계부처와 계속 협의하겠으며, 노력하겠으나, 우리사회가 민주화 과정에서 많은 사람들이 자신의 이익대변의 수단으로 집단행동화하는 경향이 있음. 동사건의 피해어민 5천여명의 감정도 우리정부로서는 고려치 않을수 없음을 이해 해주기 바람.

0152

o 유엔가입 문제에 관해 말씀드리겠음. 우리는 금년도에 유엔가입을 추진코저함. 작년에 남북한 동시가입을 위한 모든 노력을 기울였음. 그러나 북한의 태도는 요지부동임. 우리는 우리의 유엔가입이 북한의 가입을 촉진할 것으로 봄.

(Alatas 장관)

o 인니는 유엔의 보편성 원칙을 일관되게 지지해 왔음. 따라서 남북한의 유엔가입을 지지함. 그러나 북한이 다른 견해를 갖고 있는 것이 문제임. 작년에 한국은 소련과의 수교, 중국과의 관계진전등 대외관계에 큰 성취를 보였으며, 많은 유엔 회원국들에 대해 성공적인 설득노력을 전개하였음. 인니는 그러한 진전을 충분히 인식하고 있으며, 한국의 유엔 가입문제에 대해 긍정적으로 재검토하였음.

o 작년까지 인니는 유엔의 보편성 원칙과 남북한 통일을 연계시켜 생각해 왔음. 따라서 남북한 어느 일방의 유엔가입이 통일진전에 부정적으로 작용한다고 보아왔음. 그러나 정세가 변화하였으며 북한의 태도는 변화하지않고 단일의석 가입등 불합리하고 비현실적인 주장을 하고있음. 인니는 입장을 바꾸어 한국의 유엔가입을 지지키로 하였으며, 이를 자카르타주재 북한대사관에도 통보하고, 북한이 태도를 변화토록 설득해 나갈 것임.

(외무장관)

o 인니측의 지지에 깊히 감사함.

(Alatas 장관)

o 문제는 중국의 태도임.

0153

(외무장관)

o 조금전에 중국 외무부부장과 면담하였음. 중국은 남북한 합의하에 유엔 가입이 추진되어야 한다는 기존의 입장을 표명하였음. 우리측은 북한 설득을 위해 계속 노력하겠으나, 금년에는 유엔가입 문제를 결정할 수 밖에 없다는 입장을 통보하였으며, 동 부부장은 이를 정부에 보고하겠다 하였음.

(Alatas 장관)

o 중국은 북한을 지지하는 유일한 나라임.

(외무장관)

o 우리가 유엔가입 신청 결정시, 인니측에 사전 연락하고 긴밀히 협의하겠음.

(Alatas 장관)

o 사전 협의에 감사함. 아세안이 모두 한국의 입장을 지지한다고 하면 북한의 태도변화에도 도움이 될 것으로 봄. 독일과 예멘의 예도 좋은 설득 내용임.

(외무장관)

o 동시가입은 분명 통일을 촉진할 것임.

(Alatas 장관)

o 인니의 입장변화에 관해서는 공식 발표는 하지않고 조용히 추진할 것이므로 한국측에서도 당분간 보안을 유지해 주기 바람.

o 말련이 제시한 동남아 경제그룹(EAEG)에 관해 말씀드리겠음. 양측간에 신뢰를 바탕으로 솔직히 예기하겠음. 아세안으로서는 이 구상에 많은 의문을 갖고있으며, 사실상 반대하고 있음. 이 구상은 블록화의 비판을 면할길 없으며, 마하틸 수상에 대해 공개적으로 반대할 수 없는 입장이 있기는 하나 아세안의 정책과는 상치됨.

0154

o 말련은 이 구상을 협의체(consultative forum)이라하나, 아세안은 이미 대화대상국을 갖고있고, APEC의 회원임. 왜 3번째의 기구가 필요한지 의문시됨. 말련 상공장관이 곧 방한하는 것으로 아는데, 한국측이 보다 확고히 반대의사를 표시해 줄수 있는지? 이구상에 대해 미·EC 등 모두 거부감을 갖고 있음.

(외무장관)

o 솔직한 설명에 감사하며, 인니측 입장을 유념하여 조용히 의견이 반영되도록 하겠음.

o APEC 에서의 3개중국 가입문제와 관련, 홍콩은 별문제 없으나, 중국과 대만의 입장이 문제임. 중국은 유일한 주권국가를 계속 견지하고 있음.

(Alatas 장관)

o APEC 국가개념의 회원국이 아니며 경제 실체로서의 자격임을 강조해야 할 것으로 봄.

(외무장관)

o APEC 서울회의 일자로 11.6-8 을 첫째안으로 제시하였음. 인니측의 지지를 당부함.

  * 인니측: 유념하겠음.

o 아세안 확대외상회담 전후 인니를 방문코져 하는바, 인니측 사정이 어떠하신지?

  * 인니측: 환영함

o 주쟈카르타 대사를 통해 일정을 협의하겠음. 끝.

0155

관리 번호 91-2255

원 본

외 무 부

종 별 :

번 호 : BUW-0085 일 시 : 91 0410 1030

수 신 : 장관(국연)(사본:주유엔대사-중계필)

발 신 : 주 브루나이 대사

제 목 : 유엔가입추진

대:EM-9.13.

연:BUW-82

1. 본직은 4.10. 주재국 외무부 LIM JOCK SENG 사무차관과 면담 아국의 연내 유엔가입의지를 설명하고 적극적이고도 공개적인 아국 지지 입장천명을 요청하였음.

2. 동차관은 기회가있는대로 적극 지지 할것임을 약속함과 아울러 주재국을공식방문하는 중국 외교부 ASSISTANT MINISTER , DU DUXIN 과 4.11. 면담시 동문제를 거론, 주재국의 지지의사를 밝히고 아국의 유엔 가입 당위성을 설득할것이라고 하였음.

3. 상기 면담결과 입수되는대로 추보 예정임.끝

(대사백성일-국장)

예고:91.12.31. 일반

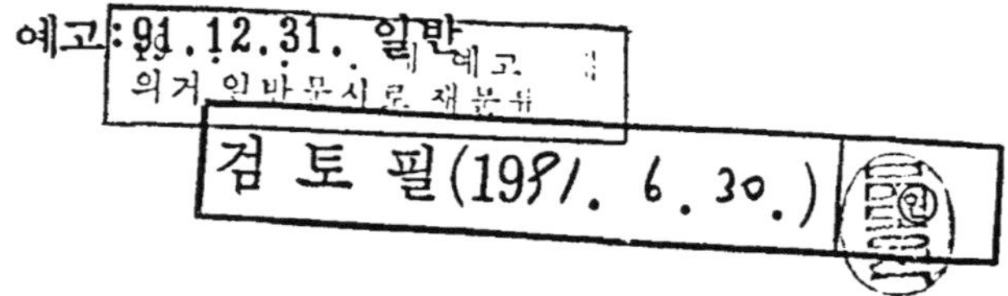

국기국 아주국

PAGE 1

91.04.10 15:45

외신 2과 통제관 BN

0156

관리 번호	91 -2309

원 본

외 무 부

종 별 :

번 호 : UNW-0855 일 시 : 91 0410 1430

수 신 : 장관(국연,아동,기정)

발 신 : 주 유엔 대사

제 목 : 필리핀대사면담

1. 본직은 4.10 ORDONEZ 필리핀 대사를 면담, 안보리 문서를 수교하고 최근의 아국가입추진 현황을 설명한후 필리핀의 지지를 요청함.

2. 동대사는 양국간 긴밀한 관계에 비추어 아국의입장을 지지하는데 어려움이 없을것으로 본다고한바, 본직은 필리핀이 아국의 입장을 좀더 적극적이고 공개적으로 지지하여 줄것을 요청하고 가능하면 ASEAN 공동으로 아국입장을 지지표명할수가 있으면 이는 가입추진에 결정적 기여를 할것으로 기대한다고 하였음.

3. 동대사는 금년 7 월부터 필리핀이 AEAEN 의장국을 맡아 현지에서도 자신이 COORDINATOR 역할을 하므로 개인적으로 ASEAN 공동명의 지지를 시도하겠으나 사전에 본국과도 협의르하겠다고함.

4. 동대사는 저명한 법률가 출신으로 주유엔대사로 부임한지 1 년밖에 되지않아 한국문제 및 아국가입문제를 소상히 파악하고 있지 못하였으며 , 동인 언급내용으로 보아 지지는 기대되지만 본국과는 긴밀한 상호연락이 없는것으로 판단되므로 확고한 지지확보를 위해 주재국을통한 확인교섭이 필요한것으로 사료됨. 끝

(대사 노창희-국장)

예고:91.12.31. 일반

검 토 필(1991. 6.30.)

국기국 장관 차관 1차보 2차보 아주국 청와대 안기부

PAGE 1

91.04.11 05:18

외신 2과 통제관 CA

0157

원 본

관리 번호	91 -2352

외 무 부

종 별 :

번 호 : SGW-0218 일 시 : 91 0411 1140

수 신 : 장관(국연,아동,사본:주유엔대사-본부중계필)

발 신 : 주 싱가폴대사

제 목 : 유엔가입

대: EM-9,11

1. 본직은 금 4.10. 주재국 외무부 KESAVAPANY 국제기구국장을 신임인사차 면담하여 (정영조참사관 수행) 대호 정부각서를 전달하고 싱가폴이 확고히 지지해 줄것을 요청하였음. 동국장은 소련, 중국의 태도등에 관해 문의하고 싱가폴은한국의 유엔가입을 지지할 것이라고 말함.

2. CHEW TAI SOO 신임 유엔주재 싱가폴대사는 금 4.11. 부임차 뉴욕 향발함. 끝.

(대사- 국장)

예고: 91.12.31. 일반 [stamp: 의거 일반문서로 재분류]

검 토 필(1991. 6. 30.)

국기국 장관 차관 1차보 2차보 아주국 청와대 안기부

PAGE 1

91.04.11 13:34

외신 2과 통제관 FE

0158

관리 번호	91 -2312

원 본

외 무 부

종 별 :

번 호 : THW-0858 일 시 : 91 0411 1600

수 신 : 장 관(국연,아동)

발 신 : 주 태국 대사

제 목 : 유엔가입추진

대 : EM-9,13

1. 대호 지시에 따라 주진엽공사는 4.11(목) 오전 BIRATH 외무성 국기국장을 면담(정참사관 배석), 주재국 외무장관이 89 년,90 년 유엔총회 기조연설시 아국의 유엔가입을 지지하여준데 사의를 표하고 금년에도 주재국이 더욱 적극적이고 공개적으로 아국의 유엔가입을 지지하여 주도록 요청하였음. 또한 우리의 유엔가입에 대한 중공의 긍정적태도를 확보할수 있도록 주재국이 각종채널을 통해중공측을 설득하여주도록 요청하였음. 동요청에 대한 BIRATH 국장의 반응요지 아래보고함

가. 한국입장지지및 지지확산노력

0 한국입장을 잘 이해하고 있음

0 주유엔태국 대표부에 한국의 유엔가입을 지지하라는 훈령뿐만 아니라 한국의 유엔가입에 대한 국제적 지지규합노력에 참가하라는 훈령을 이미 하달하였음

0 자신도 유엔총회기간중 유엔에 출장, 한국가입을 위한 지원노력을 할 예정임

나. 대중공설득노력

0 양상곤 중공국가주석이 금년 6 월중 태국을 공식방문할 것으로 예상됨

0 양상곤 국가주석 방태시, 한국유엔가입의 타당성을 중공측에 설명하고 중공의 협조를 구하도록 ARSA 외무장관에게 건의하겠음

2. 한편, 주공사는 4.11(목) 오전 SAROJ 외무성 정무국장을 대리한 CHOLCHINEEPAN 동아과장을 별도로 면담(정참사관 배석)상기와 같이 요청하였는바, 동과장은 KASEM 수상실 장관이 서울 에스캅총회기간중 외무장관을 예방, 한국의 유엔가입문제에 대해 충분한 의견교환을 한 것으로 안다고 말하면서, 태국은 계속해서 한국의 유엔가입을 지지한다고 말했음

(대사대리 주진엽-국장)

국기국 장관 차관 1차보 2차보 아주국 정와대 안기부

91.04.11 21:10

외신 2과 통제관 CE

0153

예고 : 1991.12.31. 일반고문에 의거 일반문서로 재분류됨

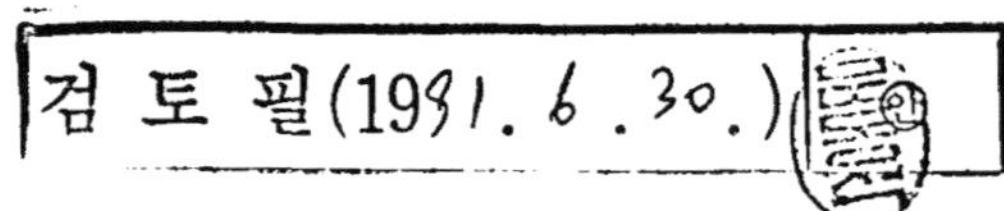

PAGE 2

0160

관리번호	91-2323

외 무 부

종 별 :

번 호 : MAW-0540 일 시 : 91 0411 1630

수 신 : 장관(아동,국연,사본:주 유엔대사-본부 중계필)

발 신 : 주 말련 대사

제 목 : 주재국외무장관 면담(UN 가입)

1. 본직은 4.11 ABDULLAH BADAWI 신임외무장관 면담시, 우리의 유엔가입 당위성을 설명하는 한편 아국이 년내 유엔 가입을 신청할 예정이며 이에대한 주재국의 적극 지원을 요청한바 ABDULLAH 장관은 작년도 유엔총회시 말련의 아국 지지입장 표명을 상기하는 한편 말련은 우리의 유엔가입을 계속 지지할것이라고 확약함.

2. 또한, 본직은 말련측이 아국 유엔가입에 대한 확보한 지지를 대외적으로명백히 표명하여 특히 중국이 우리 유엔가입에 대한 아시아 국가들의 광범한 지지를 느낄수 있도록할 필요성이 있음을 설명하였으며, 동 외상은 한, 중국간 경제관계가 심화됨에 따라 중국의 태도에도 변호가 있을것으로 본다고 언급함. 끝

(대사 홍순영-국장)

예고: 91.12.31. 일반

검토필(1991. 6. 30)

아주국 장관 차관 1차보 2차보 국기국

PAGE 1

91.04.11 19:09

외신 2과 통제관 CH

0161

관리 번호	91 - 2311

	분류번호	보존기간

발 신 전 보

번 호 : WUN-0883 910411 1921 FL 종별 :

수 신 : 주 필리핀, 말련, 대사. 총영사 (사본 : 주유엔대사) WPH -0325 WMA -0356

발 신 : 장 관 (국연)

제 목 : 유엔가입 추진 (ASEAN 공동입장 표명)

1. 4.10. 주유엔대사는 Ordonenez 주유엔 필리핀대사에게 ASEAN 공동으로 아국의 유엔가입지지 입장을 표명하여 줄 것을 요청하자 동 대사는 금년 7월부터 필리핀이 ASEAN 의장국을 맡아 뉴욕에서도 자신이 coordinator 역할을 하므로 개인적으로 ASEAN 공동명의 지지를 시도하겠으나 사전에 본국과도 협의하겠다고 답변함.

2. 상기관련, ASEAN이 구성국외의 문제에 대하여 공동으로 입장을 표명한 사례가 있는지 파악, 보고바람. 끝.

예 고 : 1991.12.31. 일반

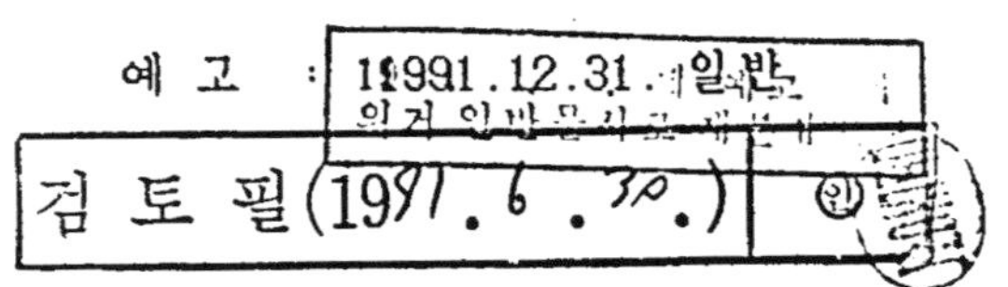

(국제기구조약국장 문동석)

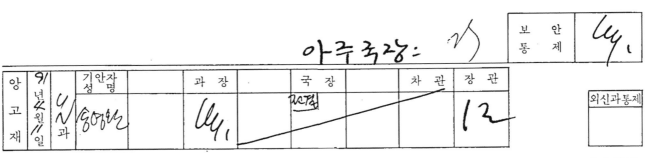

보안 통제	

앙 고 재	91년 4월 11일	과	기안자 성명		과 장		국 장		차 관	장 관

외신과통제

0162

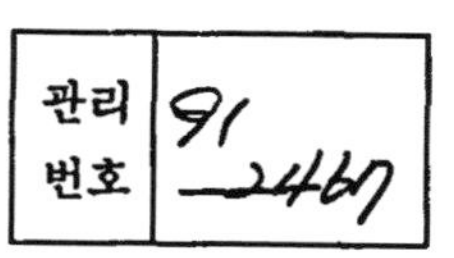

원 본

외 무 부

종 별 :

번 호 : UNW-0934 일 시 : 91 0416 1930

수 신 : 장관(국연,아동,미중,기정)

발 신 : 주 유엔 대사

제 목 : 유엔가입

당관 오윤경공사는 4.16 주유엔 싱가폴 대표부 대사대리인 MARK HONG 참사관을 접촉, 아국의 유엔가입 추진에 따른 협조를 요청하였는바, 동인의 언급중 주요사항을 요지 아래보고함.

1. 한국의 유엔가입을 공개적으로 지지한 코스타리카 대표부의 4.15 자 안보리문서는 좋은 착상으로 생각됨. 한국측에서 공식 요청하면 본국정부에 유사한조치를 취하도록 건의하겠음. 이와관련 몇나라가 그러한 조치를 취할 예정 인지 알려주면 참고하겠음.

2. 당지에서도 ASEAN 회원국들은 자주 회합하는바, ASEAN 회원국들의 한국 유엔가입 지지 공동표명 추진노력에 협력할 용의가 있으며 , 이를 원하면 본국정부에도 협조요청바람. 현재는 간사국이 말레이지아이므로 말레이지아의 적극 협조를 구하는것이 바람직함.

3. 최근 부임한 CHEW TAISOO 대사는 쿠에야르 유엔사무총장이 귀임하는대로조만간신임장을 제정할 예정임.끝

(대사 노창희-국장)

예고:91.12.31. 일반

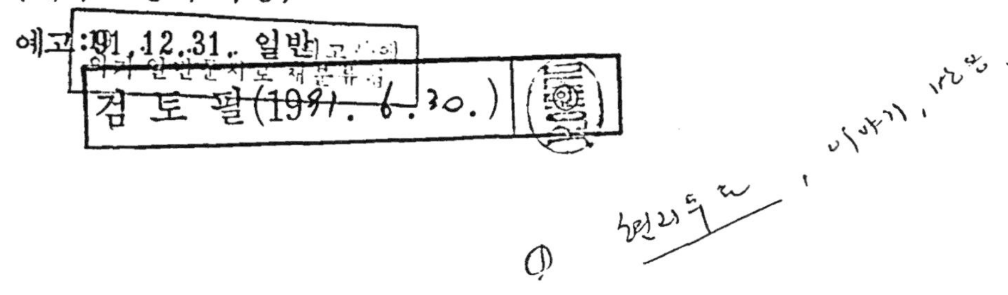

국기국 장관 차관 1차보 2차보 아주국 미주국 청와대 안기부

PAGE 1

91.04.17 09:56

외신 2과 통제관 BW

0163

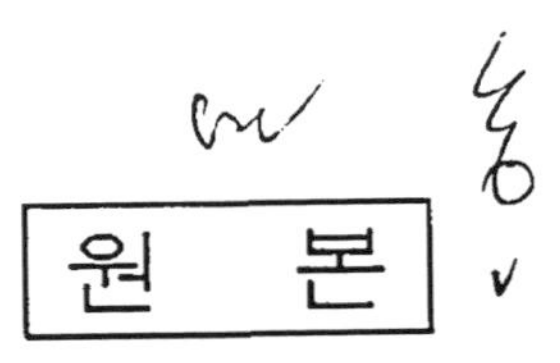

관리 번호	91 -2473

외 무 부

종 별 :

번 호 : PHW-0516 일 시 : 91 0417 1110

수 신 : 장관(국연,아동) 사본:주유엔대사(중계필)

발 신 : 주 필리핀 대사

제 목 :

대:WPH-0325(1), EM-09(2)

1. 당관 황참사관은 주재국 외무부 PADAHLIN 국제기구 국장대리(국장은 화란 출장중)와 대호 ASEAN 공동 명의로 아국의 유엔가입 지지 성명을 발표하는 문제 및 아국 유엔가입에 관한 주재국측의 지지방안 문제등을 4.24(수) 오찬을 함께하면서 협의하기로 하였음을 중간 보고함.

2. 대호(2) MEMORANDUM 은 4.17(수) 주재국 외무부에 전달하였음.

(대사대리-국장)

예고:1991.12.31. 일반

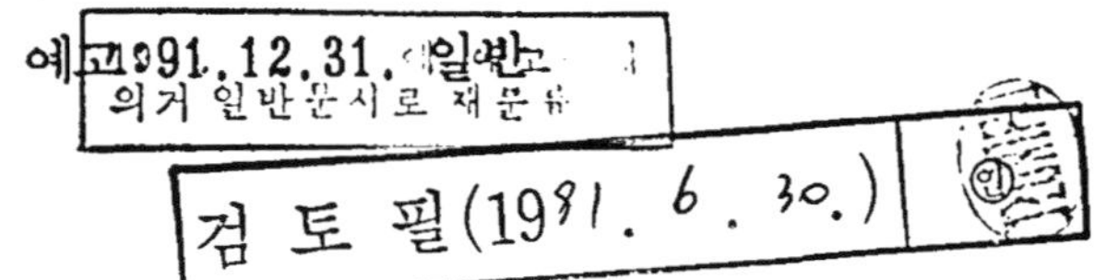

국기국 아주국

PAGE 1

91.04.17 13:06

외신 2과 통제관 BW

0164

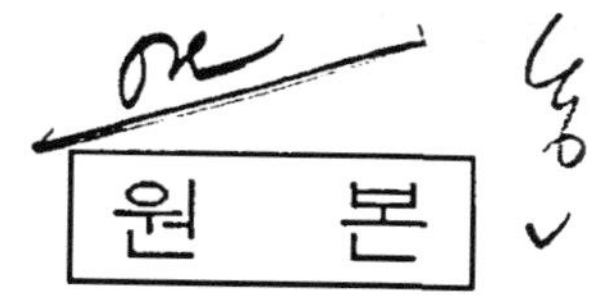

관리 번호	91 -2479

원 본

외 무 부

종 별 :

번 호 : THW-0890 일 시 : 91 0417 1500

수 신 : 장 관(국연, 아동)

발 신 : 주 태국 대사

제 목 : 유엔가입추진

연: THW-0858

1. 정참사관이 4.16(화) 태-중공 외무성간 고위급협의회시 거론된 사항 파악을 위해 CHOLCHINEEPAN 외무성 동아과장을 면담한 기회에 표제관련 아래와같이요청하였음

0 태국-중공은 1975년 국교수립이래 빈번한 고위급인사 교류등을 통해 돈독한 우호협력 관계를 유지하고 있는것으로 알고있음

0 특히 금년 상반기중 양상곤 중공 국가주석의 방태, ARSA SARASIN 태국외무장관의 방중등 양측간의 최고위급 정부인사의 교환방문기회를 활용, 태국과같은 우방국이 중공측에 아국 유엔가입의 타당성을 설명, 중공의 협조를 구하는것이 아국의 유엔가입 실현에 긴요하므로 태국의 적극적인 협조를 요청함

2. CHOLCHINEEPAN 과장은 중공도 한국의 유엔가입에 관한 국제사회의 광범위한 지지 분위기를 거역하기는 어려울것으로 예견된다고 말하면서 상기요청을 상부에 보고, 한국측희망이 반영되도록 노력하겠다고 말했음

(대사대리 주진엽-국장)

예 고 : 91.12.31. 일반

검 토 필(1991.6.30.)

국기국 차관 1차보 2차보 아주국 청와대 안기부

PAGE 1

91.04.17 20:54

외신 2과 통제관 CE

0165

주한 태국대사 면담자료

(4.18. 16:00- , 국장실)

1. 대사 인적사항

   o 성 명 : Chuchai Kasemsarn (태국식 호명방식에 따라 「츄차이」 대사로 호명)

   o 연 령 : 49세

   o 학 력 : 미국 워싱톤대 졸, 산호세 주립대 석사(국제관계)

   o 경 력 :

     - 1969 외무부 입부
     - 1983 국제기구국 부국장, 주유엔대표부 공사, 주월남, 이집트대사
     - 1991.2. 주한대사

   o 가족관계 : 기혼

2. 아국의 유엔가입에 관한 태국의 태도

   o 총회기조연설시 : 88-89년 아국입장 지지발언 (아국의 통일방안, 유엔의 보편성원칙 지지)

   o 최근 주요인사 언급내용

     - 4.2. 카셈스리 수상실 장관, 아국의 유엔가입에 대한 지지확약
     - 4.11. Birath 국기국장, 주유엔 태국대표부에 한국의 유엔가입을 지지하라는 훈령 뿐만 아니라 한국의 유엔가입에 대한 국제적 지지 규합 노력에 참가하라는 훈령 이미 하달하였다고 언급

0166

(대사 인적사항)

o 姓 名: 츄차이 카셈사른

(Chuchai Kasemsarn)

* 태국식 호명 방식에 따라 『츄차이』 대사로 호명

o 生年月日: 1942. 12. 1.(48세)

o 學 歷: - 美國 워싱턴 대학 학사 (정치학)

- 美國 산호세 주립대학 석사 (국제관계)

o 經 歷: - 1969 外務部 入部

- 1975 주 싱가폴 대사관 2등서기관

- 1980 外務部 서남아과장

- 1983 外務部 국제기구국 부국장

- 1983 주 유엔 대표부 공사

- 1986 주 월남 대사

- 1988 주 이집트 대사

- 1991 駐韓大使 內定(제9대)

- 1991 2. 21. 신임장 제정.

o 家族關係: 기 혼

0167

관리번호	91-2523

원 본

외 무 부

종 별 :

번 호 : DJW-0743 일 시 : 91 0418 1610

수 신 : 장관(국연) 사본: 김재춘 대사

발 신 : 주 인니 대사대리

제 목 : 유엔가입 추진(ASEAN 공동입장 표명)

대:WDJ-0396

1. 대호, 주재국 외무성 및 ASEAN 사무국에 문의한바, 주요 국제정치문제에대한 ASEAN 의 공동입장 표명은 외상회의 또는 정상회의에서만 할수있다 함.

2. 연례 ASEAN 외상회의는 주요 국제문제에 대한 공동입장을 공동성명 형식으로 표명하고 있는바, 90 년 경우 공동성명에서 캄보디아 문제, 아프칸 사태, 동구사태, 이란-이락 전쟁 및 남아프리카 문제등에 대한 입장을 표명한바 있음.

3. 또한 80 년 및 89 년에 소집된 특별 ASEAN 외상회의는 월남군의 태국국경 침공 및 캄보디아 사태등 ASEAN 에 직접적인 영향을 미치는 문제에 대해 공동입장을 표명한바 있음. 끝.

(대사대리 신효헌-국장)

예고: 91.12.31. 일반고 의거 일반문서로 재분류

검 토 필(1991.6.30.)

국기국 차관 1차보 2차보 아주국 청와대 안기부

PAGE 1

91.04.18 20:40

외신 2과 통제관 CH

0168

관리 번호	91-2525

원 본

외 무 부

종 별 :

번 호 : MAW-0567　　　　일 시 : 91 0418 1700

수 신 : 장관(국연,아동,아이,사본:주 말련 대사)

발 신 : 주 말련 대사 대리

제 목 : 가입추진(중국 태도 변화)

대:WASN-0015

연:MAW-0549

1. 연호로 기보고한바와 같이 XU DUNXIN 중국 외교부 부부장이 인니, 말련,필리핀, 부루나이 순방 일환으로 4.20-23 간 당지 방문, 중.말 정책협의회를 가질 예정임.

2. 주재국 WONG 동아과장에 의하면 동인은 필리핀과는 년례 정책 협의회, 인니및 말련과는 비정기 정책협의회를 가질 예정이라하며 당관 최원선 참사관은 국제정세협의 과정에서 가능하면 말측이 우리측 유엔가입에대한 중국측 입장을 타진해 줄것을 부탁함. 끝

(대사대리 김경준-국장)

예고:91.12.31 일반

검 토 필(1991.6.30.)

국기국　차관　1차보　아주국　아주국　청와대　안기부

PAGE 1

91.04.18　20:36

외신 2과　통제관 CH

0163

관리 번호	91 —2535

원 본

외 무 부

종 별 :

번 호 : UNW-0966 일 시 : 91 0418 1900

수 신 : 장관(국연,아동,기정)

발 신 : 주 유엔 대사

제 목 : 말련대사 면담

1. 본직은 금 4.18 RAZALI 말련대사를 면담, 아국가입이 성취되도록 계속 협조를 요청한데 대해 동대사는 아국의가입을 적극지지하고 협조할것임을 다짐함.(동대사는 85-88 외무부 사무차관보를 역임하고 방한한바도 있어 한국문제를 소상히 파악하고있음.)

2. 동 대사는 중국이 아국의 가입을 막을수 없을것으로 본다면서 아국이 오랫동안 강력히 가입을 추진하여 왔기때문에 더이상 연기가 불가한 것으로 생각한다고하고 아국정부의 최근 각서배포는 단호한 의지를 천명하는 시의 적절한 것이었다고함. 동대사는 또한 중국이 아국가입을 저지하기 위한 유일한 수단은 거부권행사인바 이는 사실상 불가하다고 본다고 하고 그이유로는, 개인 견해임을 전제, 중국이 국제적 고립을 우려하여 대체로 대세에 따라가는 자세를 취해왔으므로 아국가입에 대해 절대 다수회원국이 지지하고 있는이상 이에 역행하지는 않을것으로 본다고함.

3. 동대사는 남북한 관계에 결렬을 가져올만한 돌발사태가 없는한 아국가입은 문제없을 것으로 보며 따라서 아국은 북한이 의도적으로 그러한 혼선을 야기할려고 시도하더라도 끝까지 유연하고 수용적인 태도를 보이는것이 필요할것 같다는 의견을 덧붙임.

4. 본직이 ASEAN 공동명의로 아국가입지지 의사표명 가능성을 타진한바, 동대사는 선뜻 공감을 표시하고 7.19-20 간 쿠알라룸풀에서 개최되는 아세안 외상회의가 좋은 기회가 될것같다고 하면서 본국정부와도 협의하겠다고 하였음. 끝

(대사 노창희-국장)

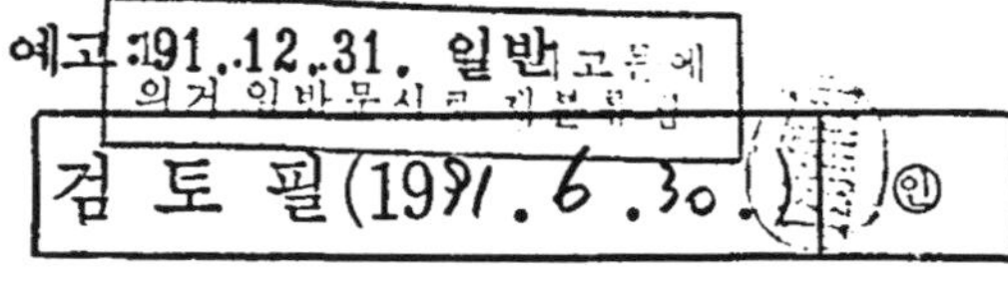
예고:91.12.31. 일반고문에 의거 일반문서로 재분류됨

검 토 필(1991.6.30.)

국기국	장관	차관	1차보	2차보	아주국	청와대	안기부

PAGE 1

91.04.19 08:59

외신 2과 통제관 CE

0170

관리 번호	91-2552

	분류번호	보존기간

발 신 전 보

번 호 : WTH-0667 910418 1921 FO 종별 :

수 신 : 주 태국 대사. 총영사// 대리

발 신 : 장 관 (국연)

제 목 : 태국외상 중국방문

대 : THW-0889

태국 외상의 중국방문 일시 결정되는 대로 보고바람. 끝.

예 고 1991.12.31. 일반

(국제기구조약국장 문동석)

검 토 필(1991.6.30)

보안 통제	

앙 고 재	91년 4월 18일	과	기안자 성명		과 장		국 장		차 관	장 관
							전결			

외신과통제

0171

관리 번호 91-2609

분류번호	보존기간

발 신 전 보

번 호 : WUN-1011 910419 2106 CJ 종별 :

수 신 : 주 유엔 대사. ~~총영사~~ (사본 : 주말련대사) 0372

발 신 : 장 관 (국연)

제 목 : 유엔가입 추진 (ASEAN 지지)

대 : UNW-0966

대호, ASEAN 공동명의의 아국가입지지 의사표명 요청은 추후 본직의 91.7. ASEAN 확대 외상회의 참석차 동남아 순방 계기등을 전후하여 ~~활용하는 방안을 검토하여~~ 추진코자 하니 ~~현 단계에서 직극 요청치는 말기바람~~ 참고바람. 끝.

예 고 : 1991.12.31. 일반 의거 일반문서로 재분류

(국제기구조약국장 문동석)

검토필(1991. 6. 30.)

보 안 통 제	

앙 고 재	91년 4월 19일	국연과	기안자 성명		과 장		국 장		차 관	장 관

외신과통제

0172

관리 번호	91-2606

	분류번호	보존기간

발 신 전 보

번 호 : WBU-0100 910419 2107 CJ 종별 :

수 신 : 주 브루네이 대사. 총영사

발 신 : 장 관 (국연)

제 목 : 유엔가입 추진

중국의 Xu Dunxin 외교부부장은 4월하순 동남아순방시 귀주재국을 방문할 예정이라 하는 바, 한반도문제 협의과정에서 중국측에 북한이 한국과 함께 유엔에 가입하는 것이 한반도정세 안정과 북한의 고립을 완화에도 기여할 것임을 지적하고 이를 위해 중국이 건설적 역할을 하도록 브루네이 입장으로 중국측에 설명하고 그 결과를 알려줄 것을 귀주재국측에 요청바람. 끝.

예 고 : 1991.12.31. 일반

(국제기구조약국장 문동석)

검토필(1991.6.30.)

보안 통제	

앙 고 재	년 월 일	과	기안자 성명		과 장		국 장		차 관	장 관

외신과통제

0173

관리 번호	91 -2609

분류번호	보존기간

발 신 전 보

번 호 : WPH-0355 910419 2108 CJ 종별 :

수 신 : 주 필리핀 대사. 총영사

발 신 : 장 관 (국연)

제 목 : 유엔가입 추진

대 : PHW-0524

대호, 필리핀-중국간 정기정책 협의회시 한반도문제 협의과정에서 Xu Dunxin 외교부부장에게 북한이 한국과 함께 유엔에 가입하는 것이 한반도정세 안정과 북한의 고립을 완화에도 기여할 것임을 지적하고 이를 위해 중국이 건설적 역할을 하도록 필리핀의 입장으로 중국측에 설명하고 그 결과를 알려줄 것을 귀주재국측에 요청바람. 끝.

예 고 19 91.12.31. 일반 의거 일반문서로 재분류

(국제기구조약국장 문동석)

검토필(1991.6.30.)

보안 통제	

앙 고 재	91년 4월 19일	과	기안자 성명		과 장		국 장		차 관	장 관
			송							

외신과통제

0174

관리 번호	91 -2603

원 본

외 무 부

종 별 :

번 호 : BUW-0093　　　　　일 시 : 91 0420 1640

수 신 : 장관(국연), 사본:주유엔대사(중계필)

발 신 : 주 브루나이 대사

제 목 : 가입추진

대:WBU-100

연:BUW-85

1. 연호로 보고한바와같이 주재국외무부 LIM JOCK SENG 사무차관은 중국외교부 부부장 XU DUNXIN 과 4.11. 면담시 본직의 요청대로 브루나이의 한국 UN 가입 지지의사를 밝히고 그 당위성을 역설하였다고 본직에게알려옴

2. 이에대해 XU DUNXIN 부부장은 다음과같이 언급하였다함

가. 중국과 한국은 현재 실질적인 관계가 심화되고있음

나. 한국은 세계 140 여개국과 수교한 나라임

다. 그러나 북한의 강력한 반대로 인해 중국이 매우 난처한 입장에처해있음

라. 중국은 유엔 가입문제가 남, 북한의 자체합의에의해 해결되기를 희망함.

3. 동 LIM 사무차관의 관측으로는 중국이 아국의 유엔가입에 부정적인 태도는 아니나 북한과의관계로 인해 매우 곤란한 입장에 있는것으로 보였다함.4. 한편 동 LIM 차관은 4.21.-4.27. 간 북경을 비공식 방문 (양국 수교와 관련한 예비접촉으로보임)한다고하여 중국고위층 접촉시 대호와같은 요령으로 중국측에 브루나이 정부입장을 전달하여 줄것을 요청하였음. 끝

(대사백성일-국장)

예고:91.12.31. 일반

검토필(1991. 6. 30.)

국기국	장관	차관	1차보	2차보	아주국	청와대	안기부

PAGE 1

91.04.20 18:43

외신 2과 통제관 DO

0175

관리 번호	91-2638

원 본

외 무 부

종 별 :

번 호 : DJW-0766 일 시 : 91 0422 1410

수 신 : 장 관(국연,아동,아이) 사본:김재춘 대사

발 신 : 주 인니 대사대리

제 목 : 유엔가입 추진(중국태도변화)

대:WASN-0015

연:DJW-0745

1. 연호, 당관 이참사관이 4.21. 외무성 관계관에게 확인한바, WIRYONO 외무성 정무차관보와 서돈신(XU DUNXIN)중국 외교부차관간 회담에서 중국측은 한반도 긴장완화를 위한 북한의 통일노력을 지지하고 남북한 대화를 통한 적대관계 완화를 희망하였으며, 아국의 유엔가입 문제는 거론되지 않았다 함.

2. 한편, MUHAMMAD YUSUF 외무성 아태국 부국장이 4.20. 중국 외교부차관을수행한 외교부 아주국 참사관(COUNSELLOR) MR. SHAO JIONGCHU 에게 아국 유엔가입에 대한 중국입장을 문의한바, 동 참사관은 OFF THE RECORD 를 전제로 중국은 아마도 아국의 유엔가입에 거부권을 행사하지 않을 것으로 본다고 언급하였다함.

3. 또한 동 참사관은 5.3-7 일간 북한을 방문하는 이붕 총리가 남북한 동시유엔가입을 희망하는 중국입장을 북한측에 전달예정이라고 부언하였다 함. 끝.

(대사대리 신효헌-국장)

예고:91.12.31. 일반

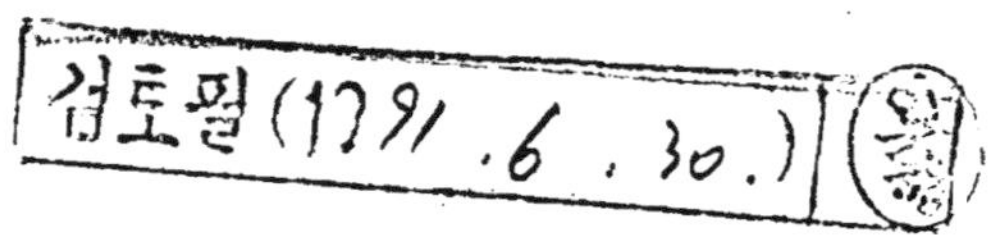

국기국 안기부	장관	차관	1차보	2차보	아주국	아주국	아주국	청와대

PAGE 1 91.04.22 18:50

외신 2과 통제관 BS

0176

관리번호	P1-263P

원본

외 무 부

종 별 :

번 호 : DJW-0770 일 시 : 91 0422 1530

수 신 : 장관(국연,아동) 사본:김재춘 대사

발 신 : 주 인니 대사대리

제 목 : 유엔가입 추진(중국태도)

대:WASN-0015

연:DJW-0745,0765

1. 소직은 4.22. KUSNADI 외무성 아태국장을 방문한 기회에 연호 서돈신 중국 외교부차관의 주재국 방문결과에 대해 문의하였는바, ALATAS 외상은 4.18. 서돈신 차관의 예방을 받은 자리에서 주재국이 아국의 유엔가입 지지 입장을 설명하고 중국측의 입장을 타진하였다 함.

2. 서돈신 차관은 이에대해 직접적인 답변을 회피하면서 중국은 북한의 유엔가입이 아국보다 뒤지는 것을 바라지 않으므로 북한의 유엔가입을 설득할 예정이라 말하였다 함. 끝.

(대사대리 신효헌-국장)

예고:91.12.31. 일반 의거 일반문서로 재분류

검토필(1991.6.30.)

국기국	장관	차관	1차보	2차보	아주국	아주국	청와대	안기부

PAGE 1

91.04.22 18:41

외신 2과 통제관 BS

0177

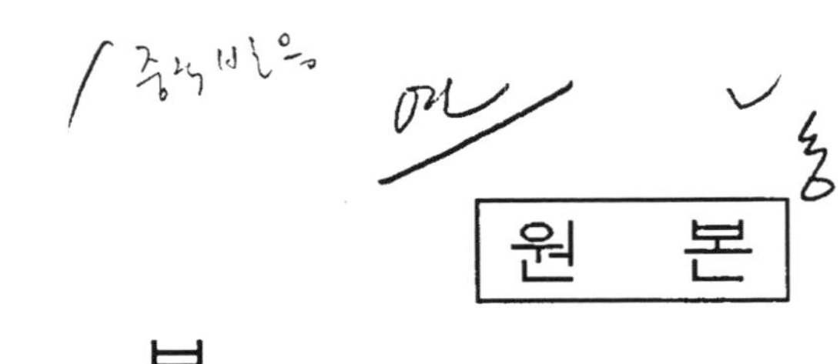

관리 번호	91 -2635

원 본

외 무 부

종 별 :

번 호 : MAW-0584 일 시 : 91 0423 1000

수 신 : 장관(국연,아동,아이,기정,사본:주 말련 대사,주유엔대사-본부 중계)

발 신 : 주 말련 대사 대리

제 목 : 유엔가입 추진(중국태도 변화)

연:MAW-0567

1. WONG 외무부 동아과장은 4.23 당관 최원선 참사관에게 연호 4.22 당지 개최 말련. 중국정책협의회시 아국 유엔가입 문제에 대한 중국측 반응을 아래 요지 알려줌.

2. ABDUL MAJID 말련 차관보가 남북한 유엔 가입에 대한 중국측 입장을 문의한데 대해 XU DURXIN 중국 외교부 부부장은 다음과 같이 설명함.

가. 중국은 남북한이 상호 만족할만한 해결책을 대화를 통해 찾기를 희망함. 중국은 남북 대화가 총리 회담이라는 고위급 회담에 이르고 이미 3 차례에 걸친 회담이 있었다는 점에서 대화를 통한 해결 가능성을 믿음.

나. 북한측은 남북한 단일의석 가입을 희망하며 남한측은 남북한 2 개의석 가입또는 단독 가입을 추진하고 있는 바 양측이 모두 논리가있음.(BOTH HAVE GOT THEIR ARGUMENTS)

다. 중국측으로서는 동 문제가 지역안정에 나쁜 영향을 주지않기 희망하며 중국을 포함한 제 3 국의 입장을 곤란 하게 하지 않기 바람.(DEVELOP TO THE DIRECTION THAT WOULD MAKE THIRD PARTY DIFFICULT, INCLUDING CHINA)

라. 금년도 유엔 총회 개최전까지는 아직 시간이 있음. 중국은 ASEAN 과 함께 동 문제 해결을 위해 노력하고 싶음.

3. 동 협의회시 말련측으로서는 특별한 입장표명없이 중국측 설명을 청취했다하며 WONG 과장은 상기 라. 항 유엔총회 개최전까지 시간이 남아있다는 중국측태도표명은 북한의 FACE SAVING 수단으로 중국이 남북한 동시 가입을 북측에 설득하고 있는 것으로 평가된다하며 ASEAN 과 함께 동 문제해결을 위해 노력하고싶다는 표현은 단순히 수사적 표현으로 별다른 의미를 부여할수 없다고 언급함.끝

(대사대리 김경준-국장)

국기국	장관	차관	1차보	2차보	아주국	아주국	아주국	외연원
청와대	총리실	안기부						

PAGE 1

91.04.23 11:33

외신 2과 통제관 FE

0178

PAGE 2

0173

관리 번호	91-2644

	분류번호	보존기간

발 신 전 보

번 호 : WBU-0102 910423 1441 DU 종별 :

수 신 : 주 브루나이 대사. 총영사

발 신 : 장 관 (국연)

제 목 : 유엔가입 추진

대 : BUW-0093

대호, 귀주재국 LIM 사무차관 귀국시, 방중기간중 아국의 유엔가입문제에 관한 논의 내용 상세를 파악하고 Xu Dunxin 부부장 방브시(4.11) 및 금번 방중시 중국측에 아국의 유엔가입문제를 거론한데 대한 아국정부의 사의를 전달바람. 끝.

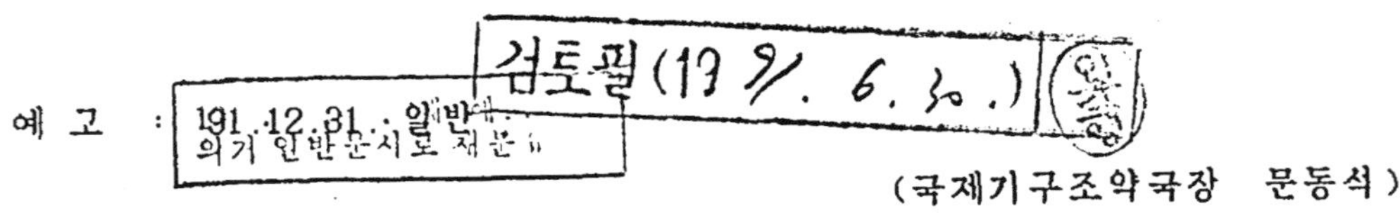
예 고 : 91.12.31. 일반 의거 일반문서로 재분류
검토필(1991. 6. 30.)

(국제기구조약국장 문동석)

보안 통제	

앙 고 재	91년 4월 22일	유엔과	기안자 성명		과 장		국 장		차 관	장 관
			송영완				전결			

외신과통제

0180

관리번호	91-2666

원 본

외 무 부

종 별 :

번 호 : MAW-0587 　　　　일 시 : 91 0423 1420

수 신 : 장관(국연,아동,사본:주 말련 대사,주유엔대사-필)

발 신 : 주 말련 대사대리

제 목 :

대:WMA-0356

대호 ASEAN 공동입장관련 최원선 참사관이 4.23 SOPIAN AHMAD 외무부 유엔과장에 문의한바, 동인 언급 요지 아래 보고함.

1. UN 에서 각종 ISSUE 에 대해 ASEAN 은 상호 긴밀히 협의하고 의견조정을 하지만 ASEAN 소속국의 특정 입후보, 캄보디아 사태등 ASEAN 과 직접적으로 관련되는 문제를 제외하고는 공동 입장을 표명하지는 않음.

2. ASEAN 은 EC 와는 달리 외교정책 문제에 있어서는 회원국의 독자성을 존중하는바 일예로 걸프전에 대해서도 공동입장을 표명하지 않았음. 끝

(대사대리 -국장)

91.12.31 일반 검토필(1991.6.30.)

국기국 차관 1차보 2차보 아주국 아주국

PAGE 1

91.04.23 16:06

외신 2과 통제관 CF

0181

관리 번호	91 -2645

	분류번호	보존기간

발 신 전 보

번 호 : WDJ-0438 910423 1747 DU 종별 :

수 신 : 주인니 대사. 총영사

발 신 : 장 관 (국연)

제 목 : 유엔가입문제

대 : DJW-0766

대호관련, 대사 귀임후 귀주재국 요로에 대해 적절한 사의를 표명하기 바람. 끝.

예 고 : 1991. 12. 31. 일반 의거 일반문서로 재분류(1991. 6. 30.)

(국제기구조약국장 문동석)

보 안 통 제	

앙 고 재	91년 4월 23일	유엔과	기안자 성 명		과 장		국 장		차 관	장 관

외신과통제

0182

관리 번호	91-2683

	분류번호	보존기간

발 신 전 보

번 호 : WTH-0706 910424 1933 ED 종별 :

수 신 : 주 태국 대사. 총영사

발 신 : 장 관 (국연)

제 목 : 태국외상 중국방문

대 : THW-0385

대호, 귀주재국 외무장관의 5월중 중국방문과 관련, 우리의 유엔가입 문제에 관하여 주재국측에 요청할 사항은 별도 통보예정임. 끝.

예 고 : 1991. 12. 31. 일반

검토필(1991. 6. 30.)

(국제기구조약국장 문동석)

보안 통제	

앙 고 재	91년 4월 24일	과	기안자 성명		과 장		국 장		차 관	장 관
							전결			

외신과통제

0183

관리번호	91-2729

원 본

외 무 부

종 별 :

번 호 : THW-0963 일 시 : 91 0425 1530

수 신 : 장 관(국연,아동)

발 신 : 주 태국 대사

제 목 : 유엔가입추진

연 : THW-0858

1. 외무성은 4.22 자 당관앞 공한으로 아국의 유엔가입을 전폭지지한다고 통보하여 왔는바, 동공한 파편 송부예정임

2. 외무성은 상기 공한에서 태국은 유엔의 보편성 원칙에 따라 한국의 유엔가입을 환영하며 이러한 태국의 입장은 89,90 년 유엔총회시 명확하게 천명되었으며 최근 ARSA 외무장관의 정주년대사 면담시에도 전달되었다고 부연하였음

(대사대리 주진엽-국장)

예 고 : 91.12.31 일반

검토필(1991. 6. 30.)

국기국 장관 차관 1차보 2차보 아주국 청와대 안기부

PAGE 1 91.04.25 20:42

외신 2과 통제관 DO

0184

관리 번호	91 -2720

원 본

외 무 부

종 별 :

번 호 : MAW-0606 일 시 : 91 0425 1530

수 신 : 장관(국연,아동,사본: 말련 대사,주유엔대사-중계필)

발 신 : 주 말련 대사 대리

제 목 : 대:WMA-356

연:MAW-587

1. 최원선 참사관이 4.25 SOPIAN AHMAD 유엔과장과 면담, 아세안 공동입장 사례를 재확인한바 아래요지 보고함.

2. 연호로 기보한바와 같이 비 아세안 문제에 대해 ASEAN 으로서의 공동입장을 표명한 사례는 없으나 금번 UN 총회 의장으로 PNG 소마레 외상이 입후보, ASEAN 각국에 대한 로비결과 91.5 개최 예정인 ASEAN SOM 에서 소마레외상의 UN 총회 의장 지지를 ASEAN 입장으로 할지 여부를 검토할 예정이며 이는 중요한 선례의 하나가 될것임.

3. SOPIAN 유엔과장은 상기 2 항에 대해 각별히 보안에 유의해줄것을 당부한바 참고 바람. 끝

(대사 대리 김경준-국장)

1991.12.31 일반 의거 일반문서로 재분류 검토필(1991.6.30.)

국기국	장관	차관	1차보	2차보	아주국	아주국

PAGE 1

91.04.25 17:29

외신 2과 통제관 BA

0185

관리 번호	91 -2727

원 본

외 무 부

종 별 :

번 호 : PHW-0551 일 시 : 91 0425 1630

수 신 : 장관(국연,국기,아동) 사본:주유엔대사(중계필)

발 신 : 주 필리핀 대사

제 목 : 유엔가입 추진

연:PHW-516

대:WPH-325

1. 당관 황참사관은 4.24(수) 주재국 외무부 PADAHLIN 국제기구 국장대리와 오찬을 함께하면서 아국의 유엔가입을 위한 주재국측의 적극적인 지지를 요청하였음.

2. 이에 대하여 동 국장대리는 주재국 외무부가 ORDONNEZ 주유엔 대사로 부터 아국의 유엔가입 지지를 위한 유엔에서의 양국간의 협의 보고를 받았으며, ASEAN 공동 명의로 ASEAN 구성국외의 문제에 관한 입장을 표명한 전례는 없으나 ASEAN 의 공동 입장 표명을 유도하기 위하여 ASEAN 과 협의해 나가겠다고 하였음.

3. 황참사관은 상기 국장대리를 면담 기회에 아국의 IAEA, FAO 이사국 입후보에 대한 주재국의 지지를 요청하였으며, 이에 대하여 동 국장대리는 호의적 검토를 약속하였음.

(대사 노정기-국장)

예고:91.12.31, 일반

검토필(1991.6.30.)

19 의거 일반문서로 재분류

국기국	장관	차관	1차보	2차보	아주국	국기국	청와대	안기부

PAGE 1 91.04.25 20:27

외신 2과 통제관 DO

0186

관리번호	91-386

외 무 부

종 별 :

번 호 : BUW-0100 　　　　일 시 : 91 0425 1635

수 신 : 장관(아동,아이),사본:주북경대표(중계필)

발 신 : 주 브루나이 대사

제 목 : 중국 외교부 부부장 방브

연:BUW-83, 89

1. 당관 한명재서기관은 4.24. 외무부 중국담당관을 접촉 4.10-4.14. 간 서돈신 차관보방브시 중국과의 수교관계 논의내용에 대해 문의한바, 중국측은 평화공존 5 원칙및 유엔 헌장의 기본정신하에서 브루나이측과 외교관계를 수립하고싶다는 희망을 피력하였다함.

2. 이에대해 주재국 외무부 LIM JOCK SENG 사무차관은 검토하여 보겠다고 답하였다고함.

3. 이와관련 현재 LIM 사무차관이 북경을 비공식 방문중인바, 동인이 국왕으로부터 수교문제에관해 어떤 지침을 받았는지는 알수없다고 했음. 끝

(대사백성일-국장)

예고:91.12.31. 일반

의거 일반문서로 재분류됨

검토필(1991 . 6 . 30 .)

아주국	장관	차관	1차보	2차보	아주국	국기국	청와대	안기부

PAGE 1 　　　　91.04.25 20:45

외신 2과 통제관 DO

0187

관리번호	91-2735

분류번호	보존기간

발 신 전 보

번 호 : WTH-0719 910426 1653 ED 종별 :

수 신 : 주 태국 대사. 총영사 /// (사본 : 주유엔대사) WUN -1102

발 신 : 장 관 (국연)

제 목 : 태국외무장관 방중

대 : THW-0938

연 : WTH-0706

1. 연호, Sarasin 외무장관의 중국방문과 관련, 우리의 유엔가입문제에 관한 중국고위층의 관심과 태도변화를 유도하는 계기로 활용코자 하니 주재국 외무성 고위간부를 접촉, 이를 전달하고 우리의 유엔가입 실현을 위하여 주재국이 적극 협조해 줄 것을 요청하고 결과 보고바람.

2. 상기 요청시 역내 지도국인 태국이 중국측에 아시아문제에 관심을 표명하는 것은 태국의 국제적 위상에도 합당한 것임을 적의 강조바람.

3. 최근 우리의 유엔가입 당위성 전달과 이에 대한 중국의 반응 및 중국의 건설적 역할 유도를 위하여 외상회담등에서 아국문제를 거론한 계기 및 중국측 반응은 아래와 같은 바, 필요시 주재국측에 적절히 설명바람.

가. 아국문제 거론계기

o 전기침 외상의 구주 7개국(폴투갈, 스페인, 폴란드, 불가리아, 헝가리, 그리스, 몰타) 순방(2.21-3.10) : 불가리아, 그리스를 제외한 여타국가 외상들이 전기침 외상에게 제기

/계속/

보안통제	

앙고재	91년 4월 26일	과	기안자 성명		과 장		국 장		차 관	장 관

외신과통제

0188

ㅇ 파키스탄수상 방중(2.25-28)시 : Khan 외무차관/Qihyian 외고부 부부장

ㅇ 유화추 외고부 부부장 뉴질랜드 방문(3월중순)시 : 뉴질랜드 차관/유부부장

ㅇ 불란서 De Bauce 국무상 방중(3.20-21)시 : 불 국무상/ 전기침 외상

ㅇ 일.중 외무차관 회담(3.20. 동경)시 : 오와다 차관/ 제회원 차관

ㅇ 중.소 외상회담 (3.31-4.2. 북경) : 베스메르티니흐 외상/ 전기침 외상

ㅇ 영.중 외상회담(4.4. 북경)시 : Hurd 영국외상/ 전기침 외상

ㅇ 일.중 외상회담(4.5-7. 북경)시 : 나카야마 외상/ 전기침 외상

ㅇ 인도외상 방중(2.1-8)시 : Saran 인도 동아국장/ 전기침 외상 (만찬시)

나. 상기 접촉등에서의 중국측 반응은 아래와 같음.

ㅇ 90년도 우리가 가입신청치 않은 것을 평가하고, 남북한간 협의에 의한 해결희망

ㅇ 북측의 단일의석 가입안은 실현불가능한 것이라고 평가

ㅇ 남북한간 합의 불능시 금년중 동 문제 처리 재연기가 곤란할 것입을 시사하고, 북측에 대해 남북한간 협의토록 종용하겠다고 언급

다. 중국측 반응에 대한 평가

ㅇ 아국의 유엔가입문제에 대한 중국의 인식이 일응 현실적인 방향으로 진전되고 있음을 보여주고 있음. (다만 최종입장은 원로들에 의해 정해질 것으로 보는 것이 일반적인 관측)

ㅇ 따라서 중국이 금후 우리의 가입문제에 대하여 건설적 역할을 하도록 하기 위하여 우방국의 대중국 설득이 긴요함. 끝.

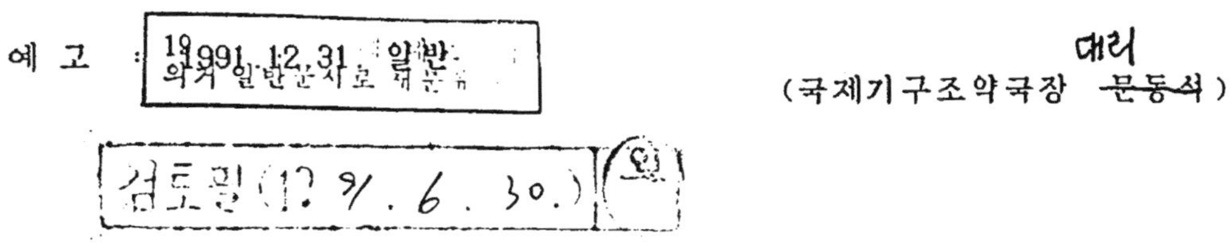

0183

원 본

관리 번호 91-2799

외 무 부

종 별 : 지 급

번 호 : THW-0981 일 시 : 91 0429 0800

수 신 : 장 관(국연,아동)

발 신 : 주 태국 대사

제 목 : 유엔가입추진

연 : THW-0963

1. 본직은 4.27(土) 주재국 과도정부 및 NPKC 지도자 공동주최 외교단 초청친선 골프모임에 참석한 기회에 ARSA 주재국 외무장관과 표제건 협의하였음

2. ARSA 장관은 한국의 유엔가입을 적극지지 하겠다고 말했음

(대사 정주년-국장)

예 고 : 91.12.31. 일반 의거 일반문서로 재분류 검토필(1991.6.30.)

국기국 아주국

PAGE 1

91.04.29 11:24

외신 2과 통제관 BN

0190

관리 번호	91-2802

원 본

외 무 부

UN

종 별 :

번 호 : BUW-0104 일 시 : 91 0429 1730

수 신 : 장관(국연)사본:주유엔대사:중계필

발 신 : 주 브르나이 대사

제 목 : 유엔가입추진

대:WBU-102

연:BUW-85,93

주재국 외무부 LIM JOCK SENG 사무차관은 금번 방중시 아국의 유엔가입문제를 여건이 여의치 못하여 거론치 못하였다함. 끝

(대사백성일-국장)

예고:91.12.31. 일반고
의거 일반문서로 재분류
검토필(1991.6.30.)

국기국 차관 1차보 2차보 청와대 안기부

PAGE 1

91.04.29 23:34

외신 2과 통제관 CH

0191

관리 번호	91 -2840

원 본

외 무 부

종 별 :

번 호 : SGW-0261 일 시 : 91 0430 1500

수 신 : 장관(국연, 아동)

발 신 : 주 싱가폴 대사

제 목 : 유엔가입 추진

대: EM-16

연: SGW-218

1. 당관 정영조 참사관은 4.28.(일) KESAVAPANY 주재국 정무 4 국장 (국제기구 및 제3국 담당)에게 싱가폴이 한국의 유엔가입에 관한 지지 성명을 내주기를 요청한바, 동 국장은 싱가폴이 한국의 유엔가입을 지지하는 입장이므로 지지 성명을 내는데에 문제가 없을 것이라고 하였음.

2. 동 국장은 월칸생 외무장관에게 지지성명 발표를 건의하겠다고 하면서, 주한 싱가폴대사관을 통해 이를 요청해 주면 업무처리에 편하겠다고 하니 WONG 주한 싱가폴 대사에게 요청해 주시기 건의함. 끝.

(대사-국장)

예고 1991. 12. 31. 일반 의거 일반문서로 재분류 검토필(1991 .6 .31.)

국기국 장관 차관 1차보 2차보 아주국 청와대 안기부

PAGE 1 91.04.30 20:33

외신 2과 통제관 CF

0192

관리 번호	91 -2839

외 무 부

UN

종 별 :

번 호 : BUW-0106　　　　일 시 : 91 0430 1645

수 신 : 장관(아동,의전,국연), 사본:주유엔대사

발 신 : 주 브루나이 대사

제 목 : 주재국 외상 예방

1. 본직은 금 4.30. MOHAMED BOLKIAH 외상(국왕의 실제)을 신임인사차 예방하였음.

2. 동석상에서 본직은 이상옥 장관님의 안부를 전달 하였으며 MOHAMED 외상도 동인의 각별한 안부를 전달해 달라고 요청하였으며 금년 7 월 말련 PMC 회의시 만나게되길 희망한다고 하였음.

3. 또한 본직은 아국의 연내 유엔 가입 실현의지를 전달하고 핵심 우방국으로서의 적극적인 지지가 필요함을 역설, 적절한 시기에 공개적으로 지지의사를 천명하여 줄것을 요청하였는바, 동외상은 과거와같이 유엔 기조연설을 통해 남북한 동시가입 또는 아국의 단독 가입을 지지한다고 재천명하겠다고 약속하였음. 끝

(대사백성일-의전장, 국장)

예고: 91.12.31. 까지 일반문서로 재분류 (1991.6.30.)

아주국 의전장 국기국

PAGE 1

91.04.30 21:08

외신 2과 통제관 FE

0193

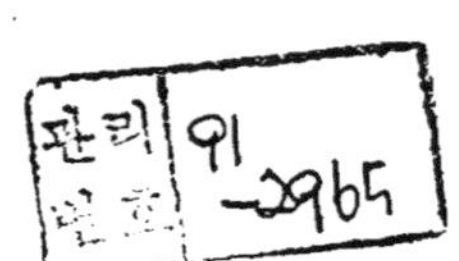

K/UN
전달

주 태 국 대 사 관

태정 720-464 1991. 5. 1.

수신 외무부장관

참조 국제기구조약국장

제목 유엔가입추진

연: THW-0963

연호 아국의 유엔가입을 전폭지지한다는 요지의 주재국 외무성 공한을 별첨과 같이 송부합니다. 끝.

91.5.01
주태국대사관

예 고 : 1991. 12. 31. 일반
의거 일반문서로 재분류

검토필(1991. 6. 30.)

선 결			결재(공람)		
접수일시	1991. 5. 3	번호	21109		
처리과	UN				

주 태 국 대

0194

No. 0304/27082

The Ministry of Foreign Affairs presents its compliments to the Embassy of the Republic of Korea and has the honour to refer to the latter's Note No KTH-91-140 dated 8 April 1991, requesting Thailand's support for the Republic of Korea's application for membership to the United Nations.

In this connection, the Ministry has the honour to further inform the Embassy that, in view of the excellent relations and mutual understanding between our two countries and peoples, the Royal Thai Government is pleased to render its full support to the Republic of Korea's application. The Ministry also wishes to reiterate herewith that, in regard to the United Nations membership, Thailand has always adhered to the principle of universality and will, therefore, welcome the Republic of Korea's application to join the United Nations. The Thai position has been clearly stated during the last two sessions of the United Nations General Assembly and has also been conveyed to the Republic of Korea's Ministry of Foreign Affairs through H.E. Ambassador Chung Choo-Nyun by H.E. Mr. Arsa Sarasin, the Minister of Foreign Affairs of Thailand during the former's courtesy call to the latter.

The Ministry of Foreign Affairs avails itself of this opportunity to renew to the Embassy of the Republic of Korea the assurances of its highest consideration.

Ministry of Foreign Affairs

24 April B.E. 2534 (1991)

The Embassy of the Republic of Korea,
Bangkok.

0195

관리 번호	91 -2910

	분류번호	보존기간

발 신 전 보

번 호 : WPH-0392 910503 1803 ED 종별 :

수 신 : 주 수신처 참조 대사. 총영사 (사본 : 주유엔대사) WMA -0407 WTH -0743 WID -0465 WSG -0294 WBU -0107 WUN -1589

발 신 : 장 관 (국연)

제 목 : 유엔가입추진 (ASEAN 공동입장 표명)

1. 우리의 유엔가입에 대하여는 ASEAN 모든 국가가 개별적으로 지지입장을 표명하여 온 바 있음.

2. 우리의 유엔가입 실현에 있어 ~~을 위하여는 특히~~ 역내에서 영향력을 행사하고 있는 ASEAN이 공동입장으로서 남북한이 유엔에 가입하여 국제적 위상에 따른 응분의 역할을 해야함을 강조할 경우, 동 문제에 대한 중국의 건설적 역할 유도에 매우 효과가 있을 뿐만 아니라 중국의 대북한 설득 명분을 강화시킬 것으로 봄.

3. 특히 91.5.11-12간 말련에서 ASEAN SOM이 개최됨을 감안, 동 계기에 우리의 유엔가입 문제가 거론되고 금후 적절한 시기에 우리의 입장을 지지하는 공동입장이 표명될 수 있도록 교섭하고 결과 보고바람.

4. 상기 교섭시 하기 논지를 활용바람.

가. 아국은 북한이 우리와 함께 유엔에 가입하여 국제사회의 책임 있는 일원으로서 정당한 역할과 의무를 이행하기를 희망함.

나. 중국은 90년도 우리가 가입신청치 않은것을 평가하고, 남북한 동시가입 방안에 공감을 표하고 있는 한편, 북측의 단일의석 가입안은 실현불가능한 것이라고 보고 있음.

/ 1....

보안 통제	

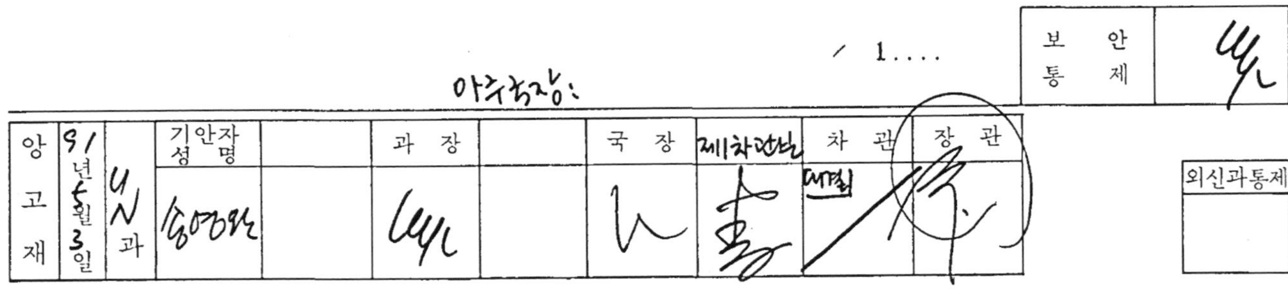

앙고재	91년 5월 3일	UN과	기안자 성명		과 장		국 장	제1차관보	차 관	장 관
			송영완						전결	

외신과통제

0196

다. 아국의 유엔가입문제에 대한 중국의 인식이 일응 현실적인 방향으로 진전하고 있는 현시점에서 중국이 북한에게 남북한의 유엔 동시가입을 수락토록 계속 설득해 나가도록 위해서는 중국의 대북한 설득명분을 강화시킴이 필요하며, 우리의 가입신청서 제출이전에 ASEAN이 공동지지 입장을 표명함은 중국 태도변화 유도 및 중국의 대북한 설득명분 강화에 크게 기여할 것임. WUN-1189

5. 한편, ASEAN이 역내 이외의 문제에 대하여 공동입장을 표명치 않는 것이 일반적이라고 하나, ASEAN은 걸프사태에 대하여 공동입장을 밝힌바가 있고, 또한 금번 ASEAN SOM에서 PNG의 소마레 외상의 유엔총회의장 입후보 공동지지를 검토할 예정이라 함을 귀관 참고로만 하기바람. 끝.

예 고 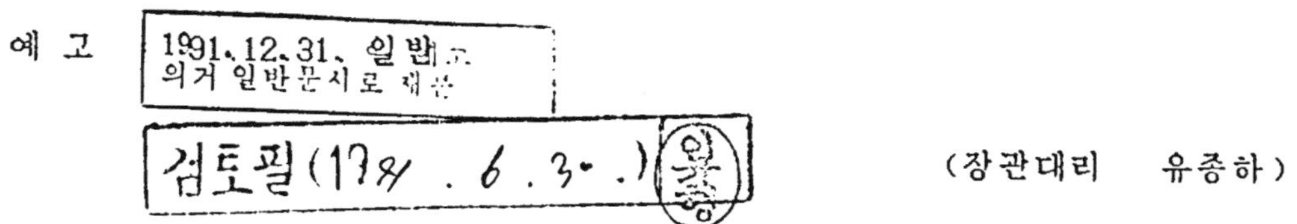
1991.12.31. 일반고
의거 일반문서로 재분류
검토필(1991.6.30.)

(장관대리 유종하)

수신처 : 주필리핀, 말련, 태국, 인니, 싱가폴, 브루나이대사

0197

관리 번호	91 -2937

원 본

외 무 부

종 별 :

번 호 : BUW-0108 일 시 : 91 0504 1715

수 신 : 장관(국연,아동) 사본:주유엔대사-중계필

발 신 : 주브르나이대사

제 목 : 유엔가입추진

대:WBU-107

1. 본직은 금 5.4 YUSOF HAMID 외무성 아세안국장(브루나이 ASEAN 국내사무국장겸임)을 면담, 대호 SOM 개최시 아국의 유엔가입 문제거론및 아국입장을 지지하는 ASEAN 의 공동입장 천명추진을 요청하였음.

2. 동국장은 이에대해 동인이 참가하는 5.6. 말련 ASC(ASEAN STANDING COMMITTEE)에서 회의분위기를 보아 동문제를 거론 할수있으면 아측요청에 응해보겠으며, 그외 외무성 내부관계자들과 협의해가며 SOM 을 위요한 각종 ASEAN MEETING시 아국의 유엔가입에 대해 ASEAN 에서 공동 지지입장을 표명할수 있도록 노력하겠다고 약속하였음. 끝

(대사 백성일-국장)

예고:91.12.31. 일반 의거 일반문서로 재분류 검토필(1991. 6. 30.)

국기국	차관	1차보	1차보	아주국	청와대	안기부

PAGE 1

91.05.04 19:13

외신 2과 통제관 CE

0198

관리번호	91-2944

원 본

외 무 부

종 별 :

번 호 : DJW-0837 일 시 : 91 0505 1150

수 신 : 장관(국연,아동,기정)

발 신 : 주 인니 대사

제 목 : 유엔가입 추천

본직은 5.4. 정호근 합참의장의 수하르토 대통령 예방시 배석하였는바, 정호근 합참의장이 한반도 정세 및 남북한 관계에 대해 설명하는 가운데 북한의 IAEA 와의 핵안전협정체결 필요성과 아국의 유엔가입 문제등에 관하여 언급한데 대해 수하르토 대통령은 남북한이 유엔에 가입하여 국제사회에서 함께 활동할수 있기를 희망하지만 여의치 않을 경우 아국의 유엔 선가입을 환영한다는 입장을 표명하고 북한도 국제사회의 책임있는 일원으로 고립되지 않기를 바란다고 언급하였음.

(대사 김재춘-국장)

예고:91.12.31. 일반

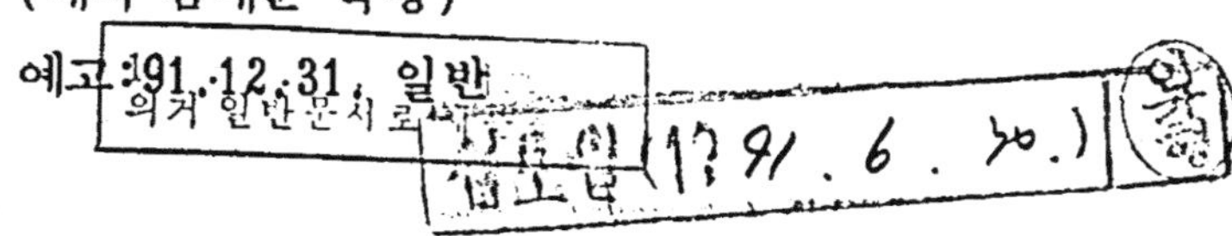

국기국 장관 차관 1차보 2차보 아주국 청와대 안기부

PAGE 1

91.05.05 17:21

외신 2과 통제관 FI

0199

관리 번호 91-445

원 본

외 무 부

종 별 :

번 호 : DJW-0838　　　　일 시 : 91 0505 1200

수 신 : 장관(국연,아동)

발 신 : 주 인니 대사

제 목 : 유엔가입추진(ASEAN 공동입장 표명)

대:WDJ-0465

1. 대호, ASEAN/SOM 에 참석할 주재국 외무성의 WIRYONO 정무차관보는 KUSNADI 아태국장과 함께 5.6-8 간 호주에서 개최되는 인니-호주 고위급 회의에 참석한후 5.9. 귀국 예정이며 HADI WAYARABI 외무성 국제기구국장은 IPU 평양총회 참석후 5.8. 귀국 예정임.

2. 또한 5.9. 이 주재국 공휴일임을 감안할때 표제관련 외무성 인사 접촉이다소 지연될것으로 보임.끝.

(대사 김재춘-국장)

예고:91.12.31. 일반

의거 일반문서로 재분류 검토필(1991.6.30.)

국기국 장관 차관 1차보 2차보 아주국 청와대 안기부

PAGE 1　　　　91.05.05 17:20

외신 2과 통제관 FI

0200

관리번호	91-2941

원 본

외 무 부

종 별 :

번 호 : THW-1026 일 시 : 91 0505 2200

수 신 : 장 관(국연,아동)

발 신 : 주 태국 대사

제 목 : 유엔가입추진

대 : WTH-0719

연 : THW-0963, 태정 720-464

본직은 5.3(금) SAROJ 외무성 정무국장을 면담(CHLCHINEEPAN 동아과장 및 정참사관 배석)대호 아국의 유엔가입 추진관련 협의한바, 동 결과요지 아래보고함

1. 아국입장 지지천명에 사의표명

0 본직은 우선 태국이 연호 외무성 공한으로 아국의 유엔가입에 대한 전폭지지 입장을 밝혀준데 사의를 표명하였음

0 본직은 대호 3 항 제 3 국과 중국간에 아국유엔가입 거론계기 및 중국측 반응을 설명하고 ARSA 외무장관 방중시(5.13-15 또는 16) 및 양상곤 중국국가주석 방태시(6.10-15)등 태.중 고위급 접촉시 아국의 유엔가입의 타당성을 태국입장으로 소화, 중국측에 적극설명, 중국 고위층의 관심과 태도변화를 유도하여주도록 협조 요청하였음

0 SAROJ 국장은 중국이 한국의 유엔가입에 반대의사를 표명하기는 어려울것이라고 말하고 이러한 사실 자체가 한국입장에 크게 도움(BIG PLUS)이 될것으로 본다고 설명하였음. 동국장은 상기 태.중 고위급 접촉시등 적절한 기회를 활용, 중국측에 한국입장을 전달토록 ARSA 장관에게 건의하겠다고 말했음

(대사 정주년-국장)

예 고 1991.12.31. 일반 의거 일반문서로 [illegible]

검토필(1991.6.30.)

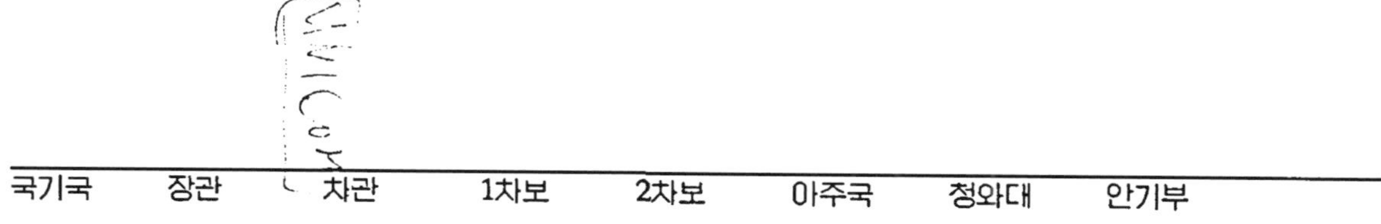

국기국	장관	차관	1차보	2차보	아주국	청와대	안기부

PAGE 1

91.05.06 06:29

외신 2과 통제관 BW

0201

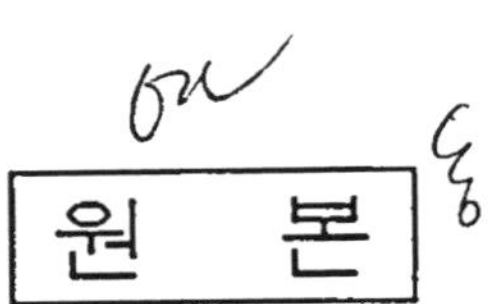

관리 번호	91 -2917

외 무 부

종 별 :

번 호 : MAW-0653 일 시 : 91 0506 1700

수 신 : 장관(국연,아동,사본:주 유엔 대사-중계필)

발 신 : 주 말련 대사

제 목 : 유엔가입추진(ASEAN 공동입장표명)

대:WMA-0407

연:MAW-0567,0606

1. 본직은 대호 아국의 유엔가입에 대한 ASEAN 공동입장과 관련 5.6 SINGH 아세안 차관보와 면담한바, SINGH 차관보는 기본적으로 아세안은 캄푸차 문제등 아세안과 직접연관이 있는 문제를 제외하고는 공동입장을 표명한적이 없으며 걸프사태에 대해서도 우연히 아세안 6 개국의 입장이 같았지만 이를 아세안 공동입장으로 표명한바는 없다함.

2. 또한 SINGH 차관보는 말련으로서는 우리의 유엔가입을 적극 지지하겠지만 이를 91.5.14-16 간 당지에서 개최되는 SOM 에서 논의하는 것은 필리핀, 부루나이를 제외한 여타 4 개국이 북한과 외교관계를 가지고 있다는 점에서도 적절치 못할것 같다는 1 차적 반응을 보임(동 차관보는 금차 ASC 에서 동건을 비공식 타진해보겠다고 하였음)

3. 따라서 우리의 유엔 가입에 대해 ASEAN 이 공동입장을 대외적으로 표명하는 문제는 우선 아세안 개별국가들의 명백한 지지를 확보한후 시간을 가지고 신중이 대처하는 것이 바람직할것으로 사료됨. 끝

(대사 홍순영-국장)

1991.12.31. 일반 | 검토필(1991.6.30.)

국기국 장관 차관 1차보 2차보 아주국 청와대 안기부

PAGE 1

91.05.07 01:14

외신 2과 통제관 DO

0202

관리 번호	91 -2986

외 무 부

종 별 :

번 호 : DJW-0847　　　　일 시 : 91 0506 2020

수 신 : 장관(아동,국연,정이,기정)

발 신 : 주 인니 대사

제 목 : 북한대사, ALATAS 외상면담

사본 - 북한 반응및 활동

(자료응신 제 44 호)

당관 이참사관이 외무성 관계관으로 부터 청취한바에 의하면 당지 북한대사 한봉화는 5.3. ALATAS 외상을 방문, 아국의 유엔가입 문제와 ALATAS 외상의 방북 문제등에 대해 의견교환을 하였다는바, 주요 요지 아래와 같음.

1. 유엔가입 문제

0 북한대사는 한국의 유엔가입 문제에 대해 주재국이 종전과 같이 중립적 입장을 견지하여 줄것을 요청하였음.

0 ALATAS 외상은 주재국은 남북한의 동시 유엔가입을 희망하며, 유엔가입 문제와 남북한 통일문제는 별개로써 보편성 원칙에 따라 한국의 유엔가입을 지지한 것이며 북한이 유엔가입 희망시 지지할 것임을 본국 정부에 전달하기 바란다고 말하였음.

0 ALATAS 외상은 또한 국제정세의 변화로 소련과 중국도 한국의 유엔가입에 거부권을 행사하지 않을 것으로 보며, ASEAN 과 다수 비동맹국도 한국의 유엔가입을 지지하고 있다고 언급하였음.

2. 외상 방북문제

0 북한대사가 ALATAS 외상의 방북이 가능한 조속한 시일내에 실현되기를 희망한데 대해 ALATAS 외상은 가능한 9 월이전에 방북을 검토하겠다고 말하였음.

3. 경제협력 문제

0 북한대사는 지난 2 월 연형묵 북한 총리의 주재국 방문시 체결한 무역협정과 경제기술협력 협정에 따른 경제협력 증진문제를 제기하였으며, ALATAS 외상은 동 문제를 실무급에서 협의토록 하는 것이 좋겠다고 답변하였음. 끝.

(대사 김재춘-국장)

예고 : 91.12.31. 일반고　의거 일반문서로 재분류　검토필(1991.6.30.)

아주국	차관	1차보	2차보	국기국	정문국	청와대	안기부

PAGE 1

91.05.07 05:59

외신 2과 통제관 DO

0203

원 본

관리번호	91-2198

외 무 부

종 별 :

번 호 : THW-1039 일 시 : 91 0507 0900

수 신 : 장 관(국연,아동)

발 신 : 주 태국 대사

제 목 : 유엔가입추진

대 : WTH-0719

연 : THW-1026

1. 본직은 5.5(일) 저녁 주재국 국왕 대관 45 주년 기념행사의 일환으로 ANAND 수상이 주최한 리셉션에 참석한 기회에 ARSA 외무장관을 접촉, 동장관의 중국방문시 전기침 중국외무장관에게 아국 유엔가입의 타당성을 적극설명, 중국 고위층의 관심과 태도변화를 유도하여 주도록 요청하였음

2. ARSA 외무장관은 방중기간중 적절한 기회에 한국입장을 중국측에 전달하겠다고 말했음.끝.

(대사 정주년-국장)

예고: 91.12.31. 일반 | 검토필(1991.6.30.)

국기국 장관 차관 1차보 2차보 아주국 청와대 안기부

PAGE 1

91.05.07 13:23

외신 2과 통제관 BS

0204

관리 번호	91 —3010

원 본

외 무 부

종 별 :

번 호 : SGW-0275 일 시 : 91 0507 1630

수 신 : 장관(국연,아동,사본:주유엔대사-본부중계필)

발 신 : 주 싱가폴대사

제 목 : 유엔가입추진(ASEAN의 공동지지입장 표명)

대: WSG-0294

1. 본직은 금 5.7.(화) 주재국 외무부 PETER CHAN 사무차관을 만나 대호 ASEAN 이 남북한의 유엔가입을 지지하는 공동입장을 표명할수 있도록 싱가폴정부의 적극적인 협력과 아세안내에서의 주도적 역할을 요청하였음. 본직은 특히 싱가폴이 작년 유엔총회에서 한국이 유엔가입을 CLEAR 하게 지지해준 사실을 상기시키고, 아세안이 한목소리로 남북한의 유엔가입을 촉구할수 있도록 싱가폴이 앞장서 줄것을 강력히 요청하였음. (정영조참사관 수행)

2. CHAN 사무차관은 중국의 태도 (작년 우리의 유엔가입신청 보류에 대한 평가, 북한의 단일의석 가입안의 비현실성등) 는 공식적으로 표명된 것이냐는 질문을 하였고 이에 본직은 비공식적이며 사적인 루트를 통해 입수된 것이라고 설명하였음.

3. 동 사무차관은 아세안의 공동지지입장 표명을 요청하는 한국정부의 취지를 충분히 이해한다고 하면서 싱가폴로서는 아세안의 공동지지입장 표명에 별다른 이의가 없다고 밝히고, 공동지지입장 표명은 시기적으로 유엔총회에 임박하여하는것이 보다 효과적일 것이라는 자신의 의견을 말하면서 7 월 아세안 외상회담등에서 논의할수 있도록 여타 아세안 회원국과 협의하겠다고 하였는바, 추보하겠음. 끝.

(대사 김성진 - 장관)

예고: 91.12.31. 일반 검토필(1991. 6. 30.)

국기국 장관 차관 1차보 2차보 아주국 청와대 안기부

PAGE 1

91.05.07 18:23

외신 2과 통제관 BA

0205

원 본

관리 번호	91 —3009

외 무 부

종 별 :

번 호 : THW-1038　　　　일 시 : 91 0507 0900

수 신 : 장 관(국연,아동)

발 신 : 주 태국 대사

제 목 : 유엔가입추진

대 : WTH-0743

1. 본직은 5.5(일)저녁 주재국 국왕대관 45 주년 기념행사의 일환으로 ANAND 수상이 주최한 리셉션에 참석한 기회에 VITTHYA 외무성 사무차관을 접촉, 대호 아세안 SOM 에서 우리의 유엔가입문제를 거론하고 금후 적절한시기에 우리의 입장을 지지하는 아세안 공동입장을 표명하여 주도록 태국의 적극적인 협조를 요청하였음

2. VITTHYA 차관은 한국측 요청을 여타 아세안 회원국과 협의해 보겠다고 하면서 한국이 여타 ASEAN 회원국에도 각각 협조를 해두는것이 좋겠다고 했음을 보고함

(대사 정주년-국장)

예 고 : 1991.12.31 에 일반 의거 일반문서로 재분류 검토필(1991.6.30.)

국기국　차관　1차보　2차보　아주국　청와대　안기부

PAGE 1　　　　91.05.07 18:49

외신 2과 통제관 CH

0206

관리 번호 91-3029

원 본

외 무 부

종 별 :

번 호 : MAW-0659 일 시 : 91 0507 2030

수 신 : 장관(국연,아동,아이,기정,사본:주유엔 대사-중계필)

발 신 : 주 말련 대사

제 목 : 가입추진(중국태도 변화)

연:MAW-0584

1. 본직이 5.7 CHOO 외무부 아주국장과 면담(최원선 참사관 동행)시 동 국장은 지난 4.22 당지에서 개최된 말련, 중국 정책 협의회시 우리의 UN 가입 추진문제에 대한 중국측 태도를 아래와 같이 설명해줌.

2. 동 정책협의회후 만찬에서 말련. 중국간에는 향후 아시아의 정치, 경제, 지역안보등 광범위한 분야에 대한 격의없는 대화를 가짐.

3. 이러한 가운데 말련측은 중국측에 대해 아국의 유엔 가입및 한. 중관계 개선 필요성에 대해 매우 진지하게 설명하였으며 CHLL 국장과 동경근무 시절부터 절친한 사이었던 중국 외교부 ASIAN BUREAU 의 COUNSELLOR 는 중국이 북한에 대해 유엔 문제에 있어 보다 현실적이 되도록 (TELL N.K. TO BE REALISTIC) 할것과 북한도 UN 가입을 추진하도록 설득할 예정이라고 언급했다함. 끝

(대사 홍순영-국장)

1991.12.31. 일반 검토필(1991.6.30.)

국기국 장관 차관 1차보 2차보 아주국 아주국 청와대 안기부

PAGE 1

91.05.08 09:44

외신 2과 통제관 DO

0207

관리 번호	91 -3042

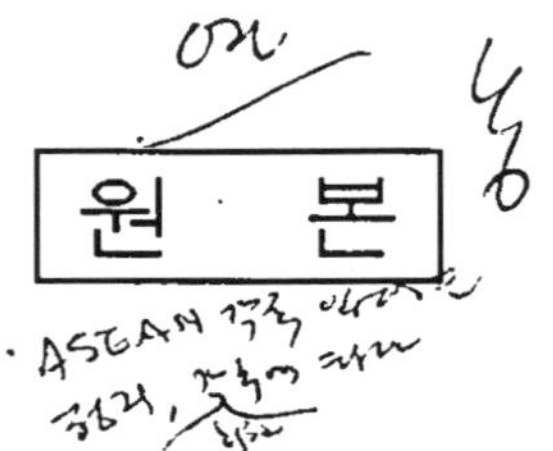

원 본

외 무 부

종 별 :

번 호 : MAW-0660 일 시 : 91 0507 2030

수 신 : 장관(국연,아동,사본:주 유엔대사-중계필)

발 신 : 주 말련 대사

제 목 : 유엔 가입 추진(ASEAN 공동입장 표명)

대:WMA-0407

연:MAW-0659

1. 본직은 5.7 KAMIL 외무차관과 접촉, 아국의 UN 가입에 대해 ASEAN 이 확고한 지지를 표명하는 경우, 이는 중국태도에 큰 영향을 끼칠것임을 설명하는 한편 5.14-16 당지개최 ASEAN SOM 에서 가능하면 이러한 ASEAN 의 공동입장을 표명해 줄것을 요청함.

2. 이에대해 KAMIL 차관야 SOM 에서 JOINT STATEMENT 를 내는것은 어려울 것 같으며 인도네시아의 태도가 매우 중요하다고 언급함. 또한 동 차관은 말련으로서는 우리의 UN 가입문제를 SOM 에서 거론하겠다고함.

3. 또한 본직은 5.7 CHOO 아주국장과도 면담, 유엔 가입문제에 대한 우리 정부의 PRIORITY 를 설명하고 ASEAN SOM 에서 동 문제가 거론되도록 지원해 줄것을 요청한바 CHOO 국장은 금번 ASEAN WEEK 시 ABDULLAH 장관의 방한과도 연관되므로 본인으로서도 최선을 다하겠다고 언급함. 끝

(대사 홍순영-국장)

1991.12.31 일반고 의거 일반문서로 재분류

검토필(1991.6.30.)

국기국	장관	차관	1차보	2차보	아주국	청와대	안기부

PAGE 1

91.05.08 09:45

외신 2과 통제관 DO

0208

관리 번호	91 -3057

분류번호	보존기간

발 신 전 보

번 호 : WUN-1253 910508 1626 FO 종별 :

수 신 : 주 유엔 대사. 총영사

발 신 : 장 관 (국연)

제 목 : 유엔가입추진 (태국반응)

태국정부는 주태국대사관을 통하여 아국의 유엔가입 지지내용의 4.22자 구상서를 송부하여 온 바, 동 내용 하기와 같음.

"The Ministry has the honour to further inform the Embassy that, in view of the excellent relations and mutual understanding between our two countries and peoples, the Royal Thai Government is pleased to render its full support to the Republic of Korea's application. The Ministry also wishes to reiterate herewith that, in regard to the United Nations membership, Thailand has always adhered to the principle of universality and will, therefore, welcome the Republic of Korea's application to join the United Nations. The Thai position has been clearly stated during the last two sessions of the United Nations General Assembly and has also been conveyed to the Republic of Korea's Ministry of Foreign Affairs through H.E. Ambassador Chung Choo-Nyun by H.E. Mr. Arsa Sarasin, the Minister of Foreign Affairs of Thailand during during the former's courtesy call to the latter."

예 고 1991. 12. 31. 일반 의거 일반문서로 재분류

검토필 (1991. 6. 30.)

끝.

(국제기구조약국장 문동석)

보안 통제	

앙고재	91년 5월 8일	과	기안자 성명		과 장		국 장		차 관	장 관
							전결			

외신과통제

0209

관리 번호	91 —3055

	분류번호	보존기간

발 신 전 보

번 호 : WPH-0408 910508 1822 CV 종별 :

수 신 : 주 필리핀 대사. 총영사

발 신 : 장 관 (국연)

제 목 : 유엔가입추진

연 : WPH-0355, 0392
WEM-0013, 0017

1. 페루정부가 자국공관을 통하여 아국의 유엔가입문제에 관한 각국입장을 탐문한 바에 따르면, 귀주재국은 분리가입은 부적당합(Inconveniencia ingreso por separado)으로 파악되었다고 함.

2. 연호 유엔가입 추진관련, 귀직의 주재국 요로 접촉 현황 및 주재국 반응 상세 보고바라며, 향후 대주재국 교섭을 강화하고 수시로 결과 보고바람.

끝.

예 고 : 1991.12.31. 일반 검토필(1991.6.30.) (인)

~~(차 관 유종하)~~
(국제기구조약국장 문동석)

보 안 통 제	(서명)

앙 고 재	91년 5월 8일	유엔과	기안자 성 명		과 장		국 장		차 관	장 관
			송영완		(서명)		(서명)			

외신과통제

0210

관리번호	91-3108

원 본

외 무 부

종 별 : 지 급

번 호 : MAW-0673　　　　일 시 : 91 0509 1040

수 신 : 장관(국연,아동, 사본:주유엔대사-본부중계필)

발 신 : 주 말련 대사

제 목 : 유엔가입 추진(ASEAN 공동입장 표명)

연:MAW-0660

1. 본직은 5.8 CHOO 아주국장 면담시 아국 UN 가입에 대한 ASEAN 공동입장 관련 5.14-16 당지 개최 ASEAN SOM 에서의 동 문제 협의를 재차 요청함.

2. 이에 대해 CHOO 국장은 KAMIL 차관과 동 문제를 이미 협의한바 말측으로서는 금번 SOM 에서 아국의 UN 가입 문제를 의제에 관계없이 비공식으로 제기하기로 하였다고 하며 그러나 아국의 UN 가입지지를 ASEAN 공동입장으로 표명하는 것은 매우 어려울것으로 평가함.

3. 또한 CHOO 국장은 이에 대한 인도네시아의 입장을 재차 문의하였으며 SOM 회의후 인니 입장을 확인, 본직에게 알려주겠다고함. 끝

(대사 홍순영-국장)

예고:91.12.31 일반고문에 의거 일반문서로 재분류됨

검토필(1991.6.30.)

국기국　장관　차관　1차보　2차보　아주국　청와대　안기부

PAGE 1

91.05.09　13:20

외신 2과　통제관 BS

0211

관리번호	91-3107

원 본

외 무 부

종 별 :

번 호 : PHW-0627 일 시 : 91 0509 1730

수 신 : 장관(국연,아동) 사본:주페루대사-중계필

발 신 : 주 필리핀 대사

제 목 : 유엔가입 추진

대:WPH-408

1. 대호관련 당관 황참사관이 주재국 DANILO IBAYAN 국제기국장과 접촉, 주재국이 아국의 유엔가입 문제에 관한 입장을 대외적으로 표명한 사실이 있느냐고문의하였던바, 동인은 주재국의 아국 유엔가입 문제에 대한 공식 입장은 아국의 주재국에 대한 지지요청 구상서에 대한 공식 문서로 통보할 예정이며, 동 입장이 아직 확정되어 있지 않는 단계이므로 주재국 입장을 대외적으로 발표한 사실이 없다고함.

2. 동 국장대리는 또한 아측의 유엔가입 지지요청에 대한 주재국 입장으로서 실무선에서 검토한 내용은 "남북한의 유엔 동시가입에 대하여 찬성하고 한국이 단독으로 유엔 가입을 신청하였을때는 신중히 고려(TAKE SERIOUS CONSIDERATION)한다"는 내용이라고 함.

3. 당관 황참사관이 상기 "신중고려"는 아국의 유엔 가입에 적극 지지를 유보한다는 의미이냐고 문의한데 대하여 동인은 아국의 유엔 가입을 호의적으로(FAVORABLY)검토하나 중국의 태도를 보아가면서 결정해야 한다는 뜻이라고 설명하였음.

4. 본직은 5.1(수) SUAREZ 차관 면담시, 5.6(월) ONG 국장 면담시에도 아국의 유엔가입에 대한 지지요청을 하였으며, 당관 황참사관이 4.24(수) PADAHLIN 국제기구국 부국장등을 접촉 아국 유엔가입 문제에 대한 지지요청을 하였으며 이들이 최대한 협조 약속을 하였음에 비추어 대호 주재국이 아국의 유엔 가입이 부적당 하다고 판단한다는 정보는 정확하지 않다고 판단됨. 본직의 5.6(월) ONG 국장 면담시 동 국장은 아세안이 남북한 유엔 가입을 적극 지지하도록 동인이 ASEAN SOM 회의에 이를 제기 하겠다고 하였음. 또한 동인은 SOM 회의에서 아국의 UN 가입에 대한 ASEAN

국기국 장관 차관 1차보 2차보 아주국 청와대 안기부

PAGE 1

91.05.09 21:46

외신 2과 통제관 CE

0212

국가의 공동 지지 입장을 취하도록 노력하겠으나, 북한에 대하여서는 필리핀이 북한과의 수교를 저지하고 있는 입장이므로, 북한의 유엔 가입을 별도로 주장하는 것은 언급치 않겠다는 견해를 표명한바 있음.

5. 동건 주재국 국제기구국장이 귀임(현 말레이시아 체재)하는대로 동인을 접촉, 적극적인 아국지지 요청 계획임.

(대사 노정기-국장)

예고: 91.12.31. 일반 의거 일반문서로 재분류 검토필(1991. 6. 30.)

PAGE 2

0213

관리 번호	91 -2083

분류번호	보존기간

발 신 전 보

번 호 : WPH-0415 910509 1821 FL 종별 :

수 신 : 주 수신처 참조 대사. 총영사

WMA -0421 WTH -0764
WDJ -0477 WSG -0308
WBU -0111 WUN -1279

발 신 : 장 관 (국연)

제 목 : 유엔가입추진(ASEAN 공동입장 표명)

연 : 수신처 참조

연호, 우리의 유엔가입지지에 대한 ASEAN 공동입장 표명관련, ASEAN회원국이 5.9.까지 아측에 ~~언급한~~ 밝힌 입장은 하기와 같음.

1. 브루나이(5.4. Hamid 아세안국장)

 o SOM등 각종 아세안 회의시 공동지지입장 표명을 위해 노력하겠음.

2. 말 련

 가. Singh 아세안담당차관보(5.6)

  o 기본적으로 아세안은 캄보디아문제등 직접 관련있는 문제를 제외하고는 공동입장을 표명한적이 없음.

 나. Kamil 외무차관(5.7)

  o SOM에서 공동입장 표명은 어려울것 같으나 인니의 태도가 매우 중요함.

  o 말련은 한국의 유엔가입문제를 SOM에서 거론하겠음.

 다. Choo 아주국장~~(5.7)~~

  o SOM에서 한국의 유엔가입문제가 거론되도록 최선을 다하겠음.(5.7)

  o 금번 SOM에서 비공식으로 제기할것을 결정, 단 공동지지 입장 표명은 매우 어려울 것임. (5.9)

보안 통제	(서명)

앙 고 재	91년 5월 9일	국연과	기안자 성명		과 장		국 장		차 관	장 관
			송영완		(서명)		전결			(서명)

외신과통제

0214

3. 싱가폴 (5.7. Chan 외무차관)

o 아세안의 공동입장 표명은 시기적으로 유엔총회에 임박하여 하는 것이 보다 효과적일 것인 바, 7월 ASEAN 외상회담등에서 논의할 수 있도록 여타 회원국과 협의하겠음.

4. 태 국 (5.5. Vitthya 사무차관)

o 한국측 요청을 여타 아세안 회원국들과 협의할 것인 바, 타회원국에도 협조를 해두는 것이 좋을 것임.

5. 인니 : 인니-호주 각료회의 (5.6-8)로 관계인사 부재. 끝.

예 고 : 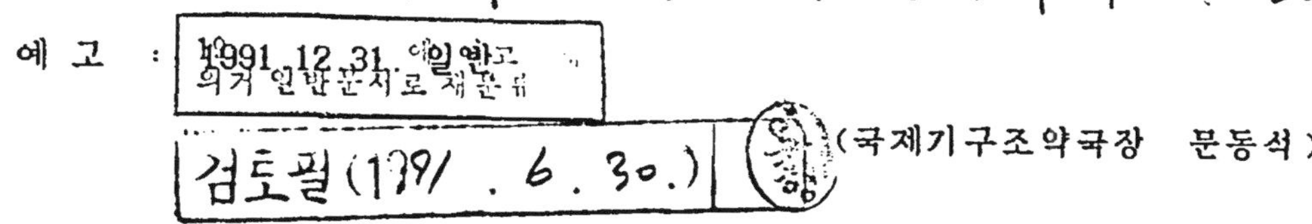

1991. 12. 31. 일반고
의거 일반문서로 재분류

검토필(1991 . 6 . 30.)

(국제기구조약국장 문동석)

수신처 : 주필리핀(WPH-0392), 말련 (WMA-0407), 태국(WTH-0743), 인니(WDJ-0465), 싱가폴(WSG-0294), 브루나이(WBU-0107) 대사
(사본 : 주유엔대사 (WUN-1189))

0215

관리 번호	91-3122

	분류번호	보존기간

발 신 전 보

번 호 : WMA-0426 910510 1440 FL 종별 : 지 급

수 신 : 주 말련 대사. 총영사

발 신 : 장 관 (국연)

제 목 : 유연가입추진 (인니반응)

대 : MAW-0673

대호, 인니는 남북한 유엔동시가입 또는 북측의 반대로 인한 아측의 선가입 추진시 이를 적극 지지키로 결정하고 각종 계기에 이를 밝히고 있는 바, 동 내용 하기 타전하니 귀주재국 접촉시 인니측 입장 전달바람.

1. 인니 외무장관 언급내용

가. 한-인니 외무장관 회담(4.2)

o Alatas 장관은 ESCAP 참석차 방한한 계기에 본직에게 인니는 유엔가입에 대한 종전 입장을 수정, 아국가입을 전폭 지지키로 하였다고 언급함.

o 또한 동 장관은 북측에 대해 인니의 입장변화를 알리고 북한의 유엔가입을 설득해 나갈 것을 표명함.

나. 귀국시 공항 기자회견 내용(4.4)

o 한국의 유엔가입 관련, 보편성원칙에 따라 남북한 가입을 지지함. 북한은 분단영구화를 이유로 이에 반대하고 있으나, 독일, 예멘등의 예로 비추어 유엔가입이 남북한 통일에 장애가 되지 않았음이 실증됨.

/ 계속 /

보안 통제	

앙 고 재	91년 5월 10일	국연과	기안자 성명		과 장		국 장		차 관	장 관
							전결			

외신과통제

0216

o 한국이 소련등 동구국가의 지지도 확보하고 있어 한국의 단독 가입에 대해서는 serious 하고 sympathetic 하게 고려하고 있음.

2. 한편, 3.18, 인니 Wiryono 정무차관보는 3.18. 주인니 북한대사 면담시 자국은 한국의 유엔가입을 지지할 것이며, 북한이 유엔가입을 희망할 경우 북한의 가입도 지지할 것이라는 요지의 입장을 전달하였다 함.
(본항은 귀관의 참고로만 하기 바람.)

3. 또한 인니 외무성은 3.23. 상기 아국입장 지지방침을 주유엔대표부등 관련공관에도 통보하였다 함. 끝.

예 고 : 1991.12.31. 일반 의거 일반문서로 재분류 | 검토필(1991.6.30.)

(국제기구조약국장 문동석)

0217

관리번호	91-3151

외 무 부

종 별 :

번 호 : MAW-0685 일 시 : 91 0510 1630

수 신 : 장 관(아동,정특반,국연)

발 신 : 주 말련 대사

제 목 : ASEAN-SOM

1. 최원선 참사관은 5.10 NAZIRAH HUSSEIN 기획과장과 면담, 5.14-16 당지 개최 예정인 ASEAN-SOM 에대해 문의한바 아래 보고함.

2. 의제

- 6 월초 인도네시아에서 개최 예정인 캄보디아 각 정파및 UN. 인니, 프랑사가 참석하는 SNC MEETING 문제협의

나. 인도차이나 BOAT PEOPLE

- 4.30-5.1 제네바에서 개최된 STEERING COMMITTEE 결과 설명

다. EAEG

- 말련측에서 CONCEPT PAPER 제출, ASEAN 합의 도출을 위해 노력할 예정

라. ASEAN-U.S.S.R. RELATIONS

- 쏘련을 금번 AMM 에 OBSERVER 로 참가시키는 문제및 향후 ASEAN-소련관계협의

마. APEC

- ASEAN 사무국이 준비한 ASEAN 과 APEC 관계에 관한 보고서 토의

바. ASEAN SUMMIT

- 92 년 1 월초 싱가폴 개최예정인 아세안 정상회담 관계협의

사. ASEAN-EC

- 5.30-31 룩셈부르크 개최예정인 ASEAN-EC 각료회의 준비상태 점검

아. ASEAN ECONOMIC TREATY

- 아세안내 경제교류 강화를 위한 협약안 검토

자. AMM 및 PMC

- 7 월 당지 개최 예정인 AMM, PMC 의 의제협의

차. ASEAN 회원국의 국제기구 입후보

아주국	장관	차관	1차보	2차보	국기국	정특반	청와대	안기부

PAGE 1

91.05.11 07:26

외신 2과 통제관 BS

0218

카. 기타사항

3. 아국의 UN 가입문제에 대해서는 상기 의제중 기타사항 협의시 말련측이 제기예정이라하며 아국 UN 가입에 대한 ASEAN 공동입장 추진 문제에 대해서는 주유엔 말련대표부로 부터도 기 보고받은바 있다함.

4. ASEAN-SOM 회의결과는 동회의 종료후 상세 내용 파악 보고하겠음.끝.

(대사 홍순영-국장)

예고:91.12.31. 일반

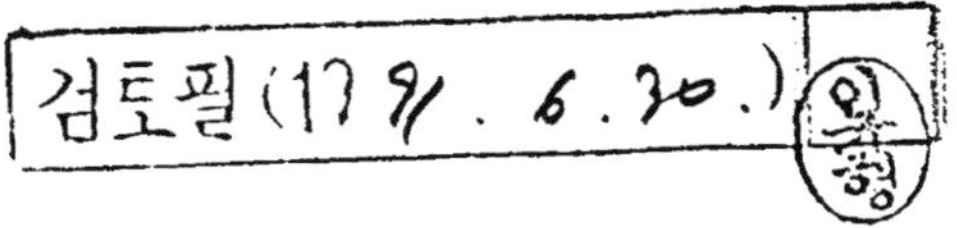

PAGE 2

0219

관리 번호	91 -3125

분류번호	보존기간

발 신 전 보

번 호 : WPH-0422 910510 1730 FL 종별 :

수 신 : 주 필리핀 대사. 총영사

발 신 : 장 관 (국연)

제 목 : 유엔가입 추진

대 : PHW-0627

연 : WPH-0408

1. 대호, 귀주재국 요로 접촉시 아국의 유엔가입 실현을 위하여 ASEAN의 공동지지 표명이 매우 중요하며, 특히 역내 ~~에서 강력한 영향력을 행사하고 있는~~ 주요국가인 필리핀이 공개적으로 아국입장을 지지함은 중국의 건설적 역할 유도는 물론 중국의 대북한 설득 명분강화에도 기여할 것임을 설명바람.

2. ASEAN 회원국중 남북한 동시가입에 대한 북한의 지속적 반대로 아측이 선가입을 추진할시에도 아측을 적극 지지할 것임을 공개적으로 밝히지 않은 국가는 필리핀뿐인 바, 최근 인니측이 밝힌 아국의 유엔가입 지지 입장을 하기 타전하니 귀주재국 접촉~~시 참고~~ 관련 필요시 적의 활용바람.

가. 인니 외무장관 언급내용

1) 한-인니 외무장관 회담(4.2)

- Alatas 장관은 ESCAP 참석차 방한한 계기에 본직에게 인니는 유엔가입에 대한 종전 입장을 수정, 아국가입을 전폭 지지키로 하였다고 언급함.
- 또한 동 장관은 북측에 대해 인니의 입장변화를 알리고 북한의 유엔가입을 설득해 나갈 것을 표명함.

/ 계속 /

보안 통제	

앙 고 재	91년 5월 10일	과	기안자 성명		과 장		국 장		차 관	장 관
							전결			

외신과통제

0220

2) 귀국시 공항 기자회견 내용(4.4)

ㅇ 한국의 유엔가입 관련, 보편성원칙에 따라 남북한 가입을 지지함. 북한은 분단영구화를 이유로 이에 반대하고 있으나, 독일, 예멘등의 예로 비추어 유엔가입이 남북한 통일에 장애가 되지 않았음이 실증됨.

ㅇ 한국이 소련등 동구국가의 지지도 확보하고 있어 한국의 단독 가입에 대해서는 serious 하고 sympathetic 하게 고려하고 있음.

나. 한편, 3.18. 인니 Wiryono 정무차관보가 3.18. 주인니 북한대사 면담시 자국은 한국의 유엔가입을 지지할 것이며, 북한이 유엔가입을 희망할 경우 북한의 가입도 지지할 것이라는 요지의 입장을 전달하였다 함. (본항은 귀관의 참고로만 하기바람.)

다 또한 인니 외무성은 3.23. 상기 아국입장 지지방침을 주유엔대표부등 관련공관에도 통보하였다 함. 끝.

예 고

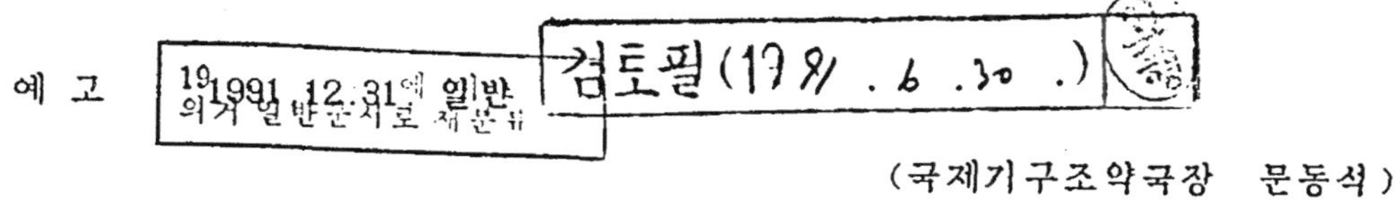

(국제기구조약국장 문동석)

0221

원 본

관리 번호	91 -3132

외 무 부

종 별 : 지 급

번 호 : DJW-0872 일 시 : 91 0510 1830

수 신 : 장관(국연,아동)

발 신 : 주 인니 대사

제 목 : 유엔가입 추진(ASEAN 공동입장 표명)

대:WDJ-0465,0477

연:DJW-0838

1. 당관 신공사는 5.10.HADI WAYARABI 외무성 국제기구국장을 방문, 대호 아국의 유엔가입에 대한 ASEAN 공동입장표명의 필요성을 설명하고 이를 위한 주재국의 지지를 요청하였는바, 동 국장의 반응은 아래와 같음.

가.ASEAN 이 공동입장을 표명하는 것은 가능하다고 보며 이를 위해서는 SOM에서 협의되고 최종적으로는 외상이 결정할 사항이라고 봄.

ASEAN 에서 협의를 위해서는 말련이 동 문제를 제기하는 것이 좋을 것으로 봄.

나. 본건 관련 자신의 국제회의 경험에 비추어 아국의 유엔가입 추진을 제 3국에 설득하기 위해서는 ASEAN 보다는 개별국가가 지지하고 있다는 것을 인용하는 것이 보다 설득력이 있고 효과적일 것으로 봄.

왜냐하면 ASEAN 각국은 국제적 비중도 다르고 아국을 지지하는 뉴앙스도 다르기 때문에 ASEAN 각국의 입장을 아국의 필요에 따라 적절히 인용, 환용할수 있을 것이기 때문임.

2. 동 국장은 IPU 평양총회 참석중 북한 외교부 국제기구국장으로부터 수차 면담 요청이 있었으나 IPU 대표단의 일원이기 때문에 동 요청을 거절하였다 함.

그러나 동 국장은 회의장에서 북한측의 IPU 대표로 간주되는 사람과 한국 유엔 가입 문제에 대해 의견교환을 하는 가운데 주재국은 남북한의 유엔가입을 희망하며, 북한이 준비가 안되었다면 한국의 선가입을 지지하고 북한이 가입을 희망하면 이를 지지하겠다고 말하였는바, 추후 동인이 외교부 국제기구국장인 것으로 확인되었다고 부언하였음. 끝.

(대사 김재춘-국장)

국기국 장관 차관 1차보 2차보 아주국 청와대 안기부

PAGE 1 91.05.10 23:28

외신 2과 통제관 CF

0222

예고: 91.12.31. 일반예고문에 의거 일반문서로 재분류됨

검토필(1991.6.30.)

PAGE 2

0223

원 본

관리 번호	91 -3199

외 무 부

종 별 :

번 호 : PHW-0640 일 시 : 91 0513 1110

수 신 : 장관(국연,아동) 사본:주유엔대사(본부중계필)

발 신 : 주필리핀대사

제 목 : 유엔가입 추진

대:WPH-422

연:PHW-551,627(5.9.)

1. 당관 황참사관은 5.13(월) 주재국 DANILO IBAYAN 국제기구 국장대리를 접촉, 아국의 유엔가입 추진을 위하여 필리핀의 저극적인 지지가 불가결함을 재설명하고 아국의 유엔가입 지지 요청 공한에 대한 조속한 회신을 보내 줄것을 요청하였음.

2. 동 국장대리는 필리핀이 아국 유엔가입 추진과 관련, 한국의 단독 유엔가입 신청시에도 이를 적극 지지하기로 하였으며, 동 그입지지 내용의 공한을 장관의 재가를 득하는대로 곧 아측에 전해주기로 하였음.

3. 주재국 정부는 연호에서 언급한 바와 같이 아국의 유엔가입 문제에 대하여 지지 입장을 표명하여 왔으며, ASEAN 에서 문제가 거론될시 아국 지지 입장을 유도하는데 선두적 역할을 하겠다는 입장 표명하여 온바 있음을 참고 바람.

(대사 노정기-차관)

예고:1991.12.31. 일반

의거 일반문서로 재분류

검토필(1991.6.30.)

국기국 장관 차관 1차보 2차보 아주국 청와대 안기부

PAGE 1

91.05.13 13:32

외신 2과 통제관

0224

관리 번호	91 — 3198

	분류번호	보존기간

발 신 전 보

번 호 : WPH-0425 910513 1525 FO 종별 :

수 신 : 주 수신처참조 대사. ~~총영사~~

발 신 : 장 관 (국연)

제 목 : 유엔가입 추진 (ASEAN 공동입장 표명)

WMA -0434 WTH -0784
WDJ -0496 WSG -0316
WBU -0114 WUN -1322

연 : 수신처참조

1. 우리의 유엔가입문제와 관련, 인니측은 ASEAN의 공동지지입장 표명이 가능할 것인 바, 이를 위해서는 SOM에서 협의됨이 필요하며, 최종적으로는 외상이 결정할 사항이라고 본다고 하고, ASEAN에서의 협의를 위해서는 말련이 동 문제를 제기하는 것이 좋을 것이라고 언급함.

2. 한편, 말련측은 금차 ASEAN-SOM 의제중 기타사항 협의시 말련측이 아국의 유엔가입문제를 제기할 것이라고 전달해 왔음을 참고바람. 끝.

예 고 1991.12.31. 일반. 의거 일반문서로 재분류

(국제기구조약국장 문동석)

수신처 : 주필리핀(WPH-0415), 말련(WMA-0421), 태국(WTH-0764),
인니(WDJ-0477), 싱가폴(WSG-0308), 부르나이(WBU-0111) 대사
(사본 : 주유엔대사(WUN-1279))

보안 통제	(서명)

앙 고 재	91년 5월 13일	과	기안자 성명		과 장		국 장		차 관	장 관
			(서명)		(서명)		(서명)			(서명)

외신과통제

0225

관리 번호 91 -3238

원 본

외 무 부

종 별 :

번 호 : BUW-0114 일 시 : 91 0514 1100

수 신 : 장관(국연), 사본:주유엔대사,주말련대사

발 신 : 주 브루나이 대사

제 목 : 유엔가입추진(아세안 공동입장표명)

대:WBU-114

1. 당관 한명재 서기관이 5.14. 당지 말련대사관 SHAMSUDIN ABDULLAH 정무참사관에게 확인 한바에 의하면 대호관련 말련외무성 으로부터 유엔가입에 대한 아국입장을 브루나이정부가 지지하는지 여부를 타진하라는 지시가 있었다함.

2. 동인은 본국 지시에 따라 외무성 관계인사 접촉후 브루나이정부가 유엔가입에 관한 아국입장을 전폭적으로 지지함을 확인하였다는 내용을 금 5.14. 본국에 보고했다 하니 참고바람. 끝

(대사백성일-국장)

예고:91.12.31. 일반

검토필(1991.6.30.)

19 . . 에 예고문에 의거 일반문서로 재분류됨

국기국 장관 차관 1차보 2차보 청와대 안기부

PAGE 1

91.05.14 13:24

외신 2과 통제관 FE

0226

관리 번호	91 -3244

외 무 부

종 별 :

번 호 : MAW-0699 일 시 : 91 0514 1400

수 신 : 장관(국연,아동,사본:주유엔대사-중계필)

발 신 : 주 말련 대사

제 목 : 유엔 가입추진

연:MAW-673,674

1. 본직이 CHOO 아주국장에게 아국 유엔 가입에 대한 ASEAN 각국의 입장을 탐문하여 주도록 요청한바에 따라 CHOO 국장은 ASEAN 각국 주재 말련대사를 통해이를 확인중임. 금 5.14 주인니 대사 보고를 접수한바 인니측은 기본적으로 UNIBERSALITY 원칙에 입각하여 남북한 공동가입을 지지하나 북한측이 유엔 가입의사가 없는 경우 아국 단독 가입도 지지한다는 입장이라하며 부루나이, 싱가폴도 동일 반응이었다함.

2. 태국, 필리핀으로 부터는 아직 회신이 없으나 유사한 입장일것으로 생각된다하며 결국 ASEAN 각국이 아국의 유엔가입을 지지한다는 입장에는 틀림없으나다만 이에대해 ASEAN 으로서 JOINT STATEMENT 를 내는 것은 관례에 없는 일이므로 매우 어려울 것 같다는 견해를 표명함.

3. 또한 이붕 중국총리의 방북결과에 대해서는 아직 주중 말련대사관으로부터 보고를 기다리고 있는 중임.끝

(대사 홍순영-국장)

예고:91.12.31 일반 의거 일반문서로 재분류 검토필(1991. 6. 30.)

국기국 장관 차관 1차보 2차보 아주국 청와대 안기부

PAGE 1

91.05.14 15:40

외신 2과 통제관 BA

0227

관리 번호	91 —3254

원 본

외 무 부

종 별 : 지 급

번 호 : MAW-0705 일 시 : 91 0514 1700

수 신 : 장관(국연,아동,사본:주 유엔 대사-중계필)

발 신 : 주 말련 대사

제 목 : 유엔 가입 추진

연:MAW-0699

아국의 유엔가입관련 CHOO 아주국장은 연호에 이어 5.14 본직에게 주 필리핀 말련 대사의 제보 내용을 다음과 같이 알려옴. 즉 필리핀 정부는 아국의 유엔가입을 지지하기로 결정하였으며 금후 북한우 가입신청하는 경우에도 이를 지지할것임.

필리핀정부는 이러한 방침을 5.15 필리핀 방문 예정인 이원경 특사에게 공식 통보할 예정임.끝

(대사 홍순영-국장)

예고:91.12.31 일반 의거 일반문서로 재분류 검토필(1991.6.30.)

국기국	장관	차관	1차보	2차보	아주국	청와대	안기부

PAGE 1

91.05.14 18:26

외신 2과 통제관 BA

0228

관리번호	91-3268

원 본

외 무 부

종 별 :

번 호 : PHW-0656 일 시 : 91 0515 0730

수 신 : 장관(국연,아동) 사본:주유엔대사(중계필)

발 신 : 주 필리핀 대사

제 목 : 유엔가입 추진

연:PHW-640

1. 본직은 5.14(화) 오전 당관 황참사관과 함께 주재국 외무부 ARCHILLA 국제기구국장(5.13. 해외 출장에서 귀임함)을 동인 사무실에서 약 1 시간 면담하고 아국의 유엔가입 문제를 협의하였음.

2. 본직은 금년도 아국의 유엔가입이 중요한 아국 외교 목표의 하나임을 강조하고 우리의 유엔가입 실현을 위한 우방국의 지지도가 우리와 우방국의 협조 관계를 나타내는 바로미터로 인식될 가능성이 큰만큼 필리핀이 아국의 유엔 단독가입 추진시에도 이를 적극 지지하여 줄것을 요청 하였음.

3. 이에 대하여 동국장은 필리핀이 그동안 보편성 원칙을 존중, 한국의 유엔가입 노력에 대하여 항상 지지하여 왔음을 상기시키고 남북한이 유엔에 동시 가입하는 것이 이상적(IDEAL)이기는 하나 한국 단독 가입 신청시에도 이를 적극 지지하기로 하는 방침을 마련하여 장관의 재가를 득하기로 하였으며, 외무장관도 이러한 방침에 이의가 없을 것으로 생각한다고 하고 금번 아국의 특사가 대통령 및 외무장관을 면담하는 기회에 필리핀의 한국 유엔가입 적극 지지가 확인될수 있을 것이라고 하였음.

4. 동국장은 북한의 남북한 단일의석 가입안이 비현실적이라고 비판을 받고 있는데 동조하면서 동서독 및 남북예멘이 유엔에 동시가입하였고 이제까지 한국이 유엔에 가입하지 못한 이유가 냉전체제에 기인하는 것이 었는바, 이제 냉전이 종료된 현 국제 정세에 비추어 한국의 유엔 가입에 대한 장애 요소가 해소되었다고 하였음.

5. 본직과 황참사관은 최근 한. 소 정상회담, 중국 수상의 북한 방문등을 동 국장에게 설명하고 유엔 안보리에서 상임 이사국이 한국의 유엔가입 문제에 거부권을 행사할 가능성이 희박하며 중국이 결국 북한을 설득 북한의 비현실적인 대유엔 정책을 수정하도록 할 것이라는 견해를 표명한데 대하여 동국장은 이에 공감을 표시하면서,

국기국	장관	차관	1차보	2차보	아주국	청와대	안기부

PAGE 1

91.05.15 14:08

외신 2과 통제관 DO

0229

한국이 그동안 너무오래 유엔 밖에서 머물러 있었다고(STAY AWAY FROM THE U.N.)하고 금년 46 차 유엔 총회에서 한국이 유엔 회원국으로 활동할수 있게 되기를 희망한다고 하였음.

6. 동국장은 또한 최근 GULF 전과 관련 유엔이 종전 미.소 대립시에는 기대하기 어려웠던 공동 결의안을 가결시킬수 있었던 것은 국제정세 변화가 유엔에 반영된 것이며 이러한 국제 정세의 변화에 따라 앞으로 유엔 헌장 109 조에 따른 유엔 헌장을 개정하기 위한 총회가 개최될수 있음을 시사 하였음. 헌장 개정을 위한 총회 소집 절차에는 안보리 상임 이사국의 거부권 행사가 인정되지 않으므로 새로운 국제 질서하에서 종전의 안보리 상임 이사국 구성에 대한 비판(예컨데 1992 년 구주 통합시 불란서 영국이 각각 거부권을 행사하는 것이 타당할 것인가 또는 일본이 상임 이사국이 되어야 한다는 의견이 대두될 것임)이 있을수 있다고 전망하였음을 보고함.

(대사 노정기-차관)

예고:91.12.31. 일반 검토필(1991. 6. 30.)

PAGE 2

0230

0012

관리 번호	91 -3311

외 무 부

종 별 :

번 호 : MAW-0717 일 시 : 91 0516 2130

수 신 : 장관(아동,국연)

발 신 : 주 말련 대사

제 목 : 한.말 외무장관 회담(의제)

대:WMA-0441

1. 대호 외무장관 회담 아측의 제안에 대해 말련측으로서는 특별한 이견이 없다하며 다만 ABDULLAH 외상이 한-아세안 완전 대화 체제수립및 협력분야 확대에 따라 기존 협력 기금의 증액문제를 거론할 가능성이 있다함.

2. 또한 아국의 UN 가입에 대한 ASEAN 공동 입장표명과 관련, 당지 실무자들의 견해는 ASEAN 내 여사한 관례가 없어 어렵다는 입장이나 외무장관 회담에서우리측이 ASC 의장인 말련 외상에게 이를 직접 요청하는 문제도 검토할수 있을것으로 사료됨.

3. 상기 2 항에 관해서는 당지에서 개최중인 ASEAN SOM 결과를 확인한후 상세 재건의하겠음. 끝

(대사 홍순영-국장)

91.6.30.일반에 고문에 의거 인반문서로 재분류됨

아주국 장관 국기국

PAGE 1

91.05.17 00:07

외신 2과 통제관 BW

0231

GLGL
o0158 ASI/AFP-AY04-----
u i Malaysia-ASEAN 1 05-16 0335

5.17
ASEAN 제로

ASEAN plans contacts with China

KUALA LUMPUR, May 16 (AFP) - The six-member Association of Southeast Asian Nations (ASEAN) is planning to expand a proposal for dialogue with the Soviet Union to include China, regional diplomats said Thursday.

The diplomats said the plan, expected to be approved by the group's foreign ministers by next week, would bring the Soviet and Chinese foreign ministers to Kuala Lumpur during the ASEAN foreign ministers meeting from July 19-20.

ASEAN groups Brunei, Indonesia, Malaysia, the Philippines, Singapore and Thailand, and it has largely been linked to the west and Japan.

The secretary-general of Malaysia's Foreign Ministry, Ahmad Kamil Jaafar, said Thursday that a just-concluded meeting of ASEAN senior officials had made "some recommendations" on how to engage the Soviet Union and China.

Mr. Kamil declined to elaborate, saying an announcement would be made after ASEAN foreign ministers had approved the proposals.

"We are hopeful of getting a decision on these recommendations within the next two or three days," he said.

Diplomats said the Soviet Union or China were unlikely to become fully-fledged dialogue partners like the United States and Japan at the July meeting, although this would be one of ASEAN's longer-term objectives.

The ASEAN foreign ministers hold a post-ministerial conference with their counterparts from the United States, Canada, the European Community, Japan, Australia and New Zealand after their annual meeting.

South Korea will join the list of dialogue partners for the first time this year during the post-ministerial talks from July 22-24.

The post-ministerial talks focus on expanding trade and investment links but also cover political issues such as the Cambodia conflict and the exodus of Vietnamese boat people.

ASEAN diplomats said the Soviet and Chinese foreign ministers would probably meet with their ASEAN counterparts during the annual foreign ministers meeting.

more

AFP 160837 GMT MAY 91

GLGL
o0159 ASI/AFP-AY05-----
u i Malaysia-ASEAN 2-last 05-16 0090
(KUALA LUMPUR)

"I don't think they will have any role at the post-ministerial conference at least not until their status as a fully-fledge dialogue partner is established," an ASEAN diplomat said.

Mr. Kamil said the senior officials had set up a working group to study a Malaysian proposal for an East Asian Economic Grouping (EAEG).

He said the working group would report its recommendations to the ASEAN foreign ministers meeting and to an ASEAN economic ministers conference scheduled for October.

mn/vm

AFP 160838 GMT MAY 91

7

0232

관리 번호	91 —3402

외 무 부

종 별 : 지 급

번 호 : THW-1098 일 시 : 91 0517 1000

수 신 : 장 관(국연,아동)

발 신 : 주 태국 대사

제 목 : 유엔가입 추진

대 : WTH-0719

연 : THW-1039

1. 대호 본직은 5.16(목) MR.SUVIDHYA 외무장관 보좌관(동인은 ARSA 장관 방중시 공식 수행원이었음)을 접촉한바, 동인은 ARSA 장관이 전기침 중국외상과 아국의 유엔가입 문제에 관해 협의한 요지를 아래와 같이 알려왔음

가. ARSA 외무장관 언급내용

0 한국의 유엔가입 추진관련 중국이 거부된 불행사등을 포함, 반대입장을 취하지않고 모든 협조를 해주도록 요청하는 한국측 입장을 상세히 전달코자함

0 태국은 유엔의 보편성 원칙을 준수하며 한국의 유엔가입을 계속 지지할것임을 분명히 밝힘

나. 전기침 중국외상 답변내용

0 남, 북한이 아직도 유엔가입 문제에 이견을 보이고 있음

0 중국으로서는 남, 북한의 대화를 통해 이문제를 해결하기를 바라고 있음

0 이붕 수상이 최근 북한방문시 북한측에 대해 한국측과 협의하도록 종용하였음

0 북한측은 이문제에 대해 한국측과 계속 협상희망을 표시했음

0 서울 에스캅 총회기간중 중국은 북한이 이문제에 관하여 남, 북한간에 협의하기를 희망한다는 메시지를 한국측에 전달하였음

0 중국으로서는 금년 유엔총회 개최전에 남, 북한간에 유엔가입 문제에 관해 해결을 볼수있기를 기대함

2. 동보좌관은 ARSA 장관이 중국측에 한국의 요청을 아주 성실하게 전달하였음을 본직에게 알려왔음

3. 이에대해 본직은 심심한 사의를 ARSA 장관에게 주도록 동보좌관에게

국기국	장관	차관	1차보	2차보	아주국	청와대	안기부

PAGE 1

91.05.17 14:58

외신 2과 통제관 DO

0233

당부해두었음

(대사 정주년-국 장)

예 고 : 91.12.31. 일반

검토필(1991.6.30.)

PAGE 2

0234

관리번호	91-3343

외 무 부

종 별 :

번 호 : MAW-0727 일 시 : 91 0517 1800

수 신 : 장관(아동,국연,정특반,사본:주 유엔대사-중계필)

발 신 : 주 말련 대사

제 목 : ASEAN-SOM 결과

당지 개최 ASEAN-SOM 결과에 대해 본직이 5.17 SINGH 차관보와 접촉 파악한내용을 아래 보고함.

1. 아국의 UN 가입에 대한 ASEAN 공동입장

0 말련측에서 아국의 UN 가입문제를 비공식 거론하였으나 이번 SOM 에 참가한 여타 ASEAN 국 참석자들이 이에대한 본국 정부의 공식입장을 지참하지 않은 관계로 충분한 논의을 할수 없었다함.

0 또한 SINGH 차관보에 의하면 동 문제가 공식 거론된다하여도 공동입장 표명에 대한 ASEAN 의 관례가 없는 관계로 공동입장 표명에는 또하나의 장애가 있을 것이라는 관찰이었음.

0 따라서 본직의 견해로는 금번 말련 외무장관 방한기회에 한. 말 외무장관회담에서 우리측이 ASC 의장인 ABDULLAH 장관에게 아국의 UN 가입에 대한 아세안 공동입장문제를 금년 7 월 당지개최 예정인 AMM 에서 논의해 줄것을 요청하는한편 여타 아세안국에 대해서도 사전 동건관련 개별 교섭을 시행함이 좋을것으로 사료됨.

2. 금년도 PMC 개최 형식

0 말련측에서는 대화 상대국과의 개별 회담을 3 프러스 1 으로 할것을 제의하였으나 이에대한 이견을 가진 국가들도 있는 관계로 금번 PMC 개별 회담은 6 프러스 1 이라는 종래 FORMAT 을 유지하기로함.

0 또한 아태 지역 문제를 협의하는 6 프러스 6 프러스 1 은 페지하기로 하였다함.

0 PMC 잠정일정은 아래와 같음.

7.22(월)

9:00 마하틸 수상 예방

아주국 장관 차관 1차보 2차보 국기국 외연원 정특반 청와대
안기부

91.05.17 21:01
외신 2과 통제관 CE

0235

오전, 오후 6 프러스 7 회의

7.23(화)

16:15-17:15 한국-ASEAN 간 6 프러스 1 회의

(우리 외무장관과 ASEAN 6 국 외무장관 참석)

7.24(수)

11:00 합동 기자회견

3. ASEAN-쏘련, 중국

0 말련측은 AMM 의장국 자격으로 금번 AMM 에 쏘련및 중국 외무장관은 GUEST 로 초청키로 하엿으며 PNG 외상은 OBSERVER 로 참석함.

0 AMM GUEST 는 OPENING CEREMONY 에만 참석하지만 이를 계기로 소련, 중국외무장관이 ASEAN 각국 외무장관과 만날수 있는 좋은 기회가 될것임.

4. EAEG

0 말련측이 준비한 CONCEPT PAPER 를 중심으로 협의한바 각 ASEAN 국의 외무부, 상공부가 함께 참여하는 WORKING GROPU ON EAEG 를 조만간 설치, ASEAN 공동입장을 검토하여 이를 7 월 개최 AMM 에 보고하기로 함.

5. APEC

0 APEC 의 PROGRESS 에 대한 ASEAN 사무국의 보고를 청취하였으며 APEC 장래에 과해서는 논의하지 않음.

6 ASEAN 정상회담

0 ASEAN 정상회담을 92.1.27-28 또는 2.19-20 간 싱가폴에서 개최키로 함. 끝

(대사 홍순영-국장)

예고:1991.12.31 일반

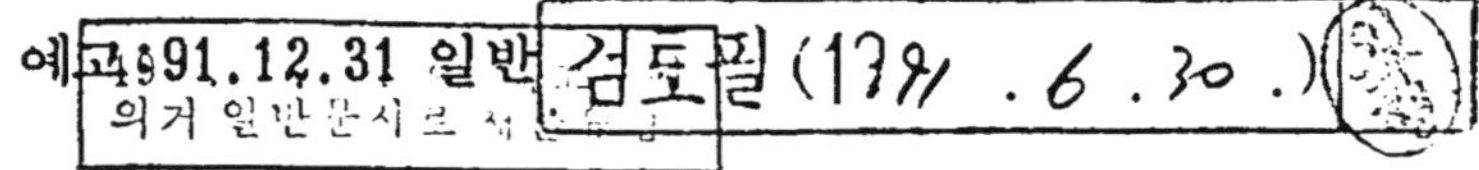

ASEAN 공동입장 표명문제

(SOM / 5.14-16. 말련)

1991. 5. 17 까지.
국제연합과

국 가	접촉일자	접촉인사	언 급 내 용	비 고
부루나이	5.4.	Yusof Hamid ASEAN 국장	o 5.6. 말련 ASC에서 회의 분위기를 보고 아측요청에 응해보겠으며 SOM등 각종 ASEAN 회의시 아국의 유엔가입에 대해 ASEAN 공동지지 입장 표명을 위해 노력하겠음.	BUW-0108

0237

국 가	접촉일자	접촉인사	언 급 내 용	비 고
인 니		-	(5.6-8.간 인니-호주 고위급 회의로 보고 지연 예정)	DJW-0838
	5.10.	Wayarabi 국기국장	◦ ASEAN이 공동입장을 표명하는것은 가능하다고 보나, 이를위해서는 SOM에서 협의되고 최종적으로는 외상이 결정할 사항이라고 봄. ◦ ASEAN에서 협의를 위해서는 말련이 동문제를 제기하는것이 좋을것으로 봄.	DJW-0872

0238

국 가	접촉일자	접촉인사	언 급 내 용	비 고
말 련	5.6.	Singh ASEAN담당 차관보	ㅇ 기본적으로 ASEAN은 캄보디아 문제등 직접 관련있는 문제를 제외하고는 공동입장을 표명한 적이 없음. (걸프사태에 대해서도 우연히 ASEAN 6개국의 입장이 같았지만 이를 ASEAN 공동입장으로 표명한 바는 없음)	MAW-0653
	5.7.	Kamil 외무차관	ㅇ SOM에서 공동성명을 내는 것은 어려울것 같은 바, 인니의 태도가 매우 중요함. ㅇ 말련은 한국의 유엔가입문제를 SOM에서 거론하겠음.	MAW-0660
		Choo 아주국장	ㅇ SOM에서 한국의 유엔가입문제가 거론되도록 최선을 다하겠음.	〃
	5.8.	Choo 아주국장	ㅇ SOM에서 한국의 유엔가입문제를 의제에 관계없이 비공식으로 제기하기로 결정. 단, 한국의 유엔가입지지를 ASEAN 공동입장으로 표명하는 것은 매우 어려울것임.	MAW-0673
	5.10.	Hussein 기획과장	ㅇ SOM의제중 기타사항 협의시 말련측이 한국의 유엔가입문제를 제기예정임. - 한국의 유엔가입에 대한 ASEAN 공동입장 추진문제에 대해서는 주유엔 말련대표부로 하여금 기본교섭토록 한바 있음.	MAW-0685
	5.14	Choo 아주국장	ㅇ ASEAN 각국이 아국의 유엔가입을 지지하는 입장에는 틀림없으나, 이를 ASEAN 공동성명으로 발표하는 것은 관례에 없는 일로서 매우 어려울것으로 생각함.	MAW-0699

0239

국 가	접촉일자	접촉인사	언 급 내 용	비 고
싱 가 폴	5.7.	Peter Chan 사무차관	o 한국정부의 취지를 충분히 이해하며 싱가폴로서는 ASEAN의 공동지지입장 표명에 별다른 이의가 없음. o 공동입장 표명은 시기적으로 유엔총회에 임박하여 하는 것이 보다 효과적일 것인 바, 7월 ASEAN 외상회담에서 논의할 수 있도록 여타 ASEASN 회원국과 협의하겠음.	SGW-0275

0240

국 가	접촉일자	접촉인사	언 급 내 용	비 고
태 국	5.5.	Vitthya 사무차관	ㅇ 한국측 요청을 여타 ASEAN 회원국과 협의해 보겠음. ㅇ 여타 ASEAN 회원국에도 각각 협조를 해두는 것이 좋을 것임.	THW-1038

0241

국 가	접촉일자	접촉인사	언 급 내 용	비 고
필 리 핀	5.6.	Ong 국장	○ ASEAN이 남북한 유엔가입을 적극지지하도록 SOM에서 적극 제기하겠음. ○ SOM 회의에서 아국의 UN가입에 대한 ASEAN 국가의 공동지지 입장을 취하도록 노력하겠으나, ~~북한에 대하여는~~ 필리핀이 북한과의 수교를 고려~~하고 있음~~하고있는 입장이므로 북한의 유엔가입을 별도로 주장하는 것은 따르지 않을것임.	
	5.13.	Danilo Ibayan 국기국장대리	○ ASEAN에서 아국가입문제가 거론될시 아국지지 입장을 유도하는데 선두적 역할을 할것임.	PHW-0640

0242

관리 번호	91 -3387

외 무 부

종 별 :

번 호 : DJW-0921 일 시 : 91 0518 1110

수 신 : 장관(국연,아동)

발 신 : 주 인니 대사

제 목 : 유엔가입 추진(ASEAN 공동입장 표명)

대:WDJ-0465

1. 본직은 5.17. 쿠알라룸풀에서 개최된 SOM 회의에 참석하고 돌아온 WIRYONO 외무성 정무차관보를 면담, 아국의 유엔가입 관련 아세안의 공동 지지입장 표명에 관한 동 회의 토의결과를 문의함.

2. 동인은 금번회의에서 아세안이 공동으로 아국 유엔가입 지지입장을 발표하는 문제는 아세안이 아세안 회원국이 아닌 국가와 관련된 문제에 관하여 과거 공동입장을 취한 선례가 없다는 점을 감안, 아세안 각국이 개별적으로 아국의 유엔가입을 지지하는 입장을 표명하기로 하였다고 함.

이와관련 대호 PNG 외상의 UNGA 의장 입후보 공동 지지요청에 대하여도 PNG가 아세안 회원국이 아님을 감안, 공동지지하지 않고 아세안 각국이 개별적으로 입장을 표명키로 하였다 함.

3. 본건에 관한 금번회의의 토의결과는 상기와 같으나 아세안 의장국인 말레이지아가 금후 회의에서 재토의를 희망하는 경우 의제에 포함시킬수 있을 것이라 함.

4. 동인은 한국의 유엔가입 문제는 모든 아세안 회원국이 지지하고 있으며,인도네시아 입장도 분명한 것이므로 한국으로서는 아세안 보다는 중국의 태도에 더 관심을 갖는것이 필요하다고 생각한다고 하면서, 최근 중국으로부터 이에 관하여 직접 입수한 좋은 소식이 있느냐고 문의함.

이에 대해 본직은 그간 여러 경로를 통하여 간접적으로 파악한바에 의하면,중국의 태도에 고무적인 징후가 있는바, 금년도 유엔총회시까지는 시간이 있으며 향후 중국의 태도가 아측에 유리하게 변화될 것으로 전망한다고 답변함. 끝.

(대사 김재춘-국장)

국기국 장관 차관 1차보 2차보 아주국 청와대 안기부

PAGE 1

91.05.18 14:14

외신 2과 통제관 BW

0243

예고:91.12.31. 일반고문에
의거 일반문서로 재분류됨

검토필(1991.6.30.)

PAGE 2

0244

관리번호 91-3486

외 무 부

종 별 :

번 호 : MAW-0740 일 시 : 91 0520 1430

수 신 : 장관(아동,정특반,유엔,통기) 사본:주말련대사

발 신 : 주 말련 대사대리

제 목 : ASEAN-SOM결과

연:MAW-0727

당지개최 ASEAN-SOM 관련, 당관 최원선 참사관이 5.22NAZIRAH 기획과장과 면담한바 연호이외 추가사항 아래보고함

1.EAEG

-말련측이 제시한 CONCEPT PAPER 는 아래 사항을 강조함

.ORGANIZATION TO FACILITATE EXCHANGE OF VIEWS

.무역블록이 아니며 GATT 체재하에서 TRADE LIBERALIZATION 추구

.ASEAN BASED POSITIVE INITIATIVE

-한편 인니측에서는 인니가 동구상에 반대 입장을 가지고 있다는 일부 언론보도는 잘못보도 된것이며 사실이 아님을강조

2.APEC

APEC 에관한 ASEAN 사무국 보고서와 필리핀이 제출한 PAPER 를 검토하였으며 필리핀이 차기 SOM 에 DIRECTION OF APEC PROCESS 에 대한 보고서 제출

APEC 이 ASEAN BASE BODY 이며 이를 FULLY SUPPORT 하는 것이 아세안국가에도 유익함(BENEFICIAL)

또한 한국의 PMC 참가에 따라 PMC 와 APEC 의구성국이 사실상 같아진점을 NOTE 하였음

. 기타 PMC 에대해서는 깊게논의 하지 않았다함

3. 유엔 총회의장 입후보 지지 문제

-PNG 외상의 총회의장 입후보에대한 ASEAN 공동지지 요청에 대해서는 ASEAN 이 비 ASEAN 인사의 입후보 공동지지 관례가 없다는 점을 감안, ASEAN 각국이 동입후보를 개별 지지하기로함. 끝

아주국 차관 1차보 2차보 아주국 국기국 통상국 정특반

PAGE 1

91.05.22 17:33

외신 2과 통제관 BN

0245

(대사대리 김경준-국장)

예고:91,12,31, 일반
의거 일반문서로 재분류
검토필(1991.6.30.)

PAGE 2

0246

관리 번호	91 -3391

	분류번호	보존기간

발 신 전 보

번 호 : WTH-0810 910520 1551 FL 종별 :

수 신 : 주 태국 대사. 총영사

발 신 : 장 관 (국연)

제 목 : 양상곤 태국방문

대 : THW-0889

대호, 양상곤 중국주석의 귀주재국 방문이 예정대로 6.10-15간으로 추진 되고 있는지 여부를 확인 보고바람. 끝.

예 고 1991.12.31. 일반 검토필(1991.6.30.)

(국제기구조약국장 문동석)

보 안 통 제	

앙 고 재	91년 5월 20일	과	기안자 성 명		과 장		국 장		차 관	장 관
							전결			

외신과통제

0247

관리 번호	91 —3392

	분류번호	보존기간

발 신 전 보

번 호 : WDJ-0516 910520 1551 FL 종별 :

수 신 : 주 인니 대사. 총영사//

발 신 : 장 관 (국연)

제 목 : 양상곤 인니방문

대 : DJW-0745

대호, 양상곤 중국주석의 귀주재국 방문이 예정대로 6.5-10간으로 추진 되고 있는지 여부를 확인 보고바람. 끝.

예 고 : 1991.12.31. 일반 / 검토필(1991. 6. 30.)

(국제기구조약국장 문동석)

보안 통제	

앙 고 재	91년 5월 20일	국연 과	기안자 성명	과 장	국 장	차 관	장 관
			송영완				

0248

외신과통제

관리 번호	91 -3397

	분류번호	보존기간

발 신 전 보

번 호 : WPH-0456 910520 1759 FO 종별 :

수 신 : 주 수신처 참조 대사. 총영사

WMA -0456 WTH -0812
WBU -0121 WDJ -0517
WSG -0334 WUN -1406

발 신 : 장 관 (국연)

제 목 : 유엔가입추진 (ASEAN 공동입장 표명)

1. 5.14-16간 말련에서 개최된 ASEAN-SOM에서는 ASEAN이 아세안회원국이 아닌 국가와 관련된 문제에 관하여 공동입장을 표명한 선례가 없다는 점을 감안, 아세안각국이 개별적으로 아국의 유엔가입을 지지하는 입장을 표명하기로 하였다고 함.

2. 그간 우리측의 ASEAN 지지공동입장 표명 교섭은 ASEAN 각국의 아국입장 지지 및 이의 조기 표명에 기여한 것으로 평가됨. 다만, 현시점에서는 상기 ASEAN의 결정을 고려, 더이상 공동지지입장 표명 교섭은 추진하지 말기 바람. 끝.

예 고 19 1991.12.31. 일반 의거 일반문서로 재분류 검토필(1991.6.30.)

(장 관)

수신처 : 주필리핀, 말련, 태국, 부르나이, 인니, 싱가폴대사
(사본 : 주유엔대사)

아주국장 :

보안 통제	

앙 고 재	91년 5월 20일	과	기안자 성명		과 장		국 장		차 관	장 관
			송영완							

외신과통제

0249

관리번호	91-3443

원 본

외 무 부

종 별 :

번 호 : DJW-0935 일 시 : 91 0521 1500

수 신 : 장관(국연,아동)

발 신 : 주 인니 대사

제 목 : 양상곤 인니방문

대:WDJ-0516

연:DJW-0745

1. SAMSUL HADI 외무성 북동아과장에 의하면, 양상곤 중국 주석은 6.5-10 간 주재국을 공식방문하며, 전기침 외상도 수행할 예정이라 함.

2. 양상곤 은 주재국 방문중 국제정세 일반, 지역정세 및 쌍무관계에 대해 협의할 예정이며, 지역정세중에는 캄보디아 사태, 동지나해 문제, 한반도 정세 및 APEC 등이 토의될 예정이라 함.

3. 동건 관련 사항 계속 파악 보고하겠음. 끝.

(대사 김재춘-국장)

예고:91.12.31. 일반 의거 일반문서로 재분류 검토필(1991.6.30.)

국기국 장관 차관 1차보 2차보 아주국 청와대 안기부

PAGE 1

91.05.21 19:26

외신 2과 통제관 BS

0250

관리번호	91-3442

원 본

외 무 부

종 별 :

번 호 : THW-1125 일 시 : 91 0521 1600

수 신 : 장 관(국연,아동)

발 신 : 주 태국 대사

제 목 : 양상곤 주재국방문

대 : WTH-0810

대호 정참사관이 5.21(화) CHOLCHINEEPAN 외무성 동아과장에게 재확인한바, 양상곤 중국 국가주석은 예정대로 6.10-15 간 주재국을 공식 방문한다함.끝.

(대사 정주년-국장)

예 고 : 91.12.31. 일반

검토필 (1991 . 6 . 30 .)

19 . . . 에 예고문에 의거 일반문서로 재분류

국기국 차관 1차보 아주국 청와대 안기부

PAGE 1

91.05.21 18:55

외신 2과 통제관 BS

0251

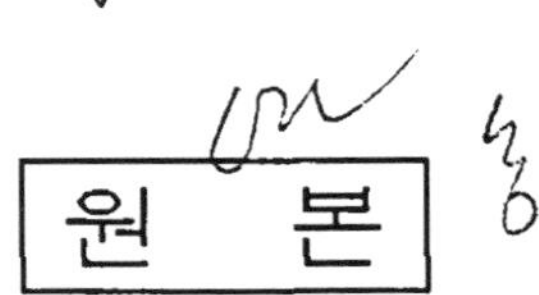

관리 번호	91 -3435

원 본

외 무 부

종 별 :

번 호 : SGW-0308 일 시 : 91 0521 1740

수 신 : 장 관(국연,아동,아이)

발 신 : 주 싱가폴 대사

제 목 : 유엔가입

본직은 작 5.20. 웡칸셍 주재국 외무장관이 PECC 참가 각국대표단을 위해 주최한 만찬에 참석한 기회에, 동석한 당지 중국대사관 차석 양백삼 공사(대사대신 참석)에게 남북한의 유엔가입 문제와 이붕총리의 평양 방문에 관한 화제를 제기하였던바, 처음에는 남북한간의 대화를 통해 해결해야 하지 않겠느냐는 일반론만을 제시하다가 계속 추궁을 받자 우리측(중국)이 북한에 대해 유엔에 가입하라고 말했다(WE TOLD THEM TO JOIN U.N)는 사실을 간략히 시인하였음. 그러나 어떤 방식으로 가입하는가에 대해서는 북한의 방식을 거론조차 않아 북한의 방식에는 관심을 표시하지 않았음. 끝.

(대사)

예고: 91.12.31. 일반 고 의거 일반문서로 재분류 검토필(1991.6.30.)

국기국	장관	차관	1차보	2차보	아주국	아주국	청와대	안기부

PAGE 1

91.05.21 19:15

외신 2과 통제관 BS

0252

관리 번호	91-3490

	분류번호	보존기간

발 신 전 보

번 호 : WTH-0822 910522 1926 FN 종별 :

수 신 : 주 태국 대사. 총영사

발 신 : 장 관 (국연)

제 목 : 유엔가입추진

대 : THW-1098

연 : WTH-0719

대호, Arsa 장관이 방중시 전기침 중국외상에게 아국의 유엔가입 문제를 적극 제기, 중국의 건설적 역할을 유도하여 준데 대하여 본직의 사의를 귀주재국측에 적의 전달바람. 끝.

(~~차관 유종하~~)
(국제기구조약국장 문동석)

예 고 : 1991.12.31. 일반 의거 일반문서로 재 검토필(1991. 6. 30.)

보안 통제	

앙고재	91년 5월 22일	과	기안자 성명		과 장		국 장		차 관	장 관
			송영완							

외신과통제

0253

관리 번호	91-34184

외 무 부

종 별 :

번 호 : DJW-0947 일 시 : 91 0522 1610

수 신 : 장관(아동,아이,국연,정일,기정)

발 신 : 주 인니 대사

제 목 : 양상곤 인니방문(자료응신 제50호)

대:WDJ-0516

연:DJW-0935

1. 연호, 당관이 파악한 양상곤 중국 주석의 공식수행원(6 명)은 아래와 같음.

0 외상 QUAN QICHEN

0 중국군 합참부의장 XU XIN

0 외무차관 XU DUNXIN

0 대외경제 및 통상차관 WANG WENDONG

0 주석실 실장(DIRECTOR) ZHAO YUTIN

0 주인니대사 QIAN YONGNIAN

2. 양상곤은 상기 공식수행원 외에 비공식 수행원 20 명, 기자 23 명, 경호원 및 의료요원 19 명과 특별기 승무원 21 명을 동행할 예정이라 함. 끝.

(대사 김재춘-국장)

검토필(1991.6.30.)

예고:91.12.31. 일반

의거 일반문서로 재분류

아주국 차관 1차보 2차보 아주국 국기국 정문국 청와대 안기부

PAGE 1

91.05.22 20:33

외신 2과 통제관 CF

0254

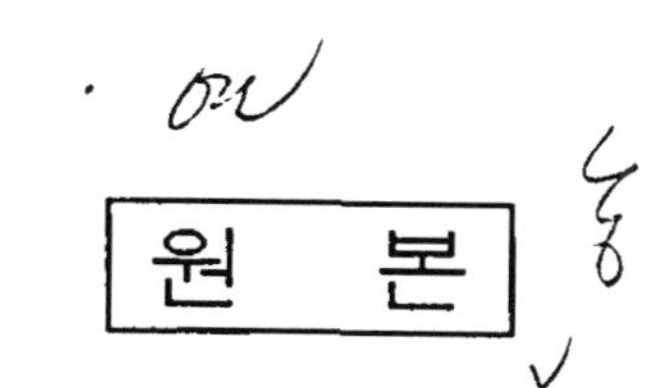

관리 번호	91 -3481

원 본

외 무 부

종 별 :

번 호 : PHW-0698 일 시 : 91 0522 1700

수 신 : 장관(국연,아동) 사본:주유엔대사(중계필)

발 신 : 주 필리핀 대사

제 목 : 유엔가입 추진

연:PHW-656

1. 주재국 외무부는 아국의 유엔가입 지지 요청에 대하여, 아국 유엔가입 신청시 이를 지지할것이라는 요지의 91.5.16. 자 외무부 구상서(NO. 91965)를 보내왔음.

2. 상기 구상서(원본)을 파편 송부함.

(대사 노정기-차관)

예고:91.12.31. 일반 (1991. 6. 30.)

의거 일반문서로 재분류

국기국 장관 차관 1차보 2차보 아주국 청와대 안기부

PAGE 1

91.05.22 18:46

외신 2과 통제관 BW

0255

관리 번호	91 —3515

원 본

외 무 부

종 별 :

번 호 : UNW-1329 일 시 : 91 0522 1840

수 신 : 장 관(국연,아동,기정) 사본:주싱가폴대사-중계필

발 신 : 주 유엔대사

제 목 : 싱가폴 대사면담

1. 본직은 5.22 CHEW TAI SOO 싱가폴대사를 면담 아국가입문제에 대한 이해와 지지표시에 사의를 표하고 계속적인 협조를 당부함.

2. 동대사는 적극 협조를 다짐하면서 중국의 태도관련, 자신의 감촉으로도 중국이 기권으로 기울어지고 있는것은 분명하다고 보이나 다만 과거 천안문사태시 서방측 압력에 대해 반발한것등과 같은 중국의 성향에 비추어 만약의 경우 미국의 대중국 M.F.N. 연장 부결등으로 대서방관계 악화시에는 이에 대한 반발로서북한측 요청에 감정적으로 동조할 우려도 없지 않다는 의견을 첨언하였음.끝.

(대사 노창희-국장)

예고:91.12.31. 일반 검토필(1991.6.30.)

19 . . . 에 예고문에 의거 일반문서로 재분류

국기국 장관 차관 1차보 2차보 아주국 청와대 안기부

PAGE 1

91.05.23 08:23

외신 2과 통제관 BS

0256

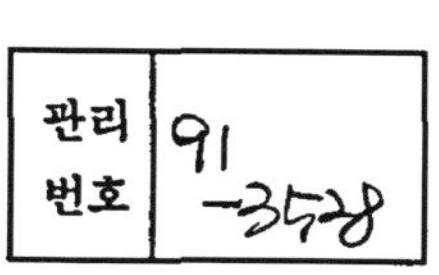

원 본

외 무 부

종 별 :

번 호 : THW-1143 일 시 : 91 0523 1600

수 신 : 장 관(국연)

발 신 : 주 태국 대사

제 목 : 유엔가입 추진

대 : WTH-0822

1. 본직은 5.23(목) 대호 외무장관의 사의를 MR.SUVIDHYA 장관보좌관을 통하여 ARSA 장관에게 전달하였음

2. 본직은 또한 본직명의 ARSA 장관앞 서한을 작성, 외무장관의 사의를 전달할 예정임

(대사 정주년-국장)

예 고 : 91.12.31. 일반 의거 일반문서로 재분류 검토필(1991. 6. 30.)

국기국 장관

PAGE 1

91.05.23 20:07

외신 2과 통제관 CH

0257

관리 번호	91 -3562

	분류번호	보존기간

발 신 전 보

WTH-0833 910524 1918 FL

번 호 : 종별 :

수 신 : 주 태국 대사. 총영사

발 신 : 장 관 (국연)

제 목 : 양상곤 태국방문

대 : THW-1125 및 THW-0599

연 : WTH-0822

대호관련, 주재국 외무성측을 접촉, Arsa 외상이 방중시 중국 전기침 외상에게 태국의 아국 유엔가입 지지입장을 설명하는등 적극적 협조로 중국의 태도가 현실적으로 전환되고 있음을 평가하고, 금번 양상곤 주석 및 전기침 외상의 태국방문시(6.10-15) 귀주재국 고위급 중에서 하기 사항을 태국입장으로서 중국측에 재언급해 줄 경우 우리의 유엔가입 실현에 크게 기여할 것임을 설명하여, 가능한한 주재국측의 협조를 요청하고 결과 보고바람.

o 남북한의 동시수교국인 태국은 북한이 한국과 함께 유엔에 동시가입 하는 것이 북한으로 하여금 대외적 고립에서 탈피 하는데는 물론, 일본 및 대서방관계 개선에도 긍정적으로 작용할 것으로 봄.

/계속...

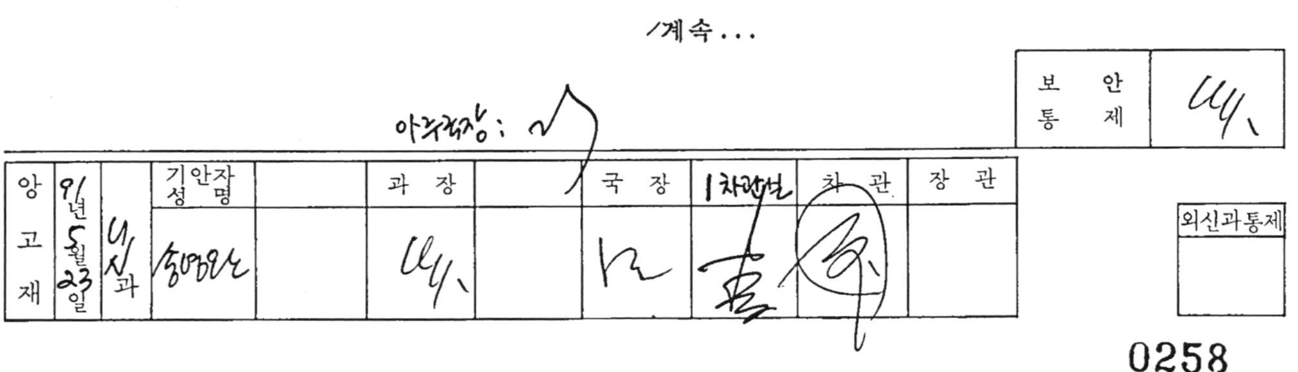

보 안 통 제	

아주국장 :

앙 고 재	91년 5월 23일	과	기안자 성 명		과 장		국 장	1차관보	차 관	장 관

외신과통제

0258

o 북한이 더이상 남북한의 유엔가입문제를 통일문제와 연관지어 논의함은 북한에게도 실익이 없으며~~므로 이 문제를 실질적인 견지에서 생각하여야 하는 바~~, 북한이 스스로의 국제적인 위상을 높이고자 한다면 한국과 함께 유엔에 가입하는 것이 최선의 방법이라고 봄.

o 남북한의 유엔동시가입은 유엔체제하에서 남북한간의 교류와 협력을 촉진시킴으로서 남북한간의 관계증진은 물론 한반도의 긴장완화와 동북아의 평화정착 및 안전 증진에 크게 기여할 것인 바, 이는 중국.태국 뿐아니라 전세계 모든 국가가 바라는 바임. 끝.

(장 관)

예 고 : 1991.12.31.에 일반문서로 재분류 (1991. 6. 30.)

0259

관리 번호	91-3563

분류번호	보존기간

발 신 전 보

번 호 : WDJ-0533 910524 1920 FL 종별 :

수 신 : 주 인니 대사. 총영사

발 신 : 장 관 (국연)

제 목 : 양상곤 인니방문

대 : DJW-0935

1. 대호, 중국 양상곤주석 및 전기침 외상의 6.5-10간 귀주재국 방문시 귀주재국 고위급중에서 한반도정세 토의시 하기사항을 인니입장으로서 중국측에 설명하고 중국측 반응을 아측에 알려 줄것을 귀주재국측에 요청하고 결과 보고바람.

o 인니는 남북한 동시가입을 지지하며 북한이 반대로 한국이 선가입신청시에도 이를지지할것임.

o 남북한의 동시수교국인 인니로서는 북한이 한국과 함께 유엔에 동시가입 하는 것이 북한으로 하여금 대외적 고립에서 탈피하는데는 물론, 일본 및 대서방관계 개선에도 긍정적으로 작용할 것으로 봄.

o 북한이 더이상 남북한의 유엔가입문제를 통일문제와 연관지어 논의함은 북한에게도 실익이 없으며, 북한이 스스로의 국제적인 위상을 높이고자 한다면 금년내 한국과 함께 유엔에 가입하는 것이 최선의 방법이라고 봄.

/계속...

아주국장 :

보안 통제	

앙 고 재	91년 5월 23일	과	기안자 성명		과 장		국 장	1차관보	차 관	장 관
			송영완							

외신과통제

0260

ㅇ 남북한의 유엔동시가입은 유엔체제하에서 남북한간의 교류와 협력을 촉진시킴으로서 남북한간의 관계증진은 물론 한반도의 긴장완화와 동북아의 평화정착 및 안전 증진에 크게 기여할 것인 바, 이는 중국.인니 뿐아니라 전세계 모든 국가가 바라는 바임.

2. 귀관에서 인니측에 상기요청시 하기논지를 적의 활용바람.

ㅇ 중국은 작년까지 아측에게 유엔가입신청이 시기상조임을 지적하고 인내를 갖고 남북한간의 대화를 통해 동 문제를 해결할 것을 강조하여 왔음. 그러나 작년 유엔총회 이후의 국제분위기와 인니를 비롯한 전세계 대다수 국가들이 중국요로 접촉 계기에 태도완화 설득을 계속한 결과, 중국은 90년도에 우리가 가입신청치 않은것을 평가하고 북측의 단일의석 가입안은 실현 불가능한 것이라고 분명히하는 한편, 금년중 동 문제 처리 재연기가 곤란한 상황임을 시사하고, 북측이 남측과 협의, 상호 수락가능한 방안을 모색할 것을 종용하고 있는 것으로 파악하고 있음.

ㅇ 특히 4.18. 인니의 Alatas 외상이 중국 서돈신 외교부 부부장에게 인니의 아국유엔가입 지지입장을 설명하는 등 적극적 협조로 중국의 태도가 현실적으로 전환되고 있다고 보는 바, 이시점에서 중국고위층에 대해 인니와 같은 역내 주요국이 중국설득 노력을 계속할시 [illegible] 금년중 우리의 유엔가입이 실현에 큰 도움이 될것으로 봄. 끝.

(장 관)

예 고 : 91.12.31. 일반

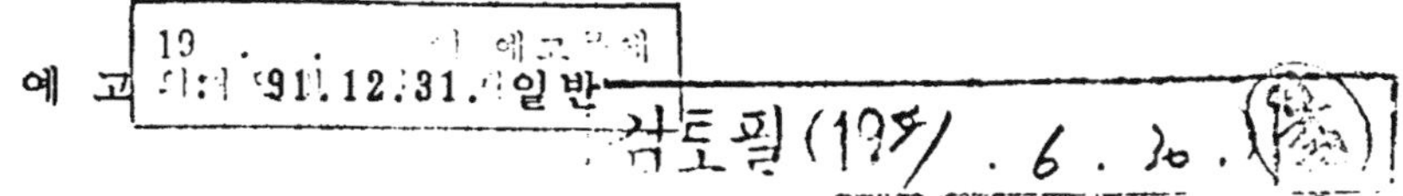

0261

ASEAN 협조
(가입문제)

楊尙昆 中國 國家主席, 印尼·泰國 訪問 豫定

1. 楊尙昆 中國 國家主席은 印尼(6.5 - 10) 및 泰國(6.10 - 15)을 巡訪할 豫定임.

2. 그간 中國의 對印尼·泰國 關係를 보면

가. 印尼와는

○ 修交후(50.4.13) 中國 共産黨이 관련된 것으로 알려진 印尼 共産黨 쿠데타事件 發生(65.9)에 따라 雙方이 公館員 撤收 및 公館 閉鎖 措置로 斷交(67.10)함으로써 疏遠한 關係에 있었으나

○ 中國의 對外開放 政策 採擇(78.12)이후 平和共存 5原則에 입각한 對 ASEAN政策에 따라 兩國關係가 개선되면서 23년만에 國交과 再開(90.8.8), 關係正常化가 實現되었으며

○ 正常化 以後에는

– 최초로 「수하르토」印尼 大統領이 訪中(90.11), 兩國간 政治·經濟 協力增進, 캄보디아 問題의 政治的 解決 合意 등을 골자로 하는 共同聲明을 發表한데 이어

– 최근에는 徐敦信 外交部 副部長이 印尼를 訪問(4.18 - 19) 兩國關係 增進方案 모색과 함께 ASEAN과의 關係強化 問題를 집중 논의하는 등

33 - 4

0262

— 雙務關係는 물론 地域紛爭 解決에 있어 共同步調를 취하고 있으며

나. 泰國과는

○ 75.7.1 修交이래 政治·軍事·經濟·科學技術·文化등 諸分野에서 ASEAN國家중 비교적 緊密한 友好協力關係를 維持해 오고 있는 가운데

○ 최근에는 中國에서 李鵬總理(88.11, 90.8), 齊懷遠 外交部 副部長(4.8 - 13)이, 泰國에서는 「차티차이」首相(89.3, 9월, 90.11), 「시티」外相(90.3), 「분차나」上院 副議長(90.9), 「사라신」外相(5.13 - 15)등이 各各 相互訪問하고 雙務協力 擴大 및 域內 懸案인 캄보디아問題 解決 方案 마련을 위해 共同 努力해 오고 있는 실정임.

3. 評 價

가. 楊尙昆의 印尼·泰國 방문은 李鵬總理의 馬聯·필리핀·라오스·스리랑카등 4國巡訪(90.12.10 - 19)에 이은 對東·西南亞 關係增進을 도모하는 것으로서

나. 이번의 兩國 巡訪은

○ 「수하르토」 印尼大統領의 訪中(90.11)에 대한 答訪과 「부미볼」泰國 國王의 招請(89.3) 형식으로 이루어지는 것이나

○ 江澤民의 訪蘇 共同聲明(5.19)을 통해 中·蘇가 캄보디아事態의 조속한 해결 및 亞·太地域의 繁榮·協力을 위해 共同努力키로 합의하고

○ 캄보디아紛爭 4當事者간의 平和協商이 개최(6.2 - 4, 자카르타)된 直後라는 점에 주목되며

다. 楊尙昆 國家主席은 양국 巡訪을 통해

○ 域內情勢 安定化 차원에서 캄보디아事態의 평화적 해결을 위한 訪問國 및 ASEAN의 구체적 입장을 타진하고

○ 中國의 亞·太 經濟協力 閣僚會議(APEC) 加入 추진에 대한 協力要請과 함께 雙方關係 발전 방안을 협의하는데 注力할 것으로 보임.

33 - 6

0264

관리번호 91-3590

주 필 리 핀 대 사 관

주비정 700 - 0537 1991. 5. 22.

수 신 : 장관

참 조 : 국제기구조약국장

제 목 : 아국 유엔가입

연 : PHW-0698

주재국이 아국 유엔가입신청시 이를 지지한다는 내용의 구상서(원본)을 별첨 송부 합니다.

별 첨 : 상기 구성서 1부. 끝.

예고 : 91.12.31(일반)

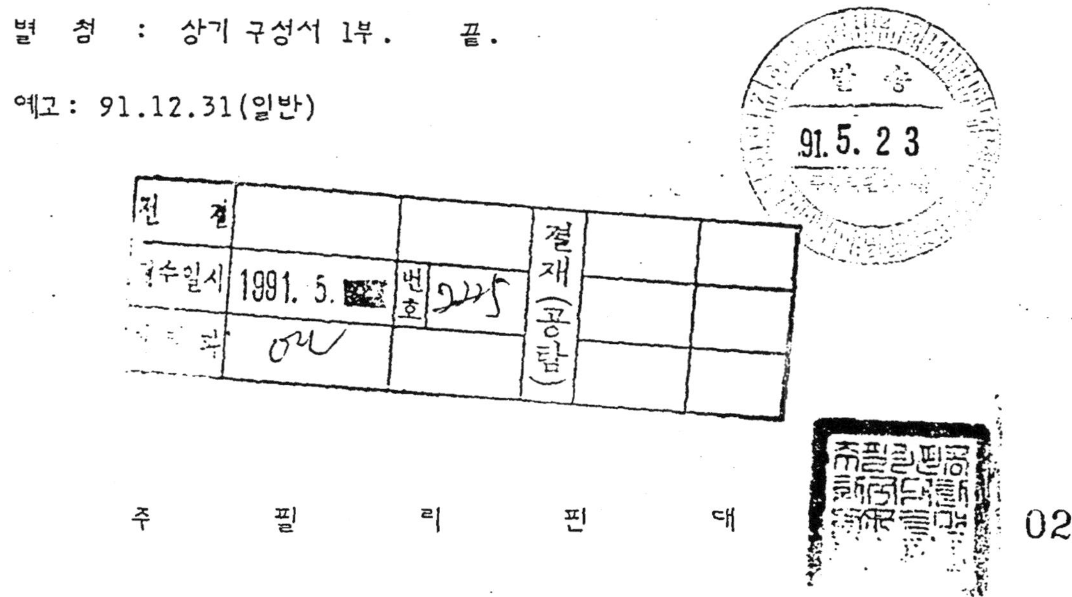

전 결			결재(공람)		
접수일시	1991. 5.	번호 2225			
처리과					

발송 91.5.23

주 필 리 핀 대 [주필리핀대사관인]

0265

관리 번호	91 -3618

원 본

외 무 부

종 별 :

번 호 : DJW-0973 일 시 : 91 0527 1500

수 신 : 장관(국연,정특반,아동)

발 신 : 주 인니 대사

제 목 : 양상곤 인니방문

대:WDJ-0533

1. 본직은 5.26. ALATAS 외상을 면담, 중국 양상곤 주석 및 전기침 외상의 주재국 방문시 인니의 아국 유엔가입 지지입장등 대호 내용을 중국측에 설명하여줄것을 요청하였음.

2. ALATAS 외상은 한국 입장을 충분히 이해하며 인니는 한국의 유엔가입에 대한 확고한 지지입장을 표명한바 있으므로 외상회담등 적절한 기회에 한국요청 사항을 중국측에 전달하겠다고 하였음.

3. ALATAS 외상은 외상회담시 거론이 예상되는 중국, 대만, 홍콩의 APEC 가입문제에 대해 한국이 의장국으로서 파악하고 있는 내용을 참고로 문의하였는바,동건에 대한 최근 진전사항을 통보하여 주시기 바람.

4. 한편, ALATAS 외상은 인천항에 억류중인 인니선박이 출항할수 있도록 아국 정부의 지원을 요청하는등 관심을 표명하였음을 첨언함.

5. ALATAS 외상은 WIRYONO 정무차관보와 함께 5.29-31 간 룩셈부르크 개최 ASEAN-EC 고위협의회 참석차 5.27. 당지 출발하여 6.1. 귀국 예정이며, 6.2-4 간 자카르타 개최 캄보디아 문제 국제회의의 공동의장직을 맡을 예정임.끝.

(대사 김재춘-장관)

예고:91.12.31. 일반 고 의거 일반문서로 재분류 검토필(1991. 6. 30.)

92.12.31.

국기국	장관	차관	1차보	2차보	아주국	정특반	청와대	안기부

PAGE 1

91.05.27 17:36

외신 2과 통제관 BA

0266

관리 번호	91-3644

분류번호	보존기간

발 신 전 보

번 호 : WTH-0863 910529 2033 DA 종별 : 지급

수 신 : 주 태국 대사. 총영사

발 신 : 장 관 (국연)

제 목 : 양상곤 태국방문

연 : WTH-0833

연호, 귀주재국 외무성에 대한 중국설득 요청을 상금 시행치 않았을 경우 일단 시행 보류바람. 끝.

예 고

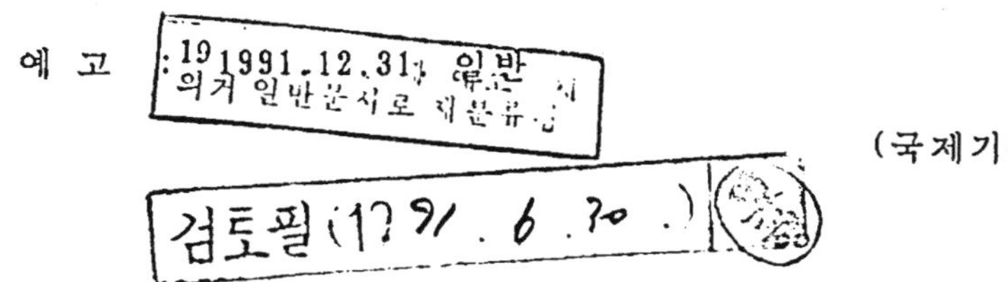

(국제기구조약국장 문동석)

보 안 통 제	

앙 고 재	91년 5월 29일	과	기안자 성 명		과 장		국 장		차 관	장 관

외신과통제

0267

관리번호 91-587

외 무 부

종 별 :

번 호 : DJW-1053 　　　　일 시 : 91 0606 1540

수 신 : 장관(아동,아이,국연,정보,기정)

발 신 : 주 인니 대사

제 목 : 양상곤 인니방문

1. 양상곤 중국 주석은 6.5-10 간 주재국을 공식방문차 6.5. 당지 도착하였음.

2. 양상곤은 도착성명을 통해 90.8. 외교관계 정상화 이후 양국관계는 괄목할 진전을 이룩하였으며 협력분야가 지속적으로 확대되고 있다고 말하고, 금번 방문이 양국간 이해 및 선린우호 관계 증진에 기여할것을 확신한다고 말하였음.

3. 양국 정상은 동일 MERDEKA 궁에서 개최된 만찬시 언급한 요지는 아래와 같음.

가. 수하르토 대통령

0 양국간 우호협력관계는 평화공존원칙에 기초하고 있으며,1955 년 양국이 인정한 반둥 10 원칙에 근거하여 관계를 발전시켜야 할것임.

0 양국간 긴밀한 관계는 아태지역은 물론 세계의 평화와 안정에 기여할 것임.

0 아세안은 정치, 경제, 사회, 문화분야에서 협력단계에 있으며 인도네시아는 동지역의 평화와 안정을 수호하기 위한 아세안의 역할을 존중하고 있음.

나. 양상곤 주석

0 모든 국제분쟁은 무력의 사용이나 위협이 아닌 평화적 방법으로 정당하게 해결되어야 함.

0 중국은 아세안 국가와 함께 신국제 정치, 경제질서 수립을 마련하기 위한 준비가 되어 있음.

0 캄보디아 문제를 해결하기 위한 인도네시아의 노력을 평가함.

4. 양상곤은 6.6. 오전 수하르토 대통령과 정상회담을 갖을 예정이며,6.8. 발리 방문후 6.10. 태국으로 향발예정이며 양국 외상회담은 6.6. 오후 개최될 예정임.끝.

(대사 김재춘-국장)

예고:91.12.31. 일반

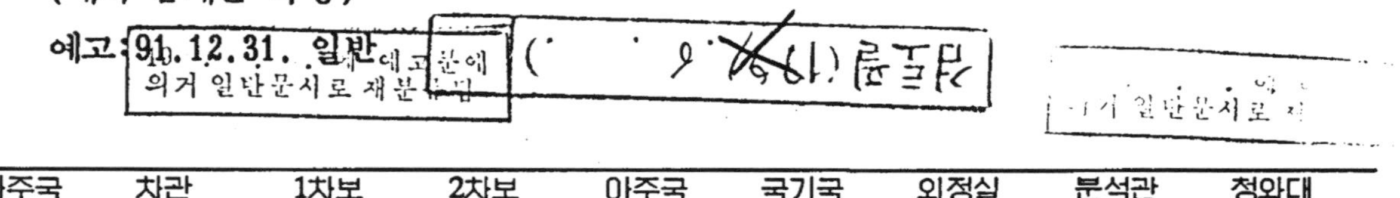

아주국	차관	1차보	2차보	아주국	국기국	외정실	분석관	청와대
안기부								

검토필 (1991.6.30.)

PAGE 1 　　　　91.06.06 20:07

외신 2과 통제관 CF

0268

정리보존문서목록					
기록물종류	일반공문서철	등록번호	2020080050	등록일자	2020-08-24
분류번호	731.12	국가코드		보존기간	영구
명 칭	남북한 유엔가입, 1991.9.17. 전41권				
생 산 과	국제연합1과	생산년도	1990~1991	담당그룹	
권 차 명	V.14 한국의 유엔가입 지지교섭 : 유엔.미수교국				
내용목차	1. 안전보장이사회 이사국 - 4월 안보리 이사국 중 7개국 앞 장관친서 발송 (오스트리아, 인도, 예멘, 자이르, 코트디부아르 루마니아, 소련) - 5월 의장국인 중국과 협의 안보리 권고안 추진문제 검토(취소) - 안보리 차원의 논의 및 지지확산 방안 모색 * 안보리 의장국: 2월-짐바브웨, 4월-벨기에, 5월-중국 2. 유엔사무국 - 유엔사무총장, 안보리담당 사무차장 면담 등 3. 미수교국 - 미수교국 대상 유엔대표부 차원의 지지교섭 지시				

0001

1. 안전보장이사회

0002

관리번호 91-328

원 본

외 무 부

종 별 : 지 급

번 호 : UNW-0292 일 시 : 91 0208 1620

수 신 : 장관(국연,기정)

발 신 : 주 유엔 대사

제 목 : 유엔가입문제 (안보리대책)

연:UNW-0227,0245

1. 연호 안보리내 아국가입 분위기 조성대책의 일환으로 하다노 주유엔 일본대사가 본직 환송을위해 91.2.11.(월) 오찬을 주최예정인바, 동오찬에는 6 개 안보리 이사국(소련、영국、벨지움、예멘、루마니아、쿠바) 및 기타 10 개국(인니、사우디、요르단、쿠웨이트、이란등)이 참석예정이라고함.

2. 또한 본직은 2.20 및 2.21 만찬을 주최 예정인바, 금일 현재 안보리 이사국중 미국, 에쿠아돌, 소련등이 참석의사를 통보해옴.

3. 상기 참가 예정국등을 감안, 특별히 참고가 될사항이 있을경우 회시바람.(한.쿠바 양자관계 현황등). 끝

(대사 현홍주-국장)

예고:91.12.31. 일반

검 토 필(1991. 6. 30.)

o Yemen . Romania, Cuba, Ecuador

국기국 장관 차관 청와대 안기부

PAGE 1

91.02.09 07:28

외신 2과 통제관 BT

0003

관리번호	91-327

원 본

외 무 부

종 별 :

번 호 : UNW-0299 일 시 : 91 0208 1730

수 신 : 장관(국연,아프일,기정)

발 신 : 주 유엔 대사

제 목 : 안보리 의장면담

본직은 2.11.(월) 10:30 안보리 금월 의장인 ZIMBABWE 대사를 안보리 의장실에서 면담, 하기사항을 중심으로 협의 예정인바 관련지시 또는 참고사항(양국 관계개선 추진상황등) 있으면 회시바람.

1. 아국 유엔가입 입장및 금년도 가입추진정책 개요 설명협조 요청
2. 걸프사태관련 비동맹 아프리카 전선국가입장
3. 남아공의 인종차별 철폐추진 및 경제제재 조치 해제검토관련 주변국 동향
4. 아국과의 수교 가능성 타진.끝

(대사 현홍주-국장)

예고:91.12.31 일반

검 토 필(1991.6.30.)

국기국 장관 차관 중아국 안기부

PAGE 1

91.02.09 09:21

외신 2과 통제관 FE

0003-1

관리 번호	91-329

	분류번호	보존기간

발 신 전 보

번 호 : WUN-0262 910209 1618 AO 종별 :

수 신 : 주 유엔 대사 . 총영사

발 신 : 장 관 (국연)

제 목 : 유엔가입문제 (안보리대책)

대 : UNW-0292

안보리 비상임이사국 접촉관련, 쿠바, 에쿠아돌, 루마니아와 아국과의 관계등 하기사항 참고바람.

1. 한.쿠바 관계

가. 현 황

○ 1960.8.29. 쿠바-북한간 수교이래 한-쿠바 양국관계는 전무함. (통상교류실적도 없음)

나. 향후전망 및 대책

○ 소련의 대쿠바 원조감소 및 동구권과의 무역 부진으로, 쿠바는 심각한 경제적 어려움을 겪고 있으나 아직 카스트로의 민중 지지기반이 확고하여 동구개혁과 같은 변화를 기대하기 어려운 것으로 평가되고 있음.

/계속..

미주국장: 구주국장: 국제경제국장:

보안 통제	

앙 고 재	91년 2월 9일	UN과	기안자 성명		과 장		국 장		차 관	장 관
							전결			

외신과통제

0004

o 앞으로 쿠바와 관계개선은 쿠바의 국내상황이 변화하고 미국 및 중남미 우방국가의 대쿠바 관계등에 실질적인 변화가 있을 때까지 직접적 수교 노력보다는 비정치적 분야의 교류를 적극 추진함으로써 향후 수교를 위한 착실한 기반조성에 주력할 예정임.

2. 한.에쿠아돌 관계

가. 북한과의 수교문제

o 북한은 에쿠아돌과의 수교를 위해 89년이래 에쿠아돌 국회. 행정부에 대한 접근을 강화, Borja 대통령, 국회의장, 외무장.차관, 국회의원 등 주요인사에 대한 방북 초청중이며, 전 외무위원장 등 다수 국회의원이 방북

o 북한은 외교관계 수립이 어려울 경우 에쿠아돌산 원유, 바나나 수입을 내세워 통상대표부 설치를 희망하고 있으나, 외무성등 행정부측은 이에 대해 아국과의 관계를 고려하고 북한의 경제적 능력과 진의를 불신, 신중을 기하고 있으며, 당분간 북한의 요구를 받아들일 가능성 희박

나. 경제협력기금(EDCF) 지원검토

o 에쿠아돌측에서 Azuay 판유리공장건설($750만규모)에 아국이 EDCF 자금 공여희망

o 관계부처 회의에서 타당성 미흡 결론, 현재 추진 보류 상태임.

다. 기타현안

o 혼성위 개최 : 에쿠아돌측은 90년도 하반기 개최 제의
아측은 91년 하반기 개최 검토중

o 협정체결 : 양국간 투자보장협정, 해운2중관세방지협정
체결 협의중

0005

3. 한.루마니아 관계

가. 한.루마니아 협정 체결 현황

o 90.8. 최호중 외무장관 루마니아 방문시 무역협정, 경제과학 기술협력협정, 투자보장협정 서명

o 91.1. 문화협정 가서명

- 91.5. A. Nastase 루마니아 외무장관 방한, 서명토록 추진중 (방한여부 상금 미정)

나. 무상원조 제공 실적

o 아국, 차우세스쿠 정권 붕괴에 따른 유혈사태 희생자 구호를 위해, 인도적 견지에서 대한적십자사 경유, 89년 12월 현금 12만불과 90년 2월 10만불 규모의 의약품 및 의료기기를 루마니아측에 전달

4. 안보리 비상임이사국에 대한 91년도 무상원조, 증액 배정 (괄호속은 90년도 무상원조액)

- 에쿠아돌 : 17만불 (13.5만불)
- 예 멘 : 15만불 (9.7만불)
- 루마니아 : 15만불 (8만불)
- 코트디봐르: 18만불 (14만불)
- 자 이 르 : 20만불 (18만불)

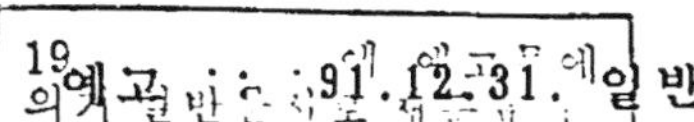

검 토 필(1991.6.30.)

(국제기구조약국장 문동석)

0006

관리 번호	91 -332

	분류번호	보존기간

발 신 전 보

번 호 : WUN-0273 910211 1719 DP 종별 : 지급

수 신 : 주 유엔 대사.총영사

발 신 : 장 관 (국연)

제 목 : 안보리의장 면담

대 : UNW-0299

연 : WUN-0260

대호, 짐바브웨대사 면담시 귀직판단에 따라 동인을 방한초청함이 바람직할 경우 방한초청의사 전달바람. 끝.

19 예고 : 91.12.31. 일반

의거 일반문서로 재분류됨

검 토 필(1991. 6. 30)

(차 관 유종하)

보 안 통 제	

앙 고 재	91 년 2 월 11 일	국연 과	기안자 성 명		과 장		국 장	1차관보	차 관	장 관
									전결	

외신과통제

0007

원 본

관리번호	91-341

외 무 부

종 별 :

번 호 : UNW-0315　　　　일 시 : 91 0211 1830

수 신 : 장관(국연,동부아,기정)

발 신 : 주 유엔 대사

제 목 : 안보리 의장면담

연:UNW-0299

1. 금 2.11 본직은 2 월 안보리 의장인 MUMBENGEGWI 짐바브웨 대사와 안보리 의장실에서 면담, 아국의 유엔가입 문제, 남아공의 인종차별 문제및 걸프사태동향등에 관하여 협의하였는바, 그요지를 아래보고함.

(짐바브웨 대표부 CHAVUNDUKA 1 등 서기관 및 권참사관 배석)

2. 유엔가입문제

0. 본직은 남. 북한 동시가입을 원하는 아국의입장, 다수 회원국의 아국입장 지지사실, 북한의 단일의석 가입안에 대해 어떠한 나라도 지지를 표명한바 없다는 사실, 그간 아측의 각종 남북대화 채널을 통한 대북한 설득 노력등 아국입장을 소상히 설명함.

0. 본직은 이어 제 4 차 남북총리회담시까지 남. 북한간 동시가입 합의가 북한의 고집으로 이루어지지 않을경우에는, 비록 현재로서는 구체적 신청시기나 방법을 결정한것은 아니라, 아국이 가입문제를 년내에 안보리에 정식 제기할수 밖에 없을것이라고 말하고, 아국의 선가입 신청시에도 동신청은 북한의 추후가입을 방해하는 입장이 아니라 오히려 지원한다는 방침아래 북한의 추후 가입신청을기대하는 가운데 이루어지는 것임을 분명히 하였음.

0. 본직이 이러한 아국입장에 대해 안보리 회원국으로서 동 짐바브웨 대사의 이해를 촉구한다고 하자 동인은 본직의 설명에 사의를 표하고 짐바브웨로서는남. 북한이 고위급회담을 통하여 구체적인 합의를 이루어 나가기를 희망한다고대답하였음.

3. 외교관계 수립문제

본직은 이어 최근 아국이 잠비아, 말리, 토고, 베넹, 콩고등 다수의 아프리카 국가와 수교한 사실을 예거하면서 짐바브웨와도 수교를 통하여 호혜적 실질관계를

국기국　장관　차관　1차보　2차보　정문국　청와대　안기부

91.02.12　09:31

외신 2과　통제관 BW

0008

증대할 것을 희망한다고 말하고, 이러한 맥락에서 동대사의 방한을 (개인자격의 방한도) 환영한다고 말한바 동인은 양자관계 개선문제에 관하여 구체적인 언급없이 다만 남, 북한이 대화를 통하여 구체적인 성과를 쌓아간다면 이는 다른모든 문제의 해결도 촉진할 것이라고 대답하였음.

4. 본직은 인종차별관련 법규의 철폐등 남아공내 최근 사태와 관련 국제사회의 대남아공 제재조치의 해제조치, 아국이 취할 조치등에 관하여 동대사의 견해를 문의함. 동인은 남아공내 인종차별 문제의 핵심은 인종차별관련 법규의 철폐가 아니라 다수에 의한 통치의 실현이라고 말하고, 흑, 백인의 동등한 권리를 규정한 헌법을 제정하는것이 가장 절실한 사항이라고함. 인종차별 법규도 철폐된것은 아니고 철폐 약속인만큼 국제사회에 의한 대남아공 제재조치가 해제되기는 시기상조이며, 남아공내 인종차별 문제가 해결되기는 아직 요원한 상태라고 하였음.

5. 걸프사태와 관련 동대사는 이락이 쿠웨이트로 부터 철수하는것이 사태 해결의 기본이나, 현재까지 이락은 전혀 철수할 기미를 보이지 않고 있어 사태가어떤 상황으로 해결될지 전망하기 어려운 상황이라고 말하였음. 끝

(대사 현홍주-국장)

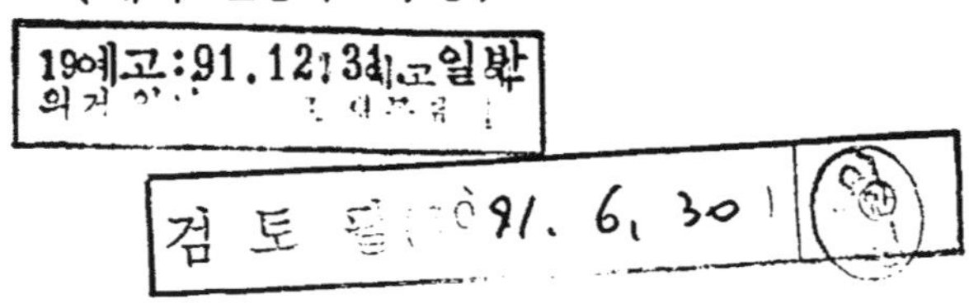

PAGE 2

0009

공　　　　란

공 란

공 란

공 란

공 란

공 

공 란

관리 번호	91 -596

	분류번호	보존기간

발 신 전 보

번 호 : WBB-0082 910304 1402 FD 종별 : 지급

수 신 : 주 벨기에 대사. /총영사/

발 신 : 장 관 (국연)

제 목 : 1차보 방문

1. 이정빈 제1차관보는 걸프전이후 전후문제 협의 및 걸프사태 재정지원 공여국 조정위원회 제 5차 회의에 참석키 위해 워싱턴(3.6-9) 및 룩셈부르크 (3.10-11)를 방문할 예정인 바, 동 기회에 귀지를 방문 Eric Suy 고문을 면담, 우리의 유엔가입 문제에 관한 의견을 교환코자 하는 바, 동 고문과의 3.12(화) 오전중 면담 또는 동일 오찬을 주선하고 결과 보고바람. (일정상 외무성 간부접촉은 어려울것으로 보임을 참고바람)

2. 상세한 귀지도착 및 출발예정 추후 통보예정인 바, 일단 3.11(월) 1박 호텔 싱글 2 예약바람. 끝.

(국연)

예 고 : 91.12.31. 일반

19 에 예고문에 의거 일반문서로 재분류됨

검토필(1991.6.30) 인

보 안 통 제	

앙 고 재	91년 3월 4일	유엔과	기안자 성 명		과 장		국 장	1차보	차 관	장 관
			김성진							

외신과통제

0017

원 본

관리 번호 91-500

외 무 부

종 별 :

번 호 : BBW-0158 일 시 : 91 0304 1730

수 신 : 장 관(국연)

발 신 : 주 벨기에 대사

제 목 : 제1차관보 방문

대:WBB-0082

대호, ERIC SUY 고문은 3.12.(화) 오찬에 초청하기로 조치 하였음. 끝.

(대사 정우영-국장)

19 예고:91.12.31. 일반
에 의거 일반문서로 재분류

◎ F. Roelants : General Secretary (사무총장)
(행정. 인사 관계전담)

◎ 정무 총국장 (정무관계 총책임자)

※ 차관보님 지시
(3.5 : 13:20)
→ 3.12(화) 오찬을
차관(?) 또는 정무
총국장 면담주선要.

검토필(1991. 6.30.) 인

국기국

PAGE 1

91.03.05 03:21
외신 2과 통제관 CW

0018

관리 번호	91 -607

	분류번호	보존기간

발 신 전 보

번 호 : WBB-0092 910305 1537 DP 종별 : 지 급

수 신 : 주 벨기에 대사. 총영사

발 신 : 장 관 (국연)

제 목 : 1차보 방문

대 : BBW-0158

연 : WBB-0082

이정빈 제1차관보는 연호 귀지 방문기간중, 귀주재국이 안보리 비상임 이사국인 점을 감안, 대호 Eric Suy 고문과의 오찬과는 별도로 외무성측과도 의견교환코자 하는 바, 3.12(화) 오전중 외무성 정무총국장과의 면담 주선하고 결과 보고바람. 끝.

예고 : 91.12.31. 일반
의거 일반문서로 재분류

(장 관)

검토필(1991.6.30)

보안 통제	

앙고재	91년 3월 5일	유엔과	기안자 성명		과 장		국 장	1차보	차 관	장 관
			김성진							

외신과통제

0019

航空 日程

日字	時間	出發. 到着	航空便	飛行 時間	時差
3.5(火)	15:00	서울 出發	KE-018	10時間	-17時間
	08:00	LA 到着			
	13:10	LA 出發	UA-54	4時間 31分	+ 3時間
	20:41	D.C. 到着 (Dulles)			
3.9(土)	17:30	D.C. 出發 (Dulles)	PA-140	7時間 30分	+ 6時間
3.10(日)	07:00	파리 到着			
	09:10	파리 出發	LG-1202	1時間	0
	10:10	룩셈부르크 到着			
3.11(月)		룩셈부르크 出發	車輛便	2時間 30分	0
		~~룩셈부르크 到着~~ 브랏셀 도착.			
3.12(火)		~~룩셈부르크~~ 出發 (브랏셀)	OK (Eric Suy)		- 1時間
		런던 到着			
	19:30	런던 出發 (Gatwick)	KE-908	13時間10分	+ 9時間
3.13(水)	17:40	서울 到着			

0020

航空 日程 (이 정빈 차관보)

日 字	時 間	出發. 到着	航 空 便	飛行 時間	時 差
3.5 (火)	15:00	서울 出發	KE-018	10時間	-17時間
	08:00	LA 到着			
	13:30	LA 出發	AA-36	4時間 46分	+ 3時間
	21:16	D.C. 到着 (Dulles)			
3.9 (土)	17:50	D.C. 出發	LH-419	8時間	+ 6時間
3.10(日)	07:50	프랑크푸르트 到着			
	09:05	브랏셀 向發	LH-1714	1時間	0
	10:05	브랏셀 到着			
3.11(月)	午 前	룩셈부르크 到着	車輛便	2時間 30分	0
	午 後	룩셈부르크 出發	車輛便	2時間 30分	0
	午 後	브랏셀 到着			
3.12(火)	17:00	브랏셀 出發	AE-131	1時間	- 1時間
	17:00	런던 到着 (Gatwick)			
	19:30	런던 出發 (Gatwick)	KE-908	13時間10分	+ 9時間
3.13(水)	17:40	서울 到着			

0021

관리 번호	91 -627

원 본

외 무 부

종 별 : 지 급

번 호 : BBW-0161

일 시 : 91 0305 1730

수 신 : 장 관(국연)

발 신 : 주 벨기에 대사

제 목 : 제1차관보 방문

대:WBB-0092

1. 대호, BEYENS 신임 외무부 정무총국장은 3.12-13 간 EC 정무총국장 회의 참석차 룩셈부르크 출장 예정이므로 3.12(화) 오전중, 면담은 불가능하다 함.

2. 따라서, 3.11.(월) 오전 아국대표단의 룩셈부르크 향발전 면담 가능성을 타진코자 하는 바, 지침 회시바람. 끝.

(대사 정우영-국장)

19 . 예고:91.12.31. 일반

검토필(1991.6.30.)

3.11 (月) Luxemburg 会談.
3.11. 오후 開催만 確認.
時間은 未確認.

국기국

PAGE 1

91.03.07 02:01

외신 2과 통제관 CF

0022

공 란

공 란

관리 번호	91-842

분류번호	보존기간

발 신 전 보

번 호 : WUN-0563 910319 1609 CT 종별 :

수 신 : 주 유엔 대사. 총영사

발 신 : 장 관 (국연)

제 목 : 유엔가입문제 (안보리 및 회원국 대책)

대 : UNW-0580

대호 "다"항 안보리 대책관련, 월별 비동맹 Caucas 간사국 및 유엔지역 그룹의장국 명단 파악 보고바람. 끝.

19 예고 1991. 12. 31. 일반

(국제기구조약국장 문동석)

검토필(1991. 6. 30.)

보안 통제	

앙 고 재	91년 3월 19일	유엔과	기안자 성명		과 장		국 장		차 관	장 관

외신과통제

0025

관리번호	91-860

원 본

외 무 부

종 별 :

번 호 : UNW-0622 일 시 : 91 0319 2030

수 신 : 장관(국연)

발 신 : 주 유엔 대사

제 목 : 유엔가입문제(안보리 및 회원국대책)

대:WUN-0563

연:UNW-0580

대호 명단을 아래보고함.

1. 안보리 월별 비동맹 CAUCUS 간사국

가. 원칙:7 개 CAUCUS 국(COTE D'IVOIRE, CUBA, ECUADOR, INDIA, YEMEN, ZAIRE, ZIMBABWE) 이 알파벳 순서로 간사직 수행

나.3 월의장국:예멘

다. 비고:대체로 상기 순서대로 간사직이 교체되나 특별한 사유가 있는경우상호 협의조정 가능

2. 유엔지역 그룹의장국

가. 원칙

-5 개 지역그룹별로 각각 알파벳 순서에 의해 의장직을 교대하되 실제로는 금월 의장국이 임기만료전 익월 의장 예정국(의장직 사양시 그 다음 예정국)을 접촉, 의장직 수행 의사를 확인후 그 결과를 사무국에 통보하게됨.

-그간의 관행에 비추어 볼때 군소국 내지 소규모 공관 유지국들의 경우 및 여타국의 경우에도 특수한 사정을 이유로 의장직을 사양하는 경우가 종종 있게 되므로 상기 알파벳 순서에 의한 명단이 지켜지지 않는 경우가 많음.

나.3 월 의장국

-아프리카 그룹:짐바브웨

-아시아 그룹:방글라데쉬

-동구 그룹:불가리아

-중남미 그룹:쿠바

국기국

91.03.20 11:38

외신 2과 통제관 BW

-서구및 기타: 희랍

다.91 년중 의장 예상국 순서(4 월부터: "UN HANDBOOK 1990" 참조)

-아프리카: 알제리, 앙골라, 베냉, 보츠와나, 부르키나파소, 브룬디, 카메룬, 깝베르데, 중앙아

-아시아: 부탄, 브르나이, 중국, 사이프러스, 피지, 인도, 인니, 이란, 이락

-동구:백러시아, 체코, 헝가리, 폴랜드, 루마니아, 우크라이나, 소련, 알바니아

-중남미:도미니카, 도미니카(공), 에쿠아돌, 엘살바돌, 그레나다, 과테말라, 가이아나, 하이티, 혼두라스

-서구및 기타: 아이슬랜드, 아일랜드, 이태리, 룩셈브르크, 몰타, 화란, 뉴질랜드, 노르웨이, 폴투갈. 끝

(대사 노창희-국장)

예고:91.12.31 일반

검토필(1991.6.30)

PAGE 2

0027

관리번호	91-954

외 무 부

종 별 :

번 호 : BBW-0218 일 시 : 91 0326 1800

수 신 : 장관(구일,국연)

발 신 : 주 벨기에 대사

제 목 : 정무총국장 면담

대:WBB-0118

1. 금 3.26. 오전 본직은 주재국 외무부 신임 BEYENS 정무총국장(91.2. 주체코대사에서 귀임)을 면담하는 기회를 이용, 벨기에 외무장관의 방한 관련사항을 협의하였는바, 동인은 대호 본부에서 고려중인 방한 일정에 대해서 만족을 표시하였으며, 수행원 명단 및 외무장관 회담시 희망 의제등을 가까운 시일내 내부회의를 통해 확정되는대로 당관에 통보해 주겠다고 함.

2. 동 국장은 아국의 유엔가입 문제와 관련, 주재국의 적극적인 지지 입장을 재확인하면서 특히 오는 4 월 주재국의 안보리 의장직 수행기간중 벨기에측이특별히 협조할일이 있으면 알려줄것을 요청한바, 참고바람. 끝.

(대사 정우영-국장)

예고:91.12.31 일반

검토필(1991. 6.30)

구주국	장관	차관	1차보	2차보	국기국

PAGE 1

91.03.27 06:14

외신 2과 통제관 CH

0028

원 본

관리 번호	91 -775

외 무 부

종 별 :

번 호 : UNW-0698 일 시 : 91 0326 2000

수 신 : 장관(국연,서구일,기정)

발 신 : 주 유엔 대사

제 목 : 주유엔 벨지움대사 예방 (PART 1)

대:WUN-0556,0514

연:UNW-0604,0668

1. 본직은 금 3.26(화) 오후 NOTERDAEME 주유엔 벨지움 대사를 부임인사차 예방, 아국의 유엔가입문제에 관해 협의한바, 동 요지 아래 보고함.

가. 본직이 먼저 아국가입문제에 대한 벨지움측의 지원에 사의를 표하고 년내 유엔가입에 대한 아국의 확고한 의지및 추진계획(각국 수도를 통한교섭개시, 4월말이후 특사 파견및 3 월말내지 4 월초 안보리 문서배포 계획등) 을 설명한후, 벨지움이 계속 협조해 줄것을 당부함.

나. 동 대사는 안보리 이사국으로서 아국가입에 지원을 아끼지 않겠다고 전제하고, 특히 4 월중 안보리 의장직을 맡게되어있는 만큼 혹시 한국측이 벨지움측의 협조를 필요로하는 사항이 있으면 가능한 지원하겠다고함.

다. 본직이 대호와관련, 아국이 년내 가입방침을 대외적으로 분명히 밝힌 연후에 가입 신청서 제출 이전에 안보리의 분위기를 확인해 볼 필요성 및 중국(5 월)과 쿠바(7 월)가 곧 안보리 의장직을 맡게되어 있는 시기적 측면등을 감안하여, 아국의 우방인 벨지움이 의장직을 수행하는 기간중 안보리 이사국의 태도를 파악해 보고저하는 생각이 있는반면, 그러한 구상의 실효성 내지 부작용등을 지적하는 의견도 있어, 아직 구체화된 것은 아니라고 설명함. 이어 본직은 벨지움대사가 의장자격으로 비공식적으로 안보리 이사국들의 의향을 자연스럽게 타진하는데 대하여 의견을 구하였음.

라. 이에대해 벨지움대사는 아래와같이 말함.

첫째, 한국이 현재 유엔가입 신청서를 제출하지 않은 상황이므로 안보리 의장으로서 비공식적인 의사타진을 하는 경우에도 한국정부의 구체적인 요청이 있어야

국기국 장관 차관 1차보 2차보 구주국 청와대 안기부

PAGE 1

91.03.27 10:43

외신 2과 통제관 BW

0029

하겠음.

둘째, 안보리의 실제운용에 있어 공식협의와 비공식협의간에 실질적으로 차이가 별로없음. 이는 예컨데 중국대사의 입장에서도 마찬가지임.

세째 , 안보리 의장자격으로서 관계국과 비공식협의시 통상 15 개 이사국 전체를 대상으로하며, 상임이사국에 한정하는등 특정국가만을 대상으로 하는것은곤란함.

네째, 쿠바. 예멘, 짐바브웨등의 한국가입문제에 대한 태도가 상금 불확실하다면, 경우에따라서 이러한 나라들에 대한 의사타진이 COUNTER-PRODUCTIVE 내지 PREMATURE 할수도 있겠음. 동 대사는 한국측에서 상기와같은 측면을 충분히 검토해서 결정하여 알려달라고 하면서, 동인으로서는 한국측이 원하는 방향에따라 가능한 협조를 다할 용의가 있다고 언급함.

마. 본직이 아국가입에 대한 국제적인 지지 분위기 고양을 위한 벨지움의 지원 중요성을 강조한후, 벨지움외상이 금년중 방한시에도 적극지원을 당부한데 대해, 동 대사는 동 외상이 가능한한 조기에 방한할수 있도록 본부에 건의하겠다고 말함.

바. 동 대사는 끝으로 박쌍용 전대사에게 각별한 안부를 전달해 줄것을 요망함.

// 이하 PART 2 (UNW-0699) 로 계속 //

관리 번호 91 -976

원 본

외 무 부

종 별 :

번 호 : UNW-0699 일 시 : 91 0326 2000

수 신 : 장관(국연,서구일,기정)

발 신 : 주 유엔 대사

제 목 : 주유엔 벨지움대사 예방.(UNW-0698 의 계속분)

바. 동 대사는 끝으로 박쌍용 전대사에게 각별한 안부를 전달해줄것을 요망함.2. 한편, 금 3.26 당관 서참사관이 윤참사관과 함께 벨지움 대표부 COOLS 참사관 초청오찬 참석시 동 참사관도 상기 대사와 비슷한 견해를 피력하였음.

3. 대호관련, 본직이 그간 미국, 일본, 벨지움 대사와 면담한 내용 및 그간당대표부 실무차원에서 미국등 우방국 대표부 실무자들과의 비공식협의 결과에비추어 볼때 동 구상을 추진하는것은 적절하지 않은 것으로 사료됨. 끝

(대사 노창희-차관)

예고:91.12.31. 일반

19 에 의거 일반문서로 재분류됨

검토필(1991.6.30.)

국기국	장관	차관	1차보	2차보	구주국	청와대	안기부

PAGE 1 91.03.27 10:45

외신 2과 통제관 BW

0031

대책안

관리 번호	91-1001

	분류번호	보존기간

발 신 전 보

번 호 : WBB-0127 910328 1547 FL 종별 :

수 신 : 주 벨기에 대사. 총영사

발 신 : 장 관 (국연)

제 목 : 유엔가입대책

연 : WBB-125, 126

대 : BBW-0218

대호관련 귀주재국 외무성 접촉시 연호 참조 대처바라며, 귀지 및 유엔등지에서의 중국인사접촉계기에 우리의 가입문제에 관한 벨기에 및 EC 의 각별한 관심을 전달하고 중국의 전향적 자세를 촉구토록 요청바람. 끝.

19 예고: 91.12.31. 일반
의거 일반문서로 재분류됨

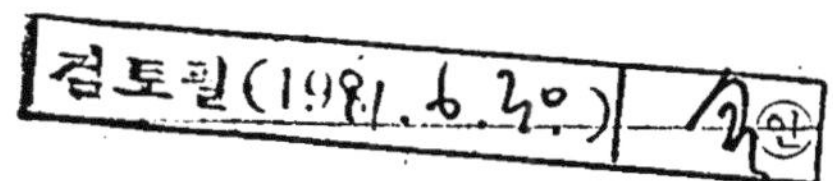

(국제기구조약국장 문동석)

보안 통제	

앙 고 재	91년 3월 28일	유엔과	기안자 성명		과 장		국 장	차 관	장 관
							전결		

외신과통제

0032

기안용지

분류기호 문서번호	국연 2031 -	(전화:)	시행상 특별취급	
보존기간	영구·준영구. 10. 5. 3. 1	차관	장관	
수신처 보존기간				
시행일자	1991. 4. 1.			

보조기관	국장		협조기관	제 1차관보	문서통제
	과장			중동아국장	
				구주국장	
기안책임자	황준국			아주국장	발송인

경유 수신 참조	내부결재	발신명의		
제목	유엔가입문제 장관친서(안)			

유엔가입추진 관련 아국정부 입장을 밝히는

메모랜덤을 안보리문서로 배포하는 것과 병행하여 거의 같은

시기에 안보리이사국중에서 오지리, 인도, 예멘, 자이르,

코트디봐르, 루마니아, 소련등 7개국에 대하여서는 동 아국

입장을 상세히 설명하고 적극적인 지원을 당부하는 장관님

명의 친서를 발송하고자 하는 바, 동 친서안을 별첨하오니

재가하여 주시기 바랍니다.

0033

/계속...

(안보리이사국 15개국중에서 미, 영, 불, 벨지움등 4개 핵심 우방국과 중국, 쿠바, 짐바브웨등 3개 미수교국 및 이미 실무 교섭단이 파견된 에쿠아돌은 동 친서 발송대상국에서 제외)

첨 부 : 1. 오지리외상앞 친서(안)

- BOX친부분은 이하 6개국앞 친서에서 내용이 바뀌는 곳임.

2. 인도외상대리앞 친서(안)

3. 예멘외상앞 친서(안)

4. 자이르외상앞 친서(안)

5. 코트디봐르외상앞 친서(안)

6. 루마니아외상앞 친서(안)

7. 소련외상앞 친서(안)

예 고 : 91.12.31. 일반

검토필(1991. 6. 30)

0034

1. 오지리외상앞 장관친서(안)

Excellency,

I wish to extend my warmest personal greetings to Your Excellency and also to pay a high tribute for the constructive role that the Republic of Austria is playing under your outstanding leadership in the international community.

It is my great pleasure to note that the relations between our two countries have been continuously strengthened as both benefit from our prosperous bilateral exchanges in various fields. Among other things, it has been very encouraging to us that Austria is firmly behind our endeavor to become a Member of the United Nations. I would like to express my deep gratitude to your Government for the declared position in support of Korea's UN membership as clearly stated in your key-note speech at the UN General Assembly in 1989.

In this connection, I have the honour to inform you that my Government has decided to seek UN membership during the course of this year. I am sure that Your Excellency can share my view that the Republic of Korea, as a peace-loving state willing and able to carry out all obligations set forth in the UN Charter, is fully qualified for membership in the United Nations. As a country which maintains almost universal diplomatic relations and as the world's twelfth largest trading nation, it is ready to make its due contribution to the work of the United Nations as a full Member and in a manner commensurate with its standing in the international community.

4-1

0035

The principle of universality cherished by the United Nations requires the admission of all eligible sovereign states that wish to join the United Nations. This principle gains more relevance than ever as the United Nations assumes an increasingly vital role in the post-Cold War era. The unprecedented changes taking place in the international political environment, featuring a new spirit of reconciliation and cooperation, call for the resolution of Korea's membership question at long last.

As was eloquently manifested last year during the general debate of the 45th session of the General Assembly, it has become the sense of the international community that the admission of the Republic of Korea to United Nations membership should be realized without further delay.

In seeking United Nations membership, as you may be well aware, we earnestly hope that the Democratic People's Republic of Korea(DPRK) will also join the United Nations, either together with my country, or at the time they deem appropriate. We would always welcome DPRK's UN membership.

Furthermore, we hold the view that the parallel membership of both Koreas in the United Nations is entirely without prejudice to the ultimate objective of Korea's reunification. Parallel membership should constitute a powerful confidence building measure insofar as it will represent a firm commitment of both Koreas to the provisions and principles of the United Nations Charter.

The unification of East and West Germany and of North and South Yemen, each of which had maintained separate membership in the United Nations, validates this view and disproves the DPRK's contention that United Nations membership might serve to perpetuate or legitimize Korea's national division, thus hindering efforts for Korea's reunification.

It is a matter of fact that the international community has long recognized the existence of South and North Korea on the Korean Peninsula. In reality, the Republic of Korea and the DPRK maintain concurrent diplomatic relations with ninety countries. Each also has separate membership in most inter-governmental organizations, including specialized agencies of the United Nations. Thus, the separate UN membership of both Koreas will be a logical corollary of the international political reality.

In the sincere belief that United Nations membership will enhance peace and security on the Korean Peninsula, we have made every effort in good faith to join the United Nations together with the DPRK during the course of the last year.

Despite these efforts, however, the DPRK has adhered to the 'single-seat membership' formula which is not only unworkable but runs counter to the provisions of the United Nations Charter and the practices followed by the United Nations and its specialized agencies. The lack of support from the United Nations Member States with respect to this formula during the general debate last year reflects their disapproval of the North Korean formula.

My Government remains hopeful of realizing membership of both Koreas during the course of this year. However, if the DPRK continues to oppose this option and for any reason chooses not to join the United Nations, the Republic of Korea, exercising its sovereign right, will take the necessary steps toward its membership before the opening of the 46th session of the General Assembly.

I firmly believe, with your country's international stature in mind, that your continuing support will be invaluable to the realization of our entry into the United Nations. It would be all the more appropriate because Austria is currently a member of the Security Council.

With my best wishes for your good health and the everlasting prosperity of the Republic of Austria, I avail myself of this opportunity to renew to Your Excellency the assurances of my highest consideration.

Yours sincerely,

LEE Sang-Ock

H.E. Dr. Alois Mock
Federal Minister for Foreign Affairs
Republic of Austria

4-4

0038

2. 인도외상대리 앞 장관친서(안)

I wish to extend my warmest personal greetings to Your Excellency and also to pay a high tribute for your leadership which enabled the Republic of India to continue to take a leading role in the international community.

It is my great pleasure to note that the relations between our two countries have been continuously strengthened as both benefit from our prosperous bilateral exchanges in various fields. Among other things, it has been very encouraging to us that India is firmly behind our endeavor to become a Member of the United Nations. I would like to express my deep gratitude to your Government for the declared position in support of Korea's UN membership.

공통부분

I firmly believe, with your great country's international stature in mind, that your continuing support will be invaluable to the realization of our entry into the United Nations. It would be all the more appropriate because India is currently a member of the Security Council.

With my best wishes for your good health and the everlasting prosperity of the Republic of India, I avail myself of this opportunity to renew to Your Excellency the assurances of my highest consideration.

Yours sincerely,

LEE Sang-Ock

H.E. Mr. Digvijay Singh
Acting Minister for External Affairs
Republic of India

0039

3. 예멘외상 앞 장관친서(안)

I wish to extend my warmest personal greetings to Your Excellency and also to pay a high tribute for the constructive role that the Republic of Yemen is playing under your leadership in the international community.

It is my great pleasure to note that the relations between our two countries have been continuously strengthened as both benefit from our prosperous bilateral exchanges in various fields. Among other things, we were very impressed and encouraged by your admirable success in unifying the country in a peaceful manner. Yemen's active participation in the work of the United Nations before as well as after the unification has also set a good example to us.

공통부분

I firmly believe, with your country's successful unification preceded by separate UN membership in mind, that your full support for our position will make a decisive contribution to the realization of our entry into the United Nations. It would be all the more important because Yemen is currently a member of the Security Council.

With my best wishes for your good health and the everlasting prosperity of the Republic of Yemen, I avail myself of this opportunity to renew to Your Excellency the assurances of my highest consideration.

Yours sincerely,

LEE Sang-Ock

H.E. Dr. Abdul Karim Al-Iriani
Minister of Foreign Affairs
Republic of Yemen

0040

4. 자이르 외상 앞 장관친서(안)

I wish to extend my warmest personal greetings to Your Excellency and also to pay a high tribute for the constructive role that the Republic of Zaire is playing under your leadership in the international community.

It is my great pleasure to note that the relations between our two countries have been continuously strengthened as both benefit from our prosperous bilateral exchanges in various fields. Among other things, it has been very encouraging to us that Zaire is firmly behind our endeavor to become a Member of the United Nations. I would like to express my deep gratitude to your Government for the declared position in support of Korea's UN membership.

공통부분

I firmly believe, with your country's regional influence in mind, that your continuing support will be invaluable to the realization of our entry into the United Nations. It would be all the more appropriate because Zaire is currently a member of the Security Council.

With my best wishes for your good health and the everlasting prosperity of the Republic of Zaire, I avail myself of this opportunity to renew to Your Excellency the assurances of my highest consideration.

Yours sincerely,

LEE Sang-Ock

H.E. Mr. Inonga Lokongo L'ome
Minister of Foreign Affairs
Republic of Zaire

0041

5. 코트디봐르외상 앞 장관 친서(안)

I wish to extend my warmest personal greetings to Your Excellency and also to pay a high tribute for the constructive role that the Republic of Cote D'Ivoire is playing under your leadership in the international community.

It is my great pleasure to note that the relations between our two countries have been continuously strengthened as both benefit from our prosperous bilateral exchanges in various fields. Among other things, it has been very encouraging to us that Cote D'Iviore is firmly behind our endeavor to become a Member of the United Nations. I would like to express my deep gratitude to your Government for the declared position in support of Korea's UN membership.

공통부분

I firmly believe, with your country's regional influence in mind, that your continuing support will be invaluable to the realization of our entry into the United Nations. It would be all the more appropriate because Cote D'Ivoire is currently a member of the Security Council.

With my best wishes for your good health and the everlasting prosperity of the Republic of Cote D'Ivoire, I avail myself of this opportunity to renew to Your Excellency the assurances of my highest consideration.

Yours sincerely,

LEE Sang-Ock

H.E. Mr. Amara Essy
Minister of Foreign Affairs
Republic of Cote D'Ivoire

0042

6. 루마니아외상 앞 장관친서(안)

I wish to extend my warmest personal greetings to Your Excellency and also to pay a high tribute for the constructive role that Romania is playing under your leadership in the international community.

It is my great pleasure to note that the relations between our two countries have been continuously strengthened as both benefit from our prosperous bilateral exchanges in various fields. Among other things, it has been very encouraging to us that Romania is behind our endeavor to become a Member of the United Nations. I would like to express my deep gratitude to your Government for the declared position in support of Korea's UN membership as clearly stated in your key-note speech at the UN General Assembly in 1990.

공통부분

I firmly believe, with your country's admirable contribution to the transformation of world politics in mind, that your continuing support will be invaluable to the realization of our entry into the United Nations. It would be all the more appropriate because Romania is currently a member of the Security Council.

Looking forward to welcoming Your Excellency in Seoul this June, I would like to extend my best wishes for your good health and the everlasting prosperity of Romania and I avail myself of this opportunity to renew to Your Excellency the assurances of my highest consideration.

Yours sincerely,

LEE Sang-Ock

H.E. Mr. Adrian Nastase
Minister of Foreign Affairs
Romania

0043

7. 소련외상앞 장관 친서(안)

I wish to extend my warmest personal greetings to Your Excellency and also to pay a high tribute for your outstanding leadership under which the Union of Soviet Socialist Republics has taken a leading role in the international community.

It is my great pleasure to note that the relations between our two countries have been continuously strengthened as both benefit from our prosperous bilateral exchanges in various fields. Among other things, it has been very encouraging to us that your Government is fully cooperative with our sincere endeavor to become a Member of the United Nations. I would like to express my heartfelt gratitude to Your Excellency for your deep understanding of the legitimate cause of Korea's UN membership.

공통부분

I firmly believe, with your country's consequential influence in the UN in mind, that your unreserved support for our position will be decisive to the realization of our entry into the United Nations.

Looking forward to seeing Your Excellency in the near future, I would like to ~~With~~ extend my best wishes for your good health and the everlasting prosperity of the Union of Soviet Socialist Republics and I avail myself of this opportunity to renew to Your Excellency the assurances of my highest consideration.

Yours sincerely,

LEE Sang-Ock

H.E. Mr. Aleksandr Aleksandrovich Bessmertnykh
Minister of Foreign Affaris
Union of Soviet Socialist Republics

0044

관리 번호	91 -2193

	분류번호	보존기간

발 신 전 보

번 호 : WAV-0317 910409 2037 DN 종별 :

수 신 : 주 수신처 참조 대사. 총영사

발 신 : 장 관 (국연)

제 목 : 유엔가입추진

WND -0341 WSV -1062
WZR -0097 WRM -0273
WYM -0140 WIV -0108

연 : EM-9, 11

우리의 유엔가입문제에 대한 주재국의 지지확보 노력의 하나로 연호 각서내용을 중심으로 작성한 주재국 외상앞 본직서한을 금주 파편(단, 코트디봐르는 4.16. 파편)으로 송부할 예정이니 주재국에 조속 전달하고, 결과 보고바람. 끝.

(국제기구조약국장 문동석)

예고 : 91.12.31. 일반

수신처 : 오지리, 인도, 소련, 자이르, 루마니아,
예멘, 코트디브와르

검토필(1991. 6. 30)

보안 통제	

앙 고 재	91년 4월 9일	유엔과	기안자 성명		과 장		국 장		차 관	장 관

외신과통제

0045

관리번호	91-2344

기 안 용 지

분류기호 문서번호	국연 2031 - 397	(전화 :)	시 행 상 특별취급	
보존기간	영구 · 준영구. 10. 5. 3. 1	장 관		
수 신 처 보존기간				
시행일자	1991. 4. 11.			

보조기관		협조기관		문서통제
국 장	전 결			1991. 4. 11 통제관
과 장				
기안책임자	황준국			발 송 인

경 유 / 수 신 / 참 조	주인도대사	발신명의		발송 1991. 4. 11 외무부
제 목	외상대리앞 서한			

연 : WAV-0317

연호 본직서한을 별첨 송부합니다.

첨 부 : 동 서한 원본 및 사본 1부. 끝.

예고 : 91. 6. 30 일반

검토필(1991. 6. 30.)

0046

MINISTER OF FOREIGN AFFAIRS
SEOUL, KOREA

9 April 1991

Excellency,

I wish to extend my warmest personal greetings to Your Excellency and also to pay a high tribute for your leadership which enabled the Republic of India to continue to take a leading role in the international community.

It is my great pleasure to note that the relations between our two countries have been continuously strengthened as both benefit from our prosperous bilateral exchanges in various fields. Among other things, it has been very encouraging to us that India is firmly behind our endeavor to become a Member of the United Nations. I would like to express my deep gratitude to your Government for the declared position in support of Korea's UN membership.

In this connection, I have the honour to inform you that my Government has decided to seek UN membership during the course of this year. I am sure that Your Excellency can share my view that the Republic of Korea, as a peace-loving state willing and able to carry out all obligations set forth in the UN Charter, is fully qualified for membership in the United Nations. As a country which maintains almost universal diplomatic relations and as the world's twelfth largest trading nation, it is ready to make its due contribution to the work of the United Nations as a full Member and in a manner commensurate with its standing in the international community.

H.E. Mr. Digvijay Singh
Acting Minister for External Affairs
Republic of India

0047

The principle of universality cherished by the United Nations requires the admission of all eligible sovereign states that wish to join the United Nations. This principle gains more relevance than ever as the United Nations assumes an increasingly vital role in the post-Cold War era. The unprecedented changes taking place in the international political environment, featuring a new spirit of reconciliation and cooperation, call for the resolution of Korea's membership question at long last.

As was eloquently manifested last year during the general debate of the 45th session of the General Assembly, it has become the sense of the international community that the admission of the Republic of Korea to United Nations membership should be realized without further delay.

In seeking United Nations membership, as you may be well aware, we earnestly hope that the Democratic People's Republic of Korea (DPRK) will also join the United Nations, either together with my country, or at the time they deem appropriate. We would always welcome DPRK's UN membership.

Furthermore, we hold the view that the parallel membership of both Koreas in the United Nations is entirely without prejudice to the ultimate objective of Korea's reunification. Parallel membership should constitute a powerful confidence building measure insofar as it will represent a firm commitment of both Koreas to the provisions and principles of the United Nations Charter.

The unification of East and West Germany and of North and South Yemen, each of which had maintained separate membership in the United Nations, validates this view and disproves the DPRK's contention that United Nations membership might serve to perpetuate or legitimize Korea's national division, thus hindering efforts for Korea's reunification.

0048

It is a matter of fact that the international community has long recognized the existence of South and North Korea on the Korean Peninsula. In reality, the Republic of Korea and the DPRK maintain concurrent diplomatic relations with ninety countries. Each also has separate membership in most inter-governmental organizations, including specialized agencies of the United Nations. Thus, the separate UN membership of both Koreas will be a logical corollary of the international political reality.

In the sincere belief that United Nations membership will enhance peace and security on the Korean Peninsula, we have made every effort in good faith to join the United Nations together with the DPRK during the course of the last year.

Despite these efforts, however, the DPRK has adhered to the 'single-seat membership' formula which is not only unworkable but runs counter to the provisions of the United Nations Charter and the practices followed by the United Nations and its specialized agencies. The lack of support from the United Nations Member States with respect to this formula during the general debate last year reflects their disapproval of the North Korean formula.

My government remains hopeful of realizing membership of both Koreas during the course of this year. However, if the DPRK continues to oppose this option and for any reason chooses not to join the United Nations, the Republic of Korea, exercising its sovereign right, will take the necessary steps toward its membership before the opening of the 46th session of the General Assembly.

I firmly believe, with your great country's international stature in mind, that your continuing support will be invaluable to the realization of our entry into the United Nations. It would be all the more appropriate because India is currently a member of the Security Council.

0049

With my best wishes for your good health and the everlasting prosperity of the Republic of India, I avail myself of this opportunity to renew to Your Excellency the assurances of my highest consideration.

Yours sincerely,

LEE Sang-Ock

0050

관리번호 91-2346

기 안 용 지

분류기호 문서번호	국연 2031 - 395	(전화 :)	시행상 특별취급	
보존기간	영구 · 준영구. 10. 5. 3. 1	장	관	
수신처 보존기간				
시행일자	1991. 4. 11.			

보조기관	국 장	전 결	협조기관		문서통제
	과 장				검열 1991. 4. 11 통제관
기안책임자	황준국				발송인

경 유 / 수 신 / 참 조	주오지리대사	발신명의		발송 1991. 4. 11 외무부
제 목	외상앞 서한			

연 : WAV-0317

연호 본직서한을 별첨 송부합니다.

첨 부 : 동 서한 원본 및 사본 1부. 끝.

예고문에 의한 일반문서로 재분류(1991.12.31) 일반

검토필(1991.6.30)

0051

MINISTER OF FOREIGN AFFAIRS
SEOUL, KOREA

9 April 1991

Excellency,

I wish to extend my warmest personal greetings to Your Excellency and also to pay a high tribute for the constructive role that the Republic of Austria is playing under your outstanding leadership in the international community.

It is my great pleasure to note that the relations between our two countries have been continuously strengthened as both benefit from our prosperous bilateral exchanges in various fields. Among other things, it has been very encouraging to us that Austria is firmly behind our endeavor to become a Member of the United Nations. I would like to express my deep gratitude to your Government for the declared position in support of Korea's UN membership as clearly stated in your key-note speech at the UN General Assembly in 1989.

In this connection, I have the honour to inform you that my Government has decided to seek UN membership during the course of this year. I am sure that Your Excellency can share my view that the Republic of Korea, as a peace-loving state willing and able to carry out all obligations set forth in the UN Charter, is fully qualified for membership in the United Nations. As a country which maintains almost universal diplomatic relations and as the world's twelfth largest trading nation, it is ready to make its due contribution to the work of the United Nations as a full Member and in a manner commensurate with its standing in the international community.

H.E. Dr. Alois Mock
Federal Minister for Foreign Affairs
Republic of Austria

0052

The principle of universality cherished by the United Nations requires the admission of all eligible sovereign states that wish to join the United Nations. This principle gains more relevance than ever as the United Nations assumes an increasingly vital role in the post-Cold War era. The unprecedented changes taking place in the international political environment, featuring a new spirit of reconciliation and cooperation, call for the resolution of Korea's membership question at long last.

As was eloquently manifested last year during the general debate of the 45th session of the General Assembly, it has become the sense of the international community that the admission of the Republic of Korea to United Nations membership should be realized without further delay.

In seeking United Nations membership, as you may be well aware, we earnestly hope that the Democratic People's Republic of Korea (DPRK) will also join the United Nations, either together with my country, or at the time they deem appropriate. We would always welcome DPRK's UN membership.

Furthermore, we hold the view that the parallel membership of both Koreas in the United Nations is entirely without prejudice to the ultimate objective of Korea's reunification. Parallel membership should constitute a powerful confidence building measure insofar as it will represent a firm commitment of both Koreas to the provisions and principles of the United Nations Charter.

The unification of East and West Germany and of North and South Yemen, each of which had maintained separate membership in the United Nations, validates this view and disproves the DPRK's contention that United Nations membership might serve to perpetuate or legitimize Korea's national division, thus hindering efforts for Korea's reunification.

0053

It is a matter of fact that the international community has long recognized the existence of South and North Korea on the Korean Peninsula. In reality, the Republic of Korea and the DPRK maintain concurrent diplomatic relations with ninety countries. Each also has separate membership in most inter-governmental organizations, including specialized agencies of the United Nations. Thus, the separate UN membership of both Koreas will be a logical corollary of the international political reality.

In the sincere belief that United Nations membership will enhance peace and security on the Korean Peninsula, we have made every effort in good faith to join the United Nations together with the DPRK during the course of the last year.

Despite these efforts, however, the DPRK has adhered to the 'single-seat membership' formula which is not only unworkable but runs counter to the provisions of the United Nations Charter and the practices followed by the United Nations and its specialized agencies. The lack of support from the United Nations Member States with respect to this formula during the general debate last year reflects their disapproval of the North Korean formula.

My government remains hopeful of realizing membership of both Koreas during the course of this year. However, if the DPRK continues to oppose this option and for any reason chooses not to join the United Nations, the Republic of Korea, exercising its sovereign right, will take the necessary steps toward its membership before the opening of the 46th session of the General Assembly.

I firmly believe, with your country's international stature in mind, that your continuing support will be invaluable to the realization of our entry into the United Nations. It would be all the more appropriate because Austria is currently a member of the Security Council.

0054

With my best wishes for your good health and the everlasting prosperity of the Republic of Austria, I avail myself of this opportunity to renew to Your Excellency the assurances of my highest consideration.

Yours sincerely,

LEE Sang-Ock

0055

관리번호 91-2345

기 안 용 지

분류기호 문서번호	국연 2031 - 396	(전화 :)	시 행 상 특별취급	
보존기간	영구 · 준영구. 10. 5. 3. 1	장		관
수 신 처 보존기간				
시행일자	1991. 4. 11.			

보조기관			협조기관		문서통제
국 장	전 결				검열 1991. 4. 11
과 장					
기안책임자	황준국				발 송 인

경 유 / 수 신 / 참 조	주루마니아대사	발신명의		발송 1991. 4. 11 외무부
제 목	외상앞 서한			

연 : WAV-0317

연호 본직서한을 별첨 송부합니다.

첨 부 : 동 서한 원본 및 사본 1부. 끝.

예고문에 의거 일반문서로 재분류 1991. 12. 31

검토필(1991. 6. 30)

0056

MINISTER OF FOREIGN AFFAIRS
SEOUL, KOREA

9 April 1991

Excellency,

I wish to extend my warmest personal greetings to Your Excellency and also to pay a high tribute for the constructive role that Romania is playing under your leadership in the international community.

It is my great pleasure to note that the relations between our two countries have been continuously strengthened as both benefit from our prosperous bilateral exchanges in various fields. Among other things, it has been very encouraging to us that Romania is behind our endeavor to become a Member of the United Nations. I would like to express my deep gratitude to your Government for the declared position in support of Korea's UN membership as clearly stated in your key-note speech at the UN General Assembly in 1990.

In this connection, I have the honour to inform you that my Government has decided to seek UN membership during the course of this year. I am sure that Your Excellency can share my view that the Republic of Korea, as a peace-loving state willing and able to carry out all obligations set forth in the UN Charter, is fully qualified for membership in the United Nations. As a country which maintains almost universal diplomatic relations and as the world's twelfth largest trading nation, it is ready to make its due contribution to the work of the United Nations as a full Member and in a manner commensurate with its standing in the international community.

H.E. Mr. Adrian Nastase
Minister of Foreign Affairs
Romania

0057

The principle of universality cherished by the United Nations requires the admission of all eligible sovereign states that wish to join the United Nations. This principle gains more relevance than ever as the United Nations assumes an increasingly vital role in the post-Cold War era. The unprecedented changes taking place in the international political environment, featuring a new spirit of reconciliation and cooperation, call for the resolution of Korea's membership question at long last.

As was eloquently manifested last year during the general debate of the 45th session of the General Assembly, it has become the sense of the international community that the admission of the Republic of Korea to United Nations membership should be realized without further delay.

In seeking United Nations membership, as you may be well aware, we earnestly hope that the Democratic People's Republic of Korea (DPRK) will also join the United Nations, either together with my country, or at the time they deem appropriate. We would always welcome DPRK's UN membership.

Furthermore, we hold the view that the parallel membership of both Koreas in the United Nations is entirely without prejudice to the ultimate objective of Korea's reunification. Parallel membership should constitute a powerful confidence building measure insofar as it will represent a firm commitment of both Koreas to the provisions and principles of the United Nations Charter.

The unification of East and West Germany and of North and South Yemen, each of which had maintained separate membership in the United Nations, validates this view and disproves the DPRK's contention that United Nations membership might serve to perpetuate or legitimize Korea's national division, thus hindering efforts for Korea's reunification.

0058

It is a matter of fact that the international community has long recognized the existence of South and North Korea on the Korean Peninsula. In reality, the Republic of Korea and the DPRK maintain concurrent diplomatic relations with ninety countries. Each also has separate membership in most inter-governmental organizations, including specialized agencies of the United Nations. Thus, the separate UN membership of both Koreas will be a logical corollary of the international political reality.

In the sincere belief that United Nations membership will enhance peace and security on the Korean Peninsula, we have made every effort in good faith to join the United Nations together with the DPRK during the course of the last year.

Despite these efforts, however, the DPRK has adhered to the 'single-seat membership' formula which is not only unworkable but runs counter to the provisions of the United Nations Charter and the practices followed by the United Nations and its specialized agencies. The lack of support from the United Nations Member States with respect to this formula during the general debate last year reflects their disapproval of the North Korean formula.

My government remains hopeful of realizing membership of both Koreas during the course of this year. However, if the DPRK continues to oppose this option and for any reason chooses not to join the United Nations, the Republic of Korea, exercising its sovereign right, will take the necessary steps toward its membership before the opening of the 46th session of the General Assembly.

I firmly believe, with your country's admirable contribution to the transformation of world politics in mind, that your continuing support will be invaluable to the realization of our entry into the United Nations. It would be all the more appropriate because Romania is currently a member of the Security Council.

0059

Looking forward to welcoming Your Excellency in Seoul this June, I would like to extend my best wishes for your good health and the everlasting prosperity of Romania and I avail myself of this opportunity to renew to Your Excellency the assurances of my highest consideration.

Yours sincerely,

LEE Sang-Ock

0060

관리번호 91-2343

기 안 용 지

분류기호 문서번호	국연 2031 - 398	(전화:)	시 행 상 특별취급	
보존기간	영구·준영구. 10. 5. 3. 1	장 관		
수 신 처 보존기간				
시행일자	1991. 4. 11.			

보조기관			협조기관		문서통제
	국 장	전 결			1991. 4. 11
	과 장				
기안책임자		황준국			발 송 인

경 유 수 신 참 조	주예멘대사	발신명의	발송 1991. 4. 11 외무부
제 목	외상앞 서한		

연 : WAV-0317

연호 본직서한을 별첨 송부합니다.

첨 부 : 동 서한 원본 및 사본 1부. 끝.

예고문에 의거 일반문서로 재분류(1991. 12. 31) 일반

검토필(1991.6.30)

0061

MINISTER OF FOREIGN AFFAIRS
SEOUL, KOREA

9 April 1991

Excellency,

I wish to extend my warmest personal greetings to Your Excellency and also to pay a high tribute for the constructive role that the Republic of Yemen is playing under your leadership in the international community.

It is my great pleasure to note that the relations between our two countries have been continuously strengthened as both benefit from our prosperous bilateral exchanges in various fields. Among other things, we were very impressed and encouraged by your admirable success in unifying the country in a peaceful manner. Yemen's active participation in the work of the United Nations before as well as after the unification has also set a good example to us.

In this connection, I have the honour to inform you that my Government has decided to seek UN membership during the course of this year. I am sure that Your Excellency can share my view that the Republic of Korea, as a peace-loving state willing and able to carry out all obligations set forth in the UN Charter, is fully qualified for membership in the United Nations. As a country which maintains almost universal diplomatic relations and as the world's twelfth largest trading nation, it is ready to make its due contribution to the work of the United Nations as a full Member and in a manner commensurate with its standing in the international community.

H.E. Dr. Abdul Karim Al-Iriani
Minister of Foreign Affairs
Republic of Yemen

0062

The principle of universality cherished by the United Nations requires the admission of all eligible sovereign states that wish to join the United Nations. This principle gains more relevance than ever as the United Nations assumes an increasingly vital role in the post-Cold War era. The unprecedented changes taking place in the international political environment, featuring a new spirit of reconciliation and cooperation, call for the resolution of Korea's membership question at long last.

As was eloquently manifested last year during the general debate of the 45th session of the General Assembly, it has become the sense of the international community that the admission of the Republic of Korea to United Nations membership should be realized without further delay.

In seeking United Nations membership, as you may be well aware, we earnestly hope that the Democratic People's Republic of Korea (DPRK) will also join the United Nations, either together with my country, or at the time they deem appropriate. We would always welcome DPRK's UN membership.

Furthermore, we hold the view that the parallel membership of both Koreas in the United Nations is entirely without prejudice to the ultimate objective of Korea's reunification. Parallel membership should constitute a powerful confidence building measure insofar as it will represent a firm commitment of both Koreas to the provisions and principles of the United Nations Charter.

The unification of East and West Germany and of North and South Yemen, each of which had maintained separate membership in the United Nations, validates this view and disproves the DPRK's contention that United Nations membership might serve to perpetuate or legitimize Korea's national division, thus hindering efforts for Korea's reunification.

0063

It is a matter of fact that the international community has long recognized the existence of South and North Korea on the Korean Peninsula. In reality, the Republic of Korea and the DPRK maintain concurrent diplomatic relations with ninety countries. Each also has separate membership in most inter-governmental organizations, including specialized agencies of the United Nations. Thus, the separate UN membership of both Koreas will be a logical corollary of the international political reality.

In the sincere belief that United Nations membership will enhance peace and security on the Korean Peninsula, we have made every effort in good faith to join the United Nations together with the DPRK during the course of the last year.

Despite these efforts, however, the DPRK has adhered to the 'single-seat membership' formula which is not only unworkable but runs counter to the provisions of the United Nations Charter and the practices followed by the United Nations and its specialized agencies. The lack of support from the United Nations Member States with respect to this formula during the general debate last year reflects their disapproval of the North Korean formula.

My government remains hopeful of realizing membership of both Koreas during the course of this year. However, if the DPRK continues to oppose this option and for any reason chooses not to join the United Nations, the Republic of Korea, exercising its sovereign right, will take the necessary steps toward its membership before the opening of the 46th session of the General Assembly.

I firmly believe, with your country's successful unification preceded by separate UN membership in mind, that your full support for our position will make a decisive contribution to the realization of our entry into the United Nations. It would be all the more important because Yemen is currently a member of the Security Council.

0064

With my best wishes for your good health and the everlasting prosperity of the Republic of Yemen, I avail myself of this opportunity to renew to Your Excellency the assurances of my highest consideration.

Yours sincerely,

LEE Sang-Ock

0065

관리번호 91-2405

기 안 용 지

분류기호 문서번호	국연 2031 - 404	(전화 :)	시행상 특별취급	
보존기간	영구 · 준영구. 10. 5. 3. 1	장		관
수 신 처 보존기간		12		
시행일자	1991. 4. 12.			

보조기관	국 장	전 결	협조기관		문서통제
	과 장				1991. 4. 12
기안책임자	황준국				발 송 인

경 유 수 신 참 조	주자이르대사	발신명의		1991. 4. 12 외무부
제 목	외상앞 서한			

연 : WAV-0317

연호 본직서한을 별첨 송부합니다.

첨 부 : 동 서한 원본 및 사본 1부. 끝.

19 . . . 에 예고문에 의거 예고문성로 91.12.31. 일반

검토필(1991.6.30)

0066

MINISTER OF FOREIGN AFFAIRS
SEOUL, KOREA

le 9 avril 1991

Excellence,

Je voudrais adresser à Votre Excellence mes chaleureuses salutations personnelles et rendre également hommage au rôle constructif que la République du Zaïre joue sous votre direction dans la communauté internationale.

Je me félicite de constater que les relations entre nos deux pays ne cessent de se renforcer à mesure que l'un et l'autre bénéficie de nos échanges bilatéraux prospères dans de nombreux domaines. Entre autres, il nous est très encourageant que le Zaïre appuie sans réserve nos efforts pour devenir un membre de l'Organisation des Nations Unies. Ainsi, j'aimerais exprimer mes profonds remerciements pour la position que votre gouvernement a déclarée en faveur de l'admission de la Corée à l'ONU.

Dans ce contexte, j'ai l'honneur de vous informer que mon gouvernement a décidé de solliciter son admission à l'ONU dans le courant de cette année. Je suis convaincu que Votre Excellence partagerait mon point de vue selon lequel la République de Corée, Etat

S.E. Monsieur
Inonga Lokongo L'ome
Ministre des Affaires Etrangères
République du Zaïre

0067

épris de paix, désireux et capable d'assumer toutes les obligations énoncées dans la Charte des Nations Unies, a pleinement qualité pour être admise à l'ONU. Comme un pays qui entretient des relations diplomatiques avec la quasi universalité des pays et qui occupe le douzième rang dans le commerce mondial, elle est disposée à apporter à l'action de l'ONU la contribution qu'on peut attendre d'elle en tant que membre à part entière, et à la mesure de sa position dans la communauté internationale.

Le principe d'universalité auquel souscrit l'Organisation a pour corollaire l'obligation d'y admettre tous les Etats souverains qui souhaitent y entrer et réunissent les conditions voulues. Ce principe est plus valable que jamais au moment où l'Organisation assume un rôle de plus en plus décisif au lendemain de la guerre froide. Les changements inouïs qui se produisent dans le climat politique international et qui marquent l'avènement d'un nouvel esprit de réconciliation et de coopération, invitent à régler enfin la question de l'admission de la Corée.

Comme l'a éloquemment montré, l'an dernier, le débat général de la quarante-cinquième session de l'Assemblée générale, la communauté internationale a maintenant le sentiment que l'entrée de la République de Corée à l'ONU ne peut plus être différée.

En demandant notre admission à l'Organisation des Nations Unies, comme vous en seriez au courant, nous souhaitons sincèrement que la République populaire démocratique de Corée (RPDC) entre également à l'ONU, soit au même moment que mon pays, soit quand ils le jugeront opportun. Nous saluerons toujours l'admission de la RPDC.

En outre, Nous estimons que l'admission parallèle des deux Corées à l'ONU ne préjuge en rien la question de l'objectif ultime qu'est la réunification du pays. La présence simultanée

0068

des deux Corées à l'ONU constituerait une puissante mesure de renforcement de la confiance, car elle témoignerait de la ferme volonté des deux Corées de se conformer aux dispositions et aux principes de la Charte des Nations Unies.

L'unification de l'Allemagne de l'Est et de l'Ouest et du Yémen du Nord et du Sud, qui précédemment occupaient chacun un siège à l'ONU, conforte cette façon de voir et réfute l'idée que l'admission à l'Organisation des Nations Unies pourrait avoir pour effet de perpétuer ou de légitimer la division de la nation coréenne et risquerait par-là d'entraver les efforts de réunification.

La communauté internationale a, en vérité, admis depuis longtemps l'existence dans la péninsule coréenne d'une Corée du Sud et d'une Corée du Nord. Le fait est que la République de Corée et la RPDC entretiennent respectivement des relations diplomatiques avec 148 et 105 pays. Quatre-vingt-dix de ces pays entretiennent simultanément des relations diplomatiques avec l'une et l'autre. Chacune des deux a été admise séparément dans la plupart des organisations intergouvernementales, y compris certaines institutions spécialisées de l'ONU. Ainsi, l'admission séparée ou simultanée des deux Corées à l'Organisatin des Nations Unies serait le corollaire logique de la situation politique internationale réelle.

Sincèrement convaincus que l'admission à l'Organisation des Nations Unies servirait la cause de la paix et de la sécurité dans la péninsule coréenne, nous n'avons, en toute bonne foi, épargné aucun effort pour entrer à l'ONU, avec la RPDC, l'an dernier, mais sans succès.

En dépit de ces efforts, pourtant, la RPDC s'en tient à la formule "du siège unique" qui

0069

non seulement ne peut fonctionner, mais est contraire aux dispositions de la Charte des Nations Unies et à la pratique suivie par l'ONU et par ses institutions spécialisées. Le fait que les Etats Membres de l'ONU n'ont pas repris cette formule à leur compte, pendant le débat général, l'an dernier, porte témoignage de leur désapprobation de la formule nord-coréenne.

Mon Gouvernement continue à espérer que les deux Corées seront admises à l'ONU cette année. Cependant, si la RPDC continue à s'opposer à cette solution, et, pour une raison quelconque, décide de ne pas entrer à l'ONU, la République de Corée, exerçant les droits afférents à sa souveraineté, fera ce qu'il faudra pour devenir un Etat Membre avant l'ouverture de la quarante-sixième session de l'Assemblée générale.

Je suis profondément convaincu que, étant donné de l'influence que votre pays exerce dans la région, votre soutien sera inappréciable pour la réalisation de notre entrée à l'ONU. C'est d'autant plus opportun que le Zaïre est actuellement un membre du Conseil de Sécurité.

En formulant mes meilleurs voeux pour votre santé et la prospérité éternelle de la République du Zaïre, je vous prie d'agréer, Votre Excellence, les assurances de ma très haute considération.

Lee Sang-Ock

LEE Sang-Ock

0070

관리번호 91-2474

기 안 용 지

분류기호 문서번호	국연 2031 - 405	(전화 :)	시 행 상 특별취급	
보존기간	영구 · 준영구. 10. 5. 3. 1	장 관		
수 신 처 보존기간				
시행일자	1991. 4. 12.			

보조기관	국 장	전 결	협조기관		문서통제
	과 장				1991. 4. 12 통제관
기안책임자	황준국				발송인

경 유 수 신 참 조	주코트디봐르대사	발신명의		발송 1991. 외무부
제 목	외상앞 서한			

연 : WAV-0317

연호 본직서한을 별첨 송부합니다.

첨 부 : 동 서한 원본 및 사본 1부. 끝.

예 고 : 91. 12. 31. 일반

검토필(1991. 6. 30)

0071

MINISTER OF FOREIGN AFFAIRS
SEOUL. KOREA

le 9 avril 1991

Excellence,

Je voudrais adresser à Votre Excellence mes chaleureuses salutations personnelles et rendre également hommage au rôle constructif que la République de Côte d'Ivoire joue sous votre direction dans la communauté internationale.

Je me félicite de constater que les relations entre nos deux pays ne cessent de se renforcer à mesure que l'un et l'autre bénéficie de nos échanges bilatéraux prospères dans de nombreux domaines. Entre autres, il nous est très encourageant que la Côte d'Ivoire appuie sans réserve nos efforts pour devenir un membre de l'Organisation des Nations Unies. Ainsi, j'aimerais exprimer mes profonds remerciements pour la position que votre gouvernement a déclarée en faveur de l'admission de la Corée à l'ONU.

Dans ce contexte, j'ai l'honneur de vous informer que mon gouvernement a décidé de solliciter son admission à l'ONU dans le courant de cette année. Je suis convaincu que Votre Excellence partagerait mon point de vue selon lequel la République de Corée, Etat

S.E. Monsieur Amara Essy
Ministre des Affaires Etrangères
République de Côte d'Ivoire

0072

épris de paix, désireux et capable d'assumer toutes les obligations énoncées dans la Charte des Nations Unies, a pleinement qualité pour être admise à l'ONU. Comme un pays qui entretient des relations diplomatiques avec la quasi universalité des pays et qui occupe le douzième rang dans le commerce mondial, elle est disposée à apporter à l'action de l'ONU la contribution qu'on peut attendre d'elle en tant que membre à part entière, et à la mesure de sa position dans la communauté internationale.

Le principe d'universalité auquel souscrit l'Organisation a pour corollaire l'obligation d'y admettre tous les Etats souverains qui souhaitent y entrer et réunissent les conditions voulues. Ce principe est plus valable que jamais au moment où l'Organisation assume un rôle de plus en plus décisif au lendemain de la guerre froide. Les changements inouïs qui se produisent dans le climat politique international et qui marquent l'avènement d'un nouvel esprit de réconciliation et de coopération, invitent à régler enfin la question de l'admission de la Corée.

Comme l'a éloquemment montré, l'an dernier, le débat général de la quarante-cinquième session de l'Assemblée générale, la communauté internationale a maintenant le sentiment que l'entrée de la République de Corée à l'ONU ne peut plus être différée.

En demandant notre admission à l'Organisation des Nations Unies, comme vous en seriez au courant, nous souhaitons sincèrement que la République populaire démocratique de Corée (RPDC) entre également à l'ONU, soit au même moment que mon pays, soit quand ils le jugeront opportun. Nous saluerons toujours l'admission de la RPDC.

En outre, Nous estimons que l'admission parallèle des deux Corées à l'ONU ne préjuge en rien la question de l'objectif ultime qu'est la réunification du pays. La présence simultanée

0073

des deux Corées à l'ONU constituerait une puissante mesure de renforcement de la confiance, car elle témoignerait de la ferme volonté des deux Corées de se conformer aux dispositions et aux principes de la Charte des Nations Unies.

L' unification de l'Allemagne de l'Est et de l'Ouest et du Yémen du Nord et du Sud, qui précédemment occupaient chacun un siège à l'ONU, conforte cette façon de voir et réfute l'idée que l'admission à l'Organisation des Nations Unies pourrait avoir pour effet de perpétuer ou de légitimer la division de la nation coréenne et risquerait par-là d'entraver les efforts de réunification.

La communauté internationale a, en vérité, admis depuis longtemps l'existence dans la péninsule coréenne d'une Corée du Sud et d'une Corée du Nord. Le fait est que la République de Corée et la RPDC entretiennent respectivement des relations diplomatiques avec 148 et 105 pays. Quatre-vingt-dix de ces pays entretiennent simultanément des relations diplomatiques avec l'une et l'autre. Chacune des deux a été admise séparément dans la plupart des organisations intergouvernementales, y compris certaines institutions spécialisées de l'ONU. Ainsi, l'admission séparée ou simultanée des deux Corées à l'Organisatin des Nations Unies serait le corollaire logique de la situation politique internationale réelle.

Sincèrement convaincus que l'admission à l'Organisation des Nations Unies servirait la cause de la paix et de la sécurité dans la péninsule coréenne, nous n'avons, en toute bonne foi, épargné aucun effort pour entrer à l'ONU, avec la RPDC, l'an dernier, mais sans succès.

En dépit de ces efforts, pourtant, la RPDC s'en tient à la formule "du siège unique" qui

0074

non seulement ne peut fonctionner, mais est contraire aux dispositions de la Charte des Nations Unies et à la pratique suivie par l'ONU et par ses institutions spécialisées. Le fait que les Etats Membres de l'ONU n'ont pas repris cette formule à leur compte, pendant le débat général, l'an dernier, porte témoignage de leur désapprobation de la formule nord-coréenne.

Mon Gouvernement continue à espérer que les deux Corées seront admises à l'ONU cette année. Cependant, si la RPDC continue à s'opposer à cette solution, et, pour une raison quelconque, décide de ne pas entrer à l'ONU, la République de Corée, exerçant les droits afférents à sa souveraineté, fera ce qu'il faudra pour devenir un Etat Membre avant l'ouverture de la quarante-sixième session de l'Assemblée générale.

Je suis profondément convaincu que, étant donné de l'influence que votre pays exerce dans la région, votre soutien sera inappréciable pour la réalisation de notre entrée à l'ONU. C'est d'autant plus opportun que la Côte d'Ivoire est actuellement un membre du Conseil de Sécurité.

En formulant mes meilleurs voeux pour votre santé et la prospérité éternelle de la République de Côte d'Ivoire, je vous prie d'agréer, Votre Excellence, les assurances de ma très haute considération.

LEE Sang-Ok

0075

관리번호 91-2406

협조문용지

분류기호 문서번호	국연 2031-142	( )	결재	담당	과장	국장
시행일자	1991. 4. 15.					
수신	중동아프리카국장	발신	국제기구조약국장			(서명)
제목	유엔가입문제 장관친서					

유엔가입추진 관련 아국정부 입장을 밝히는 메모랜덤을 안보리문서로 배포한 것과 병행하여 안보리이사국중에서 오지리, 인도, 예멘, 자이르, 코트디봐르, 루마니아 등 6개국에 대하여는 동 아국입장을 상세히 설명하고 적극적인 지원을 당부하는 장관님 명의 친서를 발송하였는 바, 동 친서를 별첨하오니 참고하시기 바랍니다. (안보리이사국 15개국중에서 미, 영, 불, 벨지움 등 4개 핵심우방국, 중국, 쿠바, 짐바브웨 등 3개 미수교국, 이미 실무교섭단이 파견된 에쿠아돌, 정상회담이 곧 열리는 소련은 동 친서 발송대상국에서 제외)

첨부 : 예멘, 자이르, 코트디봐르 외상앞 친서 사본. 끝.

검토필(1991.6.30.)

19 . . 에 예고문에 의거 일반문서로 재분류 일반

0076

관리번호 91-2403

협조문용지

분류기호 문서번호	국연 2031-143	( )	결재	담당	과장	국장
시행일자	1991. 4. 15.					
수신	아주국장	발신	국제기구조약국장			(서명)
제목	유엔가입문제 장관친서					

유엔가입추진 관련 아국정부 입장을 밝히는 메모랜덤을 안보리문서로 배포한 것과 병행하여 안보리이사국중에서 오지리, 인도, 예멘, 자이르, 코트디봐르, 루마니아 등 6개국에 대하여는 동 아국입장을 상세히 설명하고 적극적인 지원을 당부하는 장관님 명의 친서를 발송하였는 바, 동 친서를 별첨하오니 참고하시기 바랍니다. (안보리이사국 15개국중에서 미, 영, 불, 벨지움 등 4개 핵심우방국, 중국, 쿠바, 짐바브웨 등 3개 미수교국, 이미 실무교섭단이 파견된 에쿠아돌, 정상회담이 곧 열리는 소련은 동 친서 발송대상국에서 제외)

첨 부 : 인도외상대리앞 친서 사본. 끝.

예고 : 91.12.31. 일반 ... 일반문서로 재분류

검토필(1991.6.30)

0077

관리번호 91-240

협조문용지

분류기호 문서번호	국연 2031-144	( )	결재	담 당	과 장	국 장
시행일자	1991. 4. 15.					
수 신	구주국장	발신	국제기구조약국장	(서명)		
제 목	유엔가입문제 장관친서					

유엔가입추진 관련 아국정부 입장을 밝히는 메모랜덤을 안보리문서로 배포한 것과 병행하여 안보리이사국중에서 오지리, 인도, 예멘, 자이르, 코트디봐르, 루마니아 등 6개국에 대하여는 동 아국입장을 상세히 설명하고 적극적인 지원을 당부하는 장관님 명의 친서를 발송하였는 바, 동 친서를 별첨하오니 참고하시기 바랍니다. (안보리이사국 15개국중에서 미, 영, 불, 벨지움 등 4개 핵심우방국, 중국, 쿠바, 짐바브웨 등 3개 미수교국, 이미 실무교섭단이 파견된 에쿠아돌, 정상회담이 곧 열리는 소련은 동 친서 발송대상국에서 제외)

첨 부 : 오지리, 루마니아 외상앞 친서 사본. 끝.

예고문에 의한 일반문서로 재분류 91.12.31. 일반

검토필(1991. 6. 30)

0078

관리번호	91-2448

원 본

외 무 부

종 별 :

번 호 : NDW-0645 일 시 : 91 0416 1710

수 신 : 장관(국연,아서) 사본:주인도대사

발 신 : 주 인도 대사대리

제 목 : 유엔가입 추진

대:WND-0341, 국연 2031-397

당관 이석조 참사관은 금 4.16 주재국 외무부 SHARMA 한국담당과장과 접촉 대호 주재국 외무담당부장관앞 장관서한을 전달한바, 동과장은 조속히 이를 SINGH 부장관에게 보고한후 부장관으로부터(회신여부 포함) 지시나 반응 있는대로 알려주겠다 함.

(대사대리 이석조-국장)

예고: 91.12.31. 일반

검토필(1991.6.30)

국기국	장관	차관	1차보	2차보	아주국	아주국	청와대	안기부

PAGE 1

91.04.16 21:55

외신 2과 통제관 DO

0079

관리 번호	91 -2481

원 본

외 무 부

종 별 :

번 호 : ZRW-0206 일 시 : 91 0417 1420

수 신 : 장관(국연,아프이) 사본:주유엔대사-본부중계필

발 신 : 주 자이르 대사대리

제 목 : 외무장관앞 서한전달

대:WZR-0097, 국연 2031-404

1. 당관 박서기관은 대호 장관님 서한을 금 4.17(수) 13:30 주재국 외무부로 BUKASA 외무장관 수석보좌관을 방문 전달하였음

2. 마침 장관에게 올릴 결재 서류들을 검토하고있던 동수석 보좌관은 장관님 서한의 중요부분에 표시를 해가며 읽고나서 즉시 장관에게 보고올리겠다고하였음

끝.

(대사대리-국장)

19 . . . 에 예고문에 의거 일반 예고:91.12.31. 일반

검토필(1991. 6. 30)

국기국 중아국

PAGE 1

91.04.17 23:22

외신 2과 통제관 CA

0080

관리 번호 91-2517

원 본

외 무 부

종 별 :

번 호 : AVW-0460 일 시 : 91 0418 1730

수 신 : 장 관(국연,구이) 사본:이장춘대사

발 신 : 주 오스트리아대사대리

제 목 : 유엔가입추진(장관서한)

대:WAV-0317, 국연 2031-395(91.4.11)

1. 당관은 금 4.18 주재국 외무성 아, 태담당 MAGERL 대사에게 대호 장관서한을 수교, ALOIS MOCK 외상에게 전달하여 줄것을 요청였음.

2.MAGERL 대사는 아국의 유엔가입에 대한 MOCK 외상의 확고한 지지 입장을 상기하면서, 장관서한을 즉시 MOCK 외상에게 전달하겠다고 하였음. 끝.

예 고:91.12.31 일반.

의거 일반문서로 재분류됨

검토필(1991.6.30)

국기국 장관 차관 1차보 구주국 구주국

PAGE 1

91.04.19 04:52

외신 2과 통제관 BS

0081

관리 번호	91 —2679

원 본

외 무 부

종 별 :

번 호 : IVW-0243 일 시 : 91 0423 1000

수 신 : 장관(국연,아프일,사본: 주 UN 대사)

발 신 : 주 코트디브와르 대사대리

제 목 : 외상앞 서한

대:국연 2031-405

연:IVW-0215

1. 당관 이참사관 금 4.22 KOUAME 외상 보좌관을 면담. 대호 AMARA 주재국 외상앞 외무장관 서한을 당관 공한 첨부 수교하는 한편, 동 서한을 AMARA 외상께즉시 전달해 줄것을 요청함.

2. 동 보좌관은 상기 서한을 AMARA 외상께 직접 전달 할것임을 밝히고 이에대한 외상의 반응있는데로 당관에 알려 줄것을 약속함.

(대사 대리-국장)

19 예고:91.6.30. 고 에 의거 일반문서로

국기국 장관 차관 1차보 2차보 중아국

PAGE 1

91.04.23 20:53

외신 2과 통제관 CH

0082

उप मन्त्री
विदेश मंत्रालय, नई दिल्ली-110011
DEPUTY MINISTER
MINISTRY OF EXTERNAL AFFAIRS
NEW DELHI-110011

April 25, 1991

Excellency,

I thank you for your letter of the 9th April, 1991. I fully reciprocate your warm and friendly greetings. It is my sincere desire that the ties of friendship and cooperation that have brought our two peoples close together should be further strengthened through sustained dialogue and interaction.

India is supportive of the wishes and aspirations of the Korean people to be represented at the United Nations. This desire of the Korean people conforms to the principle of universality.

We hope that the Governments of the Republic of Korea and the Democratic People's Republic of Korea will resolve their differences on this issue and reach a mutually acceptable understanding on the question of entry to the United Nations as soon as possible.

With the assurances of my highest consideration,

(DIGVIJAY SINGH)

His Excellency, Mr. LEE Sang-Ock,
Minister of Foreign Affairs,
REPUBLIC OF KOREA

0083

공 란

공 란

관리번호	91-3054

	분류번호	보존기간

발 신 전 보

번 호 : WRM-0333 910508 1824 CV 종별 :

수 신 : 주 루마니아 대사. 총영사

발 신 : 장 관 (국연)

제 목 : 외상앞 서한

연 : WRM-0273, 국연 2031-396 (91.4.11)

. 연호 본직명의 주재국 외상 앞 서한의 처리결과 회시바람. 끝.

예고 : 1991. 12. 31. 일반

(국제기구조약국장 문동석)

검토필(1991. 6. 30)

보안통제	

앙고재	91년 5월 8일	유엔과	기안자 성명		과 장		국 장		차 관	장 관

외신과통제

0086

관리 번호	91 —3053

분류번호	보존기간

발 신 전 보

번 호 : WYM-0179 910508 1826 CV 종별 :

수 신 : 주 예멘 대사. 총영사

발 신 : 장 관 (국연)

제 목 : 외상앞 서한

연 : WYM-0140, 국연 2031-398 (91.4.11)

연호 본직명의 주재국 외상 앞 서한의 처리결과 회시바람. 끝.

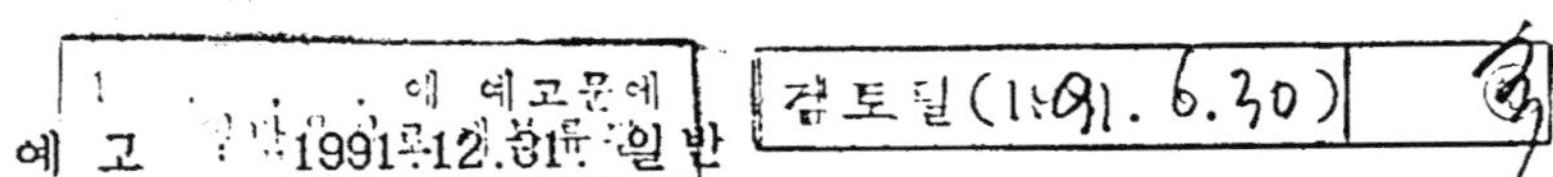
예고 : 1991.12.31. 일반

검토필(1991. 6.30)

(국제기구조약국장 문동석)

보안 통제	

앙고재	91년 5월 8일	국연과	기안자 성명		과 장		국 장		차 관	장 관

외신과통제

0087

공　　　란

공 란

관리번호	91-3100

원 본

외 무 부

종 별 :

번 호 : RMW-0260 일 시 : 91 0509 1255

수 신 : 장관(국연,동구이)

발 신 : 주 루마니아 대사

제 목 : 외상앞 서한

대:WRM-0273,-0333, 국연 2031-396

표제 서한 5.9 주재국 외무부에 문서로 전달하였음.(프랑크푸르트 총영사관경유 파편 당관 5.8 접수) 끝.

(대사 이현홍-국장)

19 의거 예고문91.12.31 일반

검토필(1991.6.30)

국기국 구주국

PAGE 1

91.05.09 22:57

외신 2과 통제관 CE

0030

관리번호 91-3229

원 본

외 무 부

종 별 : 지 급

번 호 : YMW-0280　　　　일 시 : 91 0509 1400

수 신 : 장 관(국연)

발 신 : 주 예멘 대사

제 목 : 외상앞 서한

대:WYM-0179

연:YMW-0273

1. 이 정재 대사 대리는 4.20. 본직 부재중 대호의 장관님 서한을 아랍어 번역문 첨부, 주재국 외무성 아. 태국장 서리 IRIYANI 담당과장에게 수교하였으며 IRIYANI 국장서리는 이자리에서 동 서한을 주재국 외상에게 적의 보고 전달하겠다고함.

2. 본직은 5.5 공관장 회의에서 귀임직후 외무성 정무차관보 AHMED DAEF ALAA AL-AZEEB 을 방문, 한. 소정상회담 결과에 대한 배경 설명에 이어 대호 서한요지를 재차 설명하고 아국 유엔 가입 입장에 대해 주재국 정부의 이해와 지지를 요청하였음.

3. 연호 주 유엔 예멘 대사 면담 보고는 주재국 외무성의 대호 서한에 대한간접적인 반응으로 사료됨.

(대사 류 지호-국장)

19 예고:91.12.31. 일반

검토필(1991.6.30)

국기국 장관 차관 1차보 2차보 중아국 청와대 안기부

PAGE 1

91.05.10 17:10

외신 2과 통제관 BW

0091

공 란

공 란

공 란

공 란

공　　　란

관리 번호	91 —3401

	분류번호	보존기간

발 신 전 보

번 호 : WUN-1414 910520 1956 FN 종별 :

수 신 : 주 유엔 대사. 총영사/ (친전)

발 신 : 장 관 (국연)

제 목 : 강 화 도

연 : WUN-1341 및 WUN-1340

연호관련, 추진현황 보고바람. 끝.

19 . 에 예고문에 의한 예고문서로 재분류 1991.12.31. 일반

(국제기구 조약국장 모동석)

검토필(1991.6.30) 인

보안 통제	

앙 고 재	년 월 일	과	기안자 성 명		과 장		국 장		차 관	장 관

외신과통제

0097

관리번호	91-3495

원 본

외 무 부

종 별 : 지 급

번 호 : UNW-1291　　　　일 시 : 91 0520 1900

수 신 : 장관(국제기구조약국장 친전)

발 신 : 주 유엔 대사

제 목 : 강화도, 주유엔 남북대사 회담

대:1) WUN-1414,1341, 2) WUN-1412,1413, 3) WUN-1230,1340

연:UNW-1225,1218

1. 대호관련, 본직은 PICKERING 미국대사와 5.22(수) 면담 예정임.

2.PICKERING 대사는 지난주 국무부와 업무협의차 워싱톤 방문코 금 5.20 귀임하였으며 금주말 약 3 주간 예정으로 구주지역등을 순방 예정이라고함을 첨언함. 끝

(주유엔 노창희대사)

예고:91.12.31. 일반

검토필(1991.6.30.) 인

국기국

PAGE 1

91.05.21 09:19

외신 2과 통제관 BW

0098

관리 번호	91 -3460

외 무 부

종 별 :

번 호 : IVW-0281 일 시 : 91 0521 1500

수 신 : 장관(친전,사본:국연,아프일,주 UN 대사:중계필)

발 신 : 주 코트디브와르 대사

제 목 : 외상앞 서한 답신

대:국연 2031-405

연:IVW-0243

대호 주재국 외상앞 90.4.9 자 장관님 서한 관련, ESSY AMARA 주재국 외상은 금 5.21 당관에 전달해온 5.16 자 장관님앞 하기 요지의 CONFIDENTIAL 답신을통해 주재국 정부는 아국의 UN 가입을 적극 지지할것임을 알려온바, 동 답신 파편 추송 예정임.

가. 코트디브와르는 평화애호국으로서 인류사회의 협력과 화해를 기초로하는 국제연합이 추구하는 보편성 및 제반 목적에 적극 부응, 대한민국의 UN 가입을 적극적으로 지지할것임.

나. 이 기회를 빌어 국제 평화와 안보유지, 인권옹호를 향한 국제사회의 제반 노력에 협력코저 하는 코트디브와르의 의지를 재확인하는 바임.

다. 본직 및 코트디브와르에 대한 장관님의 배려 말씀에 감사드리는 바이며, 장관님 및 대한민국 국민의 안녕과 번영을 기원드리는 바임.

(대사 김승호-장관)

예고:91.12.31 일반

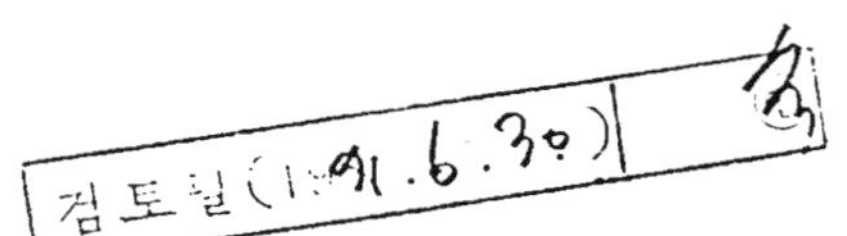

장관 중아국 국기국

PAGE 1

91.05.22 08:31

외신 2과 통제관 CH

0090

공　　란

공 란

공 란

공 란

공 란

공 란

02

관리번호	91-3535

원 본

외 무 부

종 별 :

번 호 : UNW-1348 일 시 : 91 0523 2100

수 신 : 장 관(이규형 유엔과장)

발 신 : 주 유엔 서대원

제 목 : 강화도

대:WUN-1452

1. 대호 미측제안은 통상적으로 회원국이 안보리에 대해 어떤사안에 대하여입장을 표명하거나 사실통보등 조치시 안보리 문서로 회람을 공식 요청하는 방식을 취하는바 이에대한 일종의 변형(VARIATION) 으로서 상기와같은 공식적인 문서 회람이 아니라 안보리의장에게 구두(ORAL COMMUNICATION)로 전달하여 이를 안보리(회원국)에 전달토록(CONVEY) 하는것임.

2. 동방식은 안보리 업무처리 관행상, 의장은 어떤 사안이 제기될경우 (문서접수, 구두접수등)통상 INFORMAL CONSULTATION 기회에 이를 전달하는바 동 관행을 활용하자는 것임. 물론 의장은 구두로 접수한 사안에 대한 전달여부에 대하여는 상당한 재량권을 행사하게됨.(즉 법적의무없음)

3. 따라서 아측으로서는 아측제기 사안이 안보리 소관사항이라는점, 안보리에 의한 어떤조치 (ACTION) 를 요구하는 것이 아니라는점 (이점에서 강화도의 아측방안과 근본적 차이가 있음)다수 회원국이 진전상황에 대해 관심을 가지고 있다는점등에 비추어 의장으로서 안보리의 INFORMAL CONSULTATION 시 이를 다만 CONVEY 또는 BRIEF 해줄것을 요청(협의나 토론 또는 의사결정 요청하는것이 아님)하는것이며 동 시행여부는 전적으로 의장 재량 사항임.

4. 본건관련 5.24. LI 대사 면담시 실무적으로 준비한 아측 요청문안은 참고로 아래와같음.(유엔가입 아측 기본입장및 대북한 설득노력 설명, 주유엔 남북대사 회담제의 설명및 협조요청후)

0. 본인은 안보리 이사국들이 유엔가입문제의 진전상황에 대해 관심이 지대할것으로 보는바 "귀하가 동의한다면 " 다음 회합시 (AT THE NEXT OPPORTUNITY) 또는 적절한 기회에 비공식으로 안보리에 대해 금일 우리의 대화내용(CONVERSATION)을

국기국

PAGE 1

91.05.24 10:37

외신 2과 통제관 BS

0106

BRIEF 하여 현황을 알려주면 (TO BRING THEM UPTODATE)고맙겠음. 아마도 다수 회원국이 이를 고맙게 생각할 것으로 믿음. 끝

19 예고:91.12.31.일반
의거 일반문서로 재분류됨

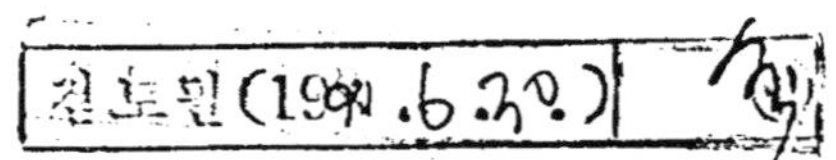

PAGE 2

0107

공 란

공 란

국제기구조약국장

관리 번호	91 -3536

원 본

외 무 부

종 별 : 지 급

번 호 : UNW-1346 일 시 : 91 0523 2100

수 신 : 장 관(친전)

발 신 : 주 유엔 대사

제 목 : 안보리 의장 면담

대:WUN-1448

본직은 명 5.24. 오전 10:15 안보리의장과 면담 대호건 조치 예정임.끝

(대사 노창희)

19 예고:91.12.31. 일반 의거 일반문서로 재분류

검토필(1991.6.30)

장관

PAGE 1

91.05.24 10:18

외신 2과 통제관 BS

0110

공　　란

공 란

공　　　란

공　　　　란

공 란

공 

관리 번호	91 -3671

	분류번호	보존기간

발 신 전 보

번 호 : WUN-1493 910527 1905 FO 종별 :

수 신 : 주 유엔 대사. 총영사

발 신 : 장 관 (국연)

제 목 : 안보리의장 면담

대 : UNW-1367

대호관련, 귀지 미, 영, 불, 소련대표부측과 가까운 시일내에 접촉, 중국대사 (안보리의장)의 언급내용을 알려주고, 동 언급사항에 대한 평가를 구하는 동시에, 동 평가를 토대로 금후 우리측이 취해야 할 대응책등에 관하여 협의, 보고바람. 끝.

19 . . . 에 예고문에 의거 일반문서로 재분류 1991.12.31. 일반

(장 관)

검토필(1991.6.30.)

보안 통제	

앙 고 재	91년 5월 27일	유엔과	기안자 성명		과 장		국 장	1차보	차 관	장 관

외신과통제

0117

관리 번호	91 —3675

분류번호	보존기간

발 신 전 보

번 호 : WUN-1541 910529 2021 ED 종별 : 긴급

수 신 : 주 유엔 대사 총영사

발 신 : 장 관 (국연)

제 목 : 안보리의장 면담

대 : UNW-1393

연 : WUN-1518(1), AM-0112(2), WUN-1540(3)

1. 본부로서는 5월중 안보리 의장인 중국대사와 만나 연호(1) 우리의 가입노력에 대한 중국의 이해와 협조에 사의를 표명하고, 연호(2) 외무부 대변인 논평을 참고 우리의 입장을 적절히 설명하는 한편, 우리로서는 이미 5.27. 북측에 남북한의 가입문제관련 협의의사를 밝히고, 북측의 반응이 있는대로 진지하게 협의코자 한다는 기본입장을 밝히는 선에서 대처하는 것이 바람직하다고 봄.

2. 다만, 중국대사 면담은 연호(3) 가입문제관련 구체적 방안에 관한 미국등 핵심우방국과의 협의후 동 협의결과를 참고로하면서 이루어지는 것이 바람직 할것임에 비추어 우방국과의 협의를 먼저 시행바람.

(장 관)

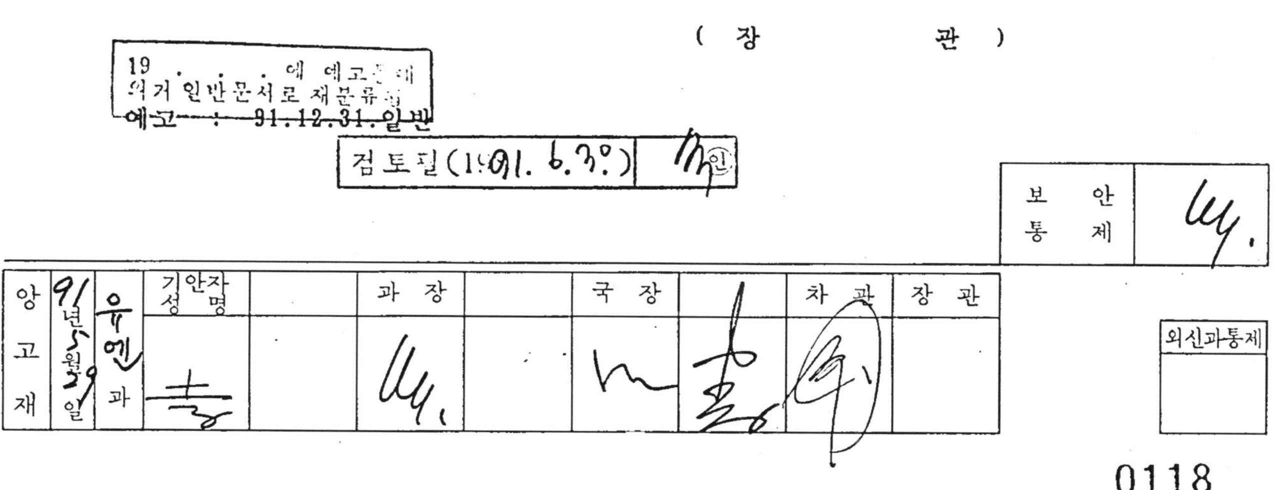

19 . . . 에 예고문에 의거 일반문서로 재분류됨

~~예고 : 91.12.31. 일반~~

검토필(1991. 6. 30.)

보안통제	

앙고재	91년 5월 29일	유엔과	기안자 성명		과 장		국 장		차 관	장 관

외신과통제

0118

안보리 의장(중국)

관리 번호	91-3686

원 본

외 무 부

종 별 : 지 급

번 호 : UNW-1406 일 시 : 91 0529 2000

수 신 : 장 관(국연)

발 신 : 주 유엔 대사

제 목 : 안보리 의장면담

대:WUN-1541

연:UNW-1393

1. 연호, 본직의 안보리 의장면담일시가 명 5.30(목) 11:00 로 예정됨.

2. 대호 미국등 핵심우방국과의 협의결과는 별전 보고예정임.끝

(대사 노창희-국장)

예고:91.12.31. 일반

19 에 의거 일반문서로 재분류됨

검토필(1991.6.30)

국기국 장관 차관 1차보 청와대 안기부

PAGE 1

91.05.30 10:14

외신 2과 통제관 BS

0119

관리번호 91-4257

원본

외 무 부

종 별 : 긴 급

번 호 : UNW-1414

일 시 : 91 0530 1830

수 신 : 장관(국연,기정)

발 신 : 주 유엔 대사

제 목 : 안보리의장면담

연:UNW-1406

대:WUN-1541

본직은 금 5.30 11:00-11:20 간 안보리의장 LI 대사를면담한바, 동면담내용아래보고함.(중국측 LIU JINFENG 2 등서기관, 아측 서대원참사관 배석)

LI 대사: 다시 만나게되어 기쁨

본직:북한이 가입신청을 결정한것을 환영하며 그간 우리의 가입노력에 대한중국측의 이해와 협조에 사의를 표명하고자함. 북한측의 가입결정 발표 성명이오늘 안보리문서로 배포됨으로써 남북한의 유엔가입은 사실상 보장된것으로 보며 이제는 남북한의 정식가입 신청서 제출등 요식행위만 남았는바 이를위한 구체적인 조치는 어려움없이 순조롭게 처리될것으로기대함. 우리는 남북한의 유엔동시가입이 남북한 관계의 발전에 하나의 전기가 되기를 바람.

LI 대사: 전적으로 동의함. 중국은 시종 유엔가입문제에 관해 대결대신 남북한이 합의하기를 바란다는 입장이었는바 금번 북측성명은 긍정적인 조치로봄.유엔 동시가입은 남북한간 유엔내 또는 유엔밖에서의 대화에 도움이 될뿐 아니라한반도의 긴장완화에도 기여할것임.비공식으로 의견교환을 갖고자 하는데 절차문제에 관하여 어떤 생각을 가지고 있는지 ?

본직:관련 절차규정및 관행을 감안하고 안보리 회원국들과도 협의할 것이며또한 북한측과도 구체적인 방안을 협의하고자함.

LI 대사: 한국측의 이러한 자세를 높이 평가함. 북측 성명발표후 안보리 회원국 일부와 대화(CHAT) 를 가졌는바 모두 이를 환영하고 또한 안도(RELIEVED) 한 기색이었음. 절차문제 관련 자신으로서는 북한이 가입을 결정한 이상 동서독의 선례를 따라 신청서는 별도 제출하되 결의는 안보리및 총회 공히 단일 결의안으로

국기국 장관 차관 1차보 2차보 아주국 미주국 청와대 안기부

PAGE 1

91.05.31 08:10

외신 2과 통제관 BS

0120

처리하는것이 좋겠다는 생각임.다만 결의안 본문(OPERATIVE PARAGRAPH) 의 순서는 국명의 ALPHABET 순서에 따르는것이 좋겠음. 이렇게 함으로써 대결과 경쟁을 지양할수 있을것이고 가장 평화적인 방식으로 협조적인 분위기에서 처리가 가능하게 되어 앞으로 남북대화 분위기 조성에도 기여할수 있을것으로 봄.(LI 대사는 대결지양을 언급하면서 CONSENSUS 처리를 암시하였으며 결의안 본문의 국명순서와 관련 남북한이 서로 신청서를 먼저 접수시키고자 하는 등 불필요한 경쟁을 벌이는것을 피하고자 하는것이라고 부연설명함.)

본직:지난번 만났을때 귀하에게 이야기한대로 북한대사와 만나 회담개최를 제의하였는바 북한측이 응해오는대로 절차문제와 관련된 구체적인 방안을 진지하고 융통성있는 자세로 협의하고자 하며 문제가 순조롭게 해결될수 있을것으로 기대하고 있음.

LI 대사: 북한의 박길연대사는 현실적이라는 인상을 갖고있음. 구체적인 처리방안은 물론 남북한간에 협의 결정할 사항이며 또한 안보리가 최종결정할 사항이나 본인이 제시한 독일식 방안에 대하여 북한측도 이를 수락할것으로 봄.

본직:처리시기 관련 아측으로서는 특별히 서두를 필요성은 없다고 보고있으며 국내절차등 필요한 조치를 취해나갈 예정인바 귀하와 계속 긴밀히 협조코자함.모든 문제가 원만히 해결될 수 있게되어 매우기쁨.

LI 대사: 한국측 생각을 잘 이해하겠음. 처리시기는 별로 중요한 문제가 아니라고봄.다시 말하자면 자신으로서도 금번 북한측 결정에 대해 매우 기쁘게 생각하며 이는 남북대화에 도움이 될뿐 아니라 한. 중 양자관계 증진에도 유익할것으로 봄.

본직:앞으로 가끔만나 유엔의 주요 이슈등 제반문제를 협의하기를 희망함.

LI 대사: 자신은 한. 중 양자문제를 다룰 권한은 부여받지 않았음. 양자문제의 대화통로는 홍콩 및 북경, 서울의 무역대표부로 지정되어있음. 다만 귀하가본인에게 문제를 제기하여 오면 본국에 보고, 훈령을 받겠음. 귀하의 희망(MESSAGE)을 본국에 전달하겠음.

본직:이제 가입문제도 해결되었으니 북경에서 보다 유연한 입장을 취하기를기대함.

LI 대사: 본국에 보고하겠으며 본국에서 종전 입장을 고수할지 여부를 자신으로서도 지켜보겠음. 끝

(대사 노창희-장관)

19 예고 : 91. 12. 31. 일반
의거 일반문서로 재분류됨

일반고문(1991.6.30.)

PAGE 3

0122

駐유엔 中國大使 面談結果

1991. 5. 31.

外 務 部

北韓의 유엔加入申請 發表와 關聯 中國側에 謝意를 表明하고 今後 中國側의 協調를 確保할 目的으로 5.30. 駐유엔 노창희 大使가 駐유엔 Li 中國大使(現 安保理 議長)를 面談하였는 바, 同 中國大使의 言及要旨를 아래 報告드립니다.

1. 北側 聲明에 대한 反應

   o 中國은 北側~~聲明~~決定을 肯定的인 措置로 봄.

     - 유엔同時加入은 南北韓間 유엔內外에서의 對話를 促進하고, 韓半島 緊張緩和에 寄與

   o 다른 安保理 會員國들도 北側聲明을 歡迎하고 安堵한 기색이었음.

     - 자신으로서도 今番 北韓側 決定을 매우 기쁘게 생각함.

2. 加入節次問題

   o 한국측이 유엔의 關聯規定 및 慣行을 감안하고 安保理會員國 및 北韓과도 協議할 것이라는 立場을 밝힌 것을 높이 評價함.

앙 고 재	국제연합과	91년 5월 31일	담 당	과 장	국 장	차관보	차 관	장 관
			(서명)	(서명)	(서명)			

0123

南北韓이 | 加入 各各

o 東西獨의 先例에 따라 申請書는 別途 提出하되, 安保理 및 總會에서는 單一 決議案으로 處理하는 것이 좋겠음. (東西独의 先例)

- 다만 決議案 本文의 順序는 國名의 알파벳 順序에 따르는 것이 좋겠음.

  . 南北韓이 서로 申請書를 먼저 接受시키고자 하는 不必要한 競爭을 피하는 方法으로 봄. (決議案을 票決보다는 콘센서스로 處理할 可能性 暗示)

- 이와같은 方案에 대하여 北韓側도 受諾할 것으로 봄.

o 加入申請時期는 별로 重要한 問題가 아니라고 봄.

3. 韓.中關係

o 南北韓 유엔加入은 南北對話뿐 아니라 韓.中 兩者 關係 增進에도 有益할 것으로 봄.

o 자신은 韓.中 兩者問題를 다룰 權限은 부여받지 않았으나 我側이 問題를 提起해오면 本國에 報告하겠음.

- 現在 兩者問題의 對話通路는 홍콩, 북경 및 서울로 指定되어 있음. - 끝 -

0124

駐유엔 中國大使 面談結果

1991. 6. 1.

外 務 部

北韓의 유엔加入申請 發表와 關聯 中國側에 謝意를 表明하고 今後 中國側의 協調를 確保할 目的으로 5.30. 駐유엔 노창희 大使가 駐유엔 中國大使 (現 安保理 議長)를 面談하였는 바, 同 中國大使의 言及要旨를 아래 報告드립니다.

1. 北側 聲明에 대한 反應

 o 中國은 北側決定을 肯定的인 措置로 봄.

  - 유엔同時加入은 南北韓間 유엔內外에서의 對話를 促進하고, 韓半島 緊張緩和에 寄與

 o 다른 安保理 會員國들도 北側聲明을 歡迎하고 安堵한 기색이었음.

  - 자신으로서도 今番 北韓側 決定을 매우 기쁘게 생각함.

2. 加入節次問題

 o 한국측이 유엔의 關聯規定 및 慣行을 감안하고 安保理會員國 및 北韓과도 協議할 것이라는 立場을 밝힌 것을 높이 評價함.

0125

o 南北韓이 加入申請書는 各各 提出하되, 安保理 및 總會에서는 單一 決議案으로 處理하는 것이 좋겠음. (東西獨의 先例)

o 加入申請時期는 별로 重要한 問題가 아니라고 봄.

3. 韓.中關係

o 南北韓 유엔加入은 南北對話뿐 아니라 韓.中 兩者 關係 增進에도 有益할 것으로 봄.

- 끝 -

0126

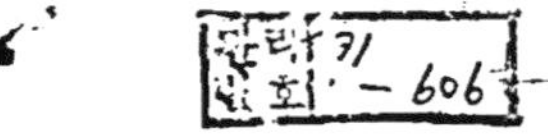

협 조 문 용 지

분류기호 문서번호	국연 2031-229	(2179-80)	결재	담 당	과 장	국 장
시행일자	1991. 6. 12.			김성원	(서명)	(서명)
수 신	구주국장	발신	국제기구조약국장 (서명)			
제 목	오지리외상 답신 송부					

당국에서는 지난 4.9. 유엔가입 관련 오지리측의 협조를 요청한 장관님의 친서에 대한 A. Mock 외상의 답신을 접수하였는 바, 동 답신을 별첨 송부하니 귀국 업무에 참고하시기 바랍니다.

첨 부 : 표제 답신사본 1부. 끝.

예 고 : 91.12.31. 일반.

The Federal Minister
for Foreign Affairs

Vienna, *May, 22nd 1991*

Excellency,

I take pleasure in referring to your letter of 9 April 1991, in which you kindly inform me that the Government of the Republic of Korea has decided to seek UN membership during the course of this year.

Austria's position with regard to the admission of Member States to the United Nations has always been guided by the principle of universality. In accordance with Article 4 of the Charter of the United Nations Austria supports the membership of all peace-loving states which accept the obligations contained in the Charter and who are able and willing to carry out these obligations.

In line with this traditional policy I have included a specific reference to Korea in my statement of 25 September 1989 to the General Assembly of the United Nations. I said on this occasion that it was only logical that Austria would support an application of the Republic of Korea to become a member of the United Nations. This position has not been changed hence.

Austria is convinced that the excellent relations existing between our two countries will be further strengthened through new possiblities of co-operation within the framework of the United Nations.

I avail myself of this opportunity to renew to Your Excellency the assurances of my highest consideration.

Yours sincerely,

H.E. LEE Sang Ock
Minister of Foreign Affairs
Republic of Korea

Seoul

0128

His Excellency
LEE Sang Ock
Minister of Foreign Affairs
Republic of Korea

S e o u l

0129

The Federal Minister
for Foreign Affairs

0130

관리번호 91-483

협 조 문 용 지

분류기호 문서번호	국연 2031-238	(2179-80)	결	담 당	과 장	국 장
시행일자	1991. 6. 17.		재			
수 신	중동아프리카국장	발신	국제기구조약국장 (서명)			
제 목	코트디브와르 외상 서한					

코트디브와르의 Essy Amara 외무장관은 아국의 유엔가입 지지를 요청하는 장관님 서한에 대하여 별첨 회신서한을 송부하여 온 바, 업무에 참고하시기 바랍니다.

첨부 : 코트디브와르 외무부 공한 및 Essy Amara 외상서한 각 1부. 끝.

예고 : 91.12.31.일반

검토필 (1991. 6. 30.)

0131

MINISTERE
DES AFFAIRES ETRANGERES

No 4528 /AE/AP/OI-13

17 MAI 1991

Le Ministère des Affaires Etrangères de la République de Côte d'Ivoire présente ses compliments à l'Ambassade de la République de Corée à Abidjan et a l'honneur de lui faire parvenir ci-joint, un pli fermé adressé à Son Excellence Monsieur le Ministre des Affaires Etrangères de la République de Corée par Son Excellence Monsieur le Ministre des Affaires Etrangères de la République de Côte d'Ivoire.

Le Ministère des Affaires Etrangères de la République de Côte d'Ivoire remercie l'Ambassade de la République de Corée à Abidjan de son aimable collaboration et saisit cette occasion pour lui renouveler les assurances de sa haute considération.

AMBASSADE DE LA REPUBLIQUE DE COREE

A B I D J A N

0132

Ministère
des Affaires Etrangères

Le Ministre

République de Côte d'Ivoire
Union - Discipline - Travail

Abidjan, le 15 [illegible]

N° 068 /AE/AP/01-13

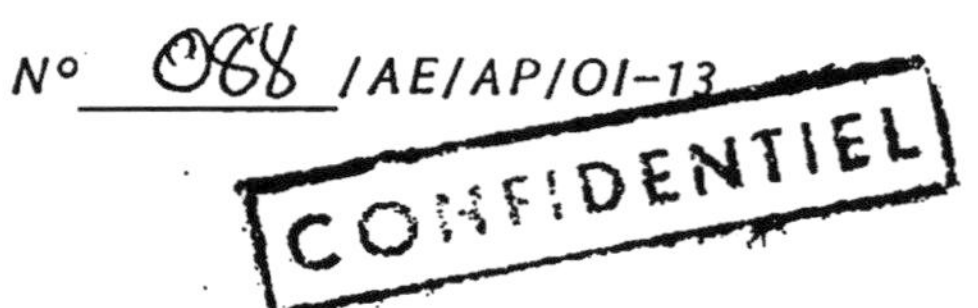

Monsieur le Ministre,

J'ai l'honneur d'accuser réception de la lettre par laquelle vous sollicitez l'appui du Gouvernement ivoirien à la décision du Gouvernement coréen de demander son admission à l'Organisation des Nations Unies (ONU).

La Côte d'Ivoire, pays épris de paix, reste profondément attachée au principe d'universalité et autres objectifs de l'Organisation des Nations Unies qu'elle considère comme le cadre par excellence de coopération et de reconciliation entre les communautés humaines.

En conséquence, mon Gouvernement vous apportera volontiers son soutien pour votre entrée à l'ONU.

Je saisis par ailleurs cette occasion pour réaffirmer la volonté de mon pays de s'associer à tous les efforts de la Communauté Internationale visant au maintien de la paix, de la sécurité internationale ainsi qu'au respect des Droits de l'Homme.

J'ai été sensible aux mots aimables que vous avez bien voulu adresser à mon endroit ainsi qu'à mon pays.

SON EXCELLENCE MONSIEUR
LEE SANG-OCK
MINISTRE DES AFFAIRES ETRANGERES

S E O U L

REPUBLIQUE DE COREE

.../...

0133

Je vous prie d'accepter les voeux les meilleurs qu'en retour, je forme pour le bonheur de votre Excellence ainsi que pour la prospérité du vaillant peuple de la République de Corée.

Je vous prie d'agréer, Monsieur le Ministre, l'assurance de ma haute considération.

0134

2. 유엔 사무국

0135

관리번호	91-189

외 무 부

종 별 :

번 호 : UNW-0204 일 시 : 91 0128 1400

수 신 : 장관 (국연,기정)

발 신 : 주 유엔대사

제 목 : SPIERS 유엔사무차장 방한

대:WUN-0111

1. 금 1.28. 표제인 보좌관 DEN 은 권참사관에게 표제인이 91.3.31-4.4. 간방한에 동의하였으며, 금번 방한 및 방일 계기에 북한은 방문치 않기로 하였다함.

2. 동 보좌관은 또한 최근 북한 대표부측과 판문점 경유 평양방문 문제를 협의하였던바, 북한측은 SPIERS 사무차장 방한기간은 한국에서 팀스피리트 훈련이 진행중인 기간이므로 판문점 경유 방북에는 신중을 기해야 한다는 취지로 말하면서 동 경로 방북에 부정적인 반응을 보였다함. 북한측은 그러나 2 월 중순 남. 북한간 고위회담에서 큰 진전이 있어 남. 북한 관계가 개선이 될경우에는 판문점을 통한 방북이 가능할지도 모른다고 시사했다함.

3.DEN 보좌관은 사무차장 방한시 기자회견은 선호하지 않는다고 언급하였음. 끝

(대사 현홍주-국장)

일반문서로 재분류(1991.12.31. 일반)

검 토 필 (1991. 6. 30.)

검 토 필 (1992. 6. 30.)

국기국 차관 1차보 청와대 안기부 장관 정무총 2차보

PAGE 1

91.01.29 07:23

외신 2과 통제관 BT

0136

관리번호	91-380

우(화)

외 무 부

종 별 :

번 호 : UNW-0364 일 시 : 91 0219 1650

수 신 : 장관(국연)

발 신 : 주 유엔 대사

제 목 : 이임예방

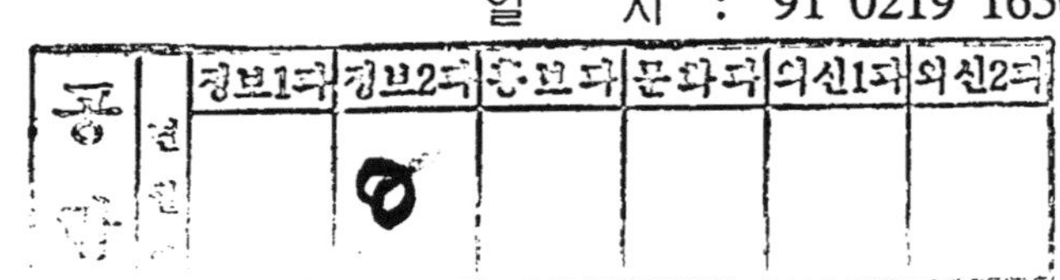

본직은 2.19 유엔총회담당 SPIERS 사무차장및 TYEMOUR 의전장을 이임 인사차 각기 예방하였는바, 주요사항 아래보고함.

1.SPIERS 사무차장

가. 동사무차장은 본직 재임기간중 한국의 유엔가입 문제가 상당한 진전이 있었다고 평가하고, 금년중 한국이 가입신청서를 제출하는경우 가입전망이 매우 밝다고 말함.

나. 동인은 중국에대하여 다른 회원국을 통한 꾸준한 설득노력이 계속 되어야 할것이라고 말하며 , 중국 태도도 작년가 같지는 않을것으로 본다고함.

다. 동인은 안보리 비상임이사국중 콜롬비아가 에쿠아돌로 교체된것은 한국입장에서 볼때 유리하게 된 것으로 평가하며, 인도와 예멘도 한국과 국교가있는 나라들이므로 궁극적으로 반대는 할수없을것이며, 쿠바와 짐바브웨만이 문제가 될것으로 본다고 말함.

라. 또한 동인이 북한이 최근 남북한 총리회담을 취소한 이유를 문의한데 대하여, 본직은 북한은 언제나 남북한 대화를 대남교란의 한 수단으로 취급하여 왔는바, 이번 취소결정을 보면 북한이 아직도 진정한 대화를 하려는 의도가 없음을 증명하는것이며, 아측으로서는 남북한 대화를 유엔가입을 위한 대북 설득기회로 해 왔는데, 이렇게되면 북한이 대화기회마저 거부한것이므로 아측의 유엔 선가입 신청은 더욱 설득력이 생긴 것으로 본다고 설명함.

마. 한편 동인은 한국정부의 3.31-4.3. 간 방한 초청에 사의를 표하고, 일정중 유엔협회에서의 강연은 좋은 아이디어라고 생각하며, 어떤 수준에서 공개할것인지는 한국정부 판단에 따르겠다고 밝히고, 체한중 오랜 친구인 주한 그레그 미대사와의 면담을 희망하니 동 대사에게 자신의 방한 사실을 알려주면 좋겠다고함.

국기국 장관 차관 1차보 2차보 정문국 청와대 안기부

PAGE 1 91.02.20 07:54

외신 2과 통제관 BW

검 토 필 (1991. 6. 30.)

0137

2. TEYMOUR 의전장

가. TEYMOUR 의전장은 북한의 남북한 총리회담 취소배경을 질문하고, 이에대한 본직의 설명에 공감을 표시함.

나. 본직은 후임 노 대사에 대하여도 본직과 마찬가지로 협조와 우의를 표해 줄것을 당부하였는바, 동 의전장은 노 대사 부임시 가장 빠른 시일내에 사무총장과의 면담이 이루어지도록 주선하겠다고 약속함. 끝

(대사 현홍주-국장)

관리번호	91 -430

원 본

외 무 부

종 별 :

번 호 : UNW-0379 일 시 : 91 0219 1950

수 신 : 장관(국연,동구이)

발 신 : 주 유엔 대사

제 목 : 체코대사 주최 오찬

1. 본직은 금 2.19 EDWARD KUKAN 주유엔 체코대사가 본직 환송을 위해 주최한 오찬에 참석한 기회에 아국의 금년도 유엔가입 추진계획및 북한의 남.북대화거부 배경등을 설명하였는바, 이에대해 SAFRONCHUK 안보리담당 유엔 사무차장은 아래와같이 언급함.

가. 한국의 가입신청 제출시 한국으로서는 안보리의사규칙이 정한 절차와 제출시한을 엄수함으로서 절차상 문제로 구실을 잡히지 않도록 각별히 유의할 필요가 있다고 봄.가입신청이 일단 접수되면 안보리로서는 이의 처리를 의사규칙이정한대로 가부 결정을 내려야되며 뚜렷한 이유없이 연기하기가 어렵게될것임.

나. 북한이 일방적으로 제 4 차 남북총리회담을 취소한 중요한 이유의 하나는 회담개최시 한국이 년내 유엔가입 추진입장을 명백히 할것을 예상, 이를 피하고자 하는데 있다고 봄.

2.SAFRONCHUK 사무차장은 이어 본직에게 방한 초청에대해 재차 사의를 표하면서 자신이 임기가 오는 91.11 월말까지인바, 현재로서는 임기중 방한할수 있게되길 희망하나 유엔내 여건을 좀더두고 보아야겠다고 말함. 끝

(대사 현홍주-국장)

예고:91.12.31. 일반

검토필(1991.6.30.)

국기국	장관	차관	1차보	2차보	구주국	청와대	안기부

PAGE 1

91.02.20 10:44

외신 2과 통제관 BW

0133

관리 번호	91 -459

원 본

외 무 부

종 별 :

번 호 : UNW-0396 일 시 : 91 0221 1230

수 신 : 장관 (국연,동구일,기정)

발 신 : 주 유엔 대사

제 목 : SAFRONCHUK 안보리담당 유엔사무차장 면담

1. 금 2.21. 본직은 이임인사차 표제인사를 예방함. 본직은 그간 동인이 아국 가입문제, 안보리내 동향등에 관하여 긴밀히 협조하여 준데 대하여 사의를 표명한바, 동 차장은 아국 가입문제가 그간 크게 활성화 되었으며 지지분위기가 확연하게 된점을 치하한다고 하였음.

2. 이어서 동 차장은 현단계에서 중국의 태도가 상금 불분명하나 여러가지 상황으로 보아 중국이 긍정적인 쪽으로 기울어져 가고있는 느낌이고, 소련도 단순한 기권이 아니라 적극적인 찬성 입장을 취할것으로 본다고 말하였음. 북한도 이러한 상황을 인식, 결국은 자신의 태도를 변화해 나갈것으로 보이나 당분간은 체면을 살린 방안 강구에 부심할것으로 보인다 함. 동인은 금년중 아국 가입 실현을 기대한다고 함.

3. 본직은 소련의 적극적인 의사표명이 중요하다고 말하고 소련의 태도는 중국의 태도에 큰 영향을 미칠것이라고 언급하고 계속적인 협조를 요망하였음. 동차장은 방한초청에 사의를 표하고 유엔 재입기간중에는 사실상 어려우나 기회가 나는대로 우선적으로 방문하고 싶은곳이 한국이라고 하였음. 끝

(대사 현홍주-국장)

예고: 91.12.31. 일반 (예고문에 의거 일반문서로 재분류됨)

검토필(1991.6.30.)

국기국 장관 차관 1차보 2차보 구주국 청와대 안기부

PAGE 1

91.02.22 06:06

외신 2과 통제관 CE

0140

관리 번호	91 -469

원 본

외 무 부

종 별 :

번 호 : UNW-0400 일 시 : 91 0221 1700

수 신 : 장관(국연,정이,중동,기정)

발 신 : 주 유엔 대사

제 목 : 이임예방

1. 본직은 2.21. 이임인사차 케야르 유엔사무총장을 예방함.

2. 동 사무총장은 특히 북한이 남북총리회담을 취소한데 대하여 유감을 표명하고 요즈음은 북한측이 비교적 조용한것 같다고 평함.

3. 이에 본직은 북한의 최근 움직임.아국의 유엔가입 문제에 대한 소련과 중국의 태도변화 가능성 및 금년중 유엔가입을 실현시키려는 아국의 입장등을 설명하고, 그동안 동인의 협조에 사의를표하고 후임 노대사에게도 같은 지원을 아끼지 말아줄것을 당부함.

4. 한편 동 사무총장은 이라크 후세인 대통령의 금일 라디오 성명에 관한 보고를 받았으나, 실망스러운 내용으로서 다대한 인명피해를 초래할 지상전이 곧있을것을 우려함. 끝

(대사 현홍주-국장)

예고:91.12.31. 일반

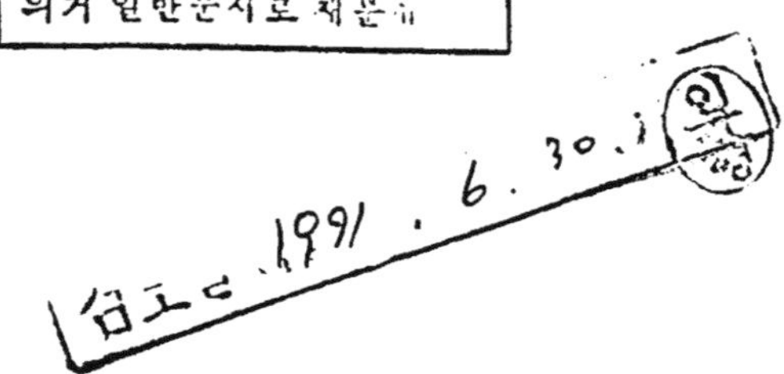

국기국 중아국 정문국 청와대 안기부

0141

PAGE 1

91.02.22 07:46

외신 2과 통제관 FE

외 무 부

종 별 :

번 호 : UNW-0399 　　　　 일 시 : 91 0221 1700

수 신 : 장관(국연,미북,구동,정이,기정)

발 신 : 주 유엔 대사

제 목 : 이임행사

주 주 국	담 당	과 장	심의관	국 장

본직은 이임을 앞두고 2.20 관저에서 만찬을 주재 하였는바, 유엔총회의장 DE MARCO 몰타 부총리겸 외무장관, VORONTSOV 소련대사, LASSO 에쿠아돌대사, BAGBENI 자이르대사, AMRE MOUSSA 에집트대사, TORNUDD 핀랜드대사, PAWLAK 폴란드대사, JAYA 부루나이대사, O'BRIEN 뉴질랜드대사, AKASHI 군축담당사무차장, SVEIGNY 공보담당 사무차장이 부부동반 참석하였는바, 주요언급사항 아래보고함.

1.VORONTSOV 소련대사

0. 아지즈 이라크 외상이 소련을 곧 방문할 것으로 보도 되었는데 , 그내용이 무엇인지는 아직 알려지지 않고있음. 안보리는 이라크 회신을 기다려 20,21 양일은 열리지 않을것이나, 22 일에는 이라크회신 내용과 소련의 검토 결과에 따라 소집요청 가능성이큼.

0. 소련으로서는 한국의 유엔가입 문제와관련, 금년중 한국이 가입신청을 할것이라는 예상하에 이 문제를 다룰 준비를 하고있음.

0. 남북총리회담이 북에 의하여 취소된 것은 매우 유감스러운 일이며, 남북대화가 다시 재개 되기를 희망함.

0. 주미 소련대사에 대하여는 아직 인선이 되지않고 있는데, 현재 거론되고있는 인사로는 군축협상 소련측 대표를 역임한 외무차관 BELONOGOV 와 자신인것 으로 아나 이것은 추측일뿐이며, 현재 인선이 지연되고 있는 이유는 세바르드나제 같은 정치인으로 새 대사를 임명할것인지 또는 직업외교관으로 임명할것인지를 고르바쵸프 대통령이 아직 결단을 못내리고 있기때문인것으로 알고있음.

2.DE MARCO 총회의장

0. 지난 총회 일반토의를 종결하면서 자신이 총회의장 보고서에서 밝혔듯이 한국가입 지지분위기가 압도적이며, 따라서 금년 자신의 임기중 한국가입이

국기국 장관 차관 1차보 2차보 미주국 구주국 정문국 청와대
안기부

91.02.22 07:51

외신 2과 통제관 FE

0142

이루어지길 진심으로 희망함.

0. 전기침 중국외상이 3.8. 몰타를 방문하게 되어있는데, 중국이 현재 이씨각국과의 관계를 강화하기 위한 노력을 경주하고 있으므로 이씨의 태도가 중국에 적지않은 영향을 줄것으로 생각함.

3.BAGBENI 자이르(안보리 비상임이사국)대사

0. 지난번 방한시 한국정부의 환대를 아직도 잘 기억하고 있으며, 본직 재임중 가입실현을 보지못해 유감이나, 분위기가 매우 성숙해 있으므로 좋은 결말이 날것으로 기대함.

4.LASSO 에쿠아돌(안보리 비상임이사국)대사

0. 에쿠아돌은 한국과의 우호관계를 매우 중시하고 있으며 유엔에서 한국의유엔가입 노력을 지지할것임.금년중 좋은 결과가 나오기 바람. 끝

(대사 현홍주-국장)

예고:91.12.31. 일반

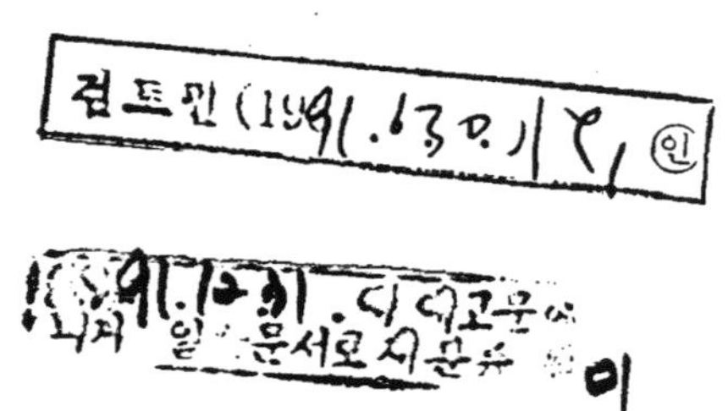

PAGE 2

0143

관리번호	91-238

원 본

외 무 부

종 별 :

번 호 : UNW-0575　　　일 시 : 91 0314 1130

수 신 : 장관(국연)

발 신 : 주 유엔 대사

제 목 : 유엔사무총장 예방 일정

1. 노대사의 유엔사무총장 예방일정이 3.18(월) 16:30 로 예정되었음.

2. 상기관련 본부지시사항 있으면 회보바람. 끝

(대사대리 신기복-국장)

예고:91.12.31. 일반

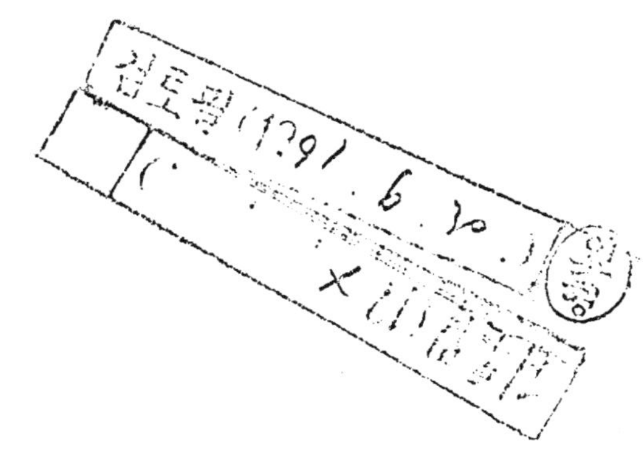

국기국　장관　차관　1차보　2차보

PAGE 1

91.03.15 05:06

외신 2과 통제관 CF

0144

관리 번호	91-997

외 무 부

종 별 :

번 호 : UNW-0575 일 시 : 91 0314 1130

수 신 : 장관(국연)

발 신 : 주 유엔 대사

제 목 : 유엔사무총장 예방 일정

1. 노대사의 유엔사무총장 예방일정이 3.18(월) 16:30 로 예정되었음.

2. 상기관련 본부지시사항 있으면 회보바람. 끝

(대사대리 신기복-국장)

예고:91.12.31. 일반

검토필(1991.6.30.)

국기국 장관 차관 1차보 2차보

PAGE 1

91.03.15 05:06

외신 2과 통제관 CF

0145

관리 번호	91 -768

	분류번호	보존기간

발 신 전 보

번 호 : WUN-0533 910315 1845 FD 종별 :

수 신 : 주 유엔 대사. 총영사

발 신 : 장 관 (국연)

제 목 : 유엔사무총장 예방

대 : UNW-0575

연 : WUN-0518

1. 대호 귀직의 유엔사무총장 면담시 하기 사항을 중심으로 설명바라며, 동 면담후 결과 보고바람.

가. 유엔가입 문제에 관한 기본입장 설명

- 우리는 남.북한이 국제사회의 축복속에서 통일전 잠정조치로서 함께 유엔에 가입하기를 희망함.
- 작년이후 남북고위급회담등 가능한 모든 대화통로를 통해 북한 설득을 하였으나, 북한은 단일의석안을 계속 고집하면서 최근에는 우리의 가입노력을 극력 비난하는등 태도변화 가능성을 보이지 않고 있음.
- 우리로서는 앞으로도 가능한 북한에 대한 설득노력을 계속할 것이나, 북한이 가입을 원치 않거나 가입 준비가 되어있지 않다면 북한의 가입을 환영하는 전제하에 금년중 우리의 가입 실현을 위한 구체적 조치를 취하고자 함.
- 우리의 판단으로는 우리가 가입하면 곧 바로 북한도 유엔에 가입을 신청할 것으로 봄.

/ 계속 /

보안 통제	

앙 고 재	91년 3월 15일	유엔과	기안자 성명		과 장		국 장	1차보	차 관	장 관

외신과통제

0146

나. 상기 기본입장 설명시 우리의 유엔가입 문제에 대한 중.소의 최근 태도도 부연설명

- 소련은 한.소 수교이후 유엔의 보편성원칙에 대한 지지입장을 재확인하면서 우리의 가입희망에 대한 이해를 표명하고 있음.
- 중국은 유엔가입 문제를 남북한간 협의에 의해 해결하기를 희망하고 있으나 북한의 단일의석 가입안은 비현실적이라고 인정하고 있는 것으로 파악되고 있음.
- 우리는 이러한 중국의 태도가 남북한의 유엔가입 문제에 대한 국제적 분위기, 유엔의 보편성원칙, 새롭게 고양되고 있는 유엔의 역할등을 감안한 새로운 현실적 접근을 시사하는 것으로 깊은 관심을 가지고 지켜보고 있음.
- 또한 남북한의 유엔동시가입은 중국 이해에도 일치하며, 따라서 이에 반대할 명분이 ~~없다는 것이 우리의 평가임~~.

다. 사무총장의 적극적 협조 요청

- 냉전의 마지막 유산인 한반도문제 해결을 위하여 사무총장의 지속적인 관심 요청
  - 가능한 대북한 설득 협조요청

2. 또한 동 면담시 본직이 4월말 ~~뉴욕에 도착, 5.1(수) 귀지에서~~ 사무총장과의 면담을 희망하고 있음을 전달~~하고 면담이 이루어 지도록 각별 요청하고 그 결과 보고~~바랍. 끝.

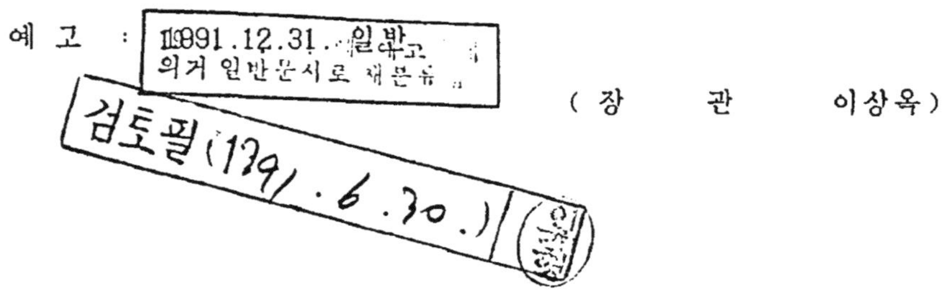
예 고 : 1991.12.31. 일반고 의거 일반문서로 재분류

검토필(1991.6.30.)

(장 관 이상옥)

0147

관리 번호	91-826

원 본

외 무 부

종 별 :

번 호 : UNW-0606 일 시 : 91 0318 2000

수 신 : 장관(국연,미북,기정)

발 신 : 주 유엔 대사

제 목 : 유엔사무총장 예방

대:WUN-0575

1. 본직은 3.18(16:30-16:50) JAVIER PEREZ DE CUELLAR 유엔사무총장을 예방, 임명장을 제정하였음.(오윤경공사, POMES 총장 보좌관 배석)

2. 본직은 먼저 노대통령각하의 문안인사를 전하고, ESCAP 서울총회등에 고위직 유엔간부들을 방한케 해준데 대하여 사의를 표명하였음. 이어 본직은 대호 취지에 따라 유엔가입문제에 관한 아국의 기본입장 및 방침과 북한및 중국과 소련의 최근 태도를 설명하고, 대중국 및 북한 설득을 위한 사무총장의 적극적인 협조를 요청하였음.

3. 이에대하여 사무총장은 지난번 노대통령의 유엔 방문시 만나뵈어 반가웠으며, 한번 더 오셔서 연설할 기회가 있으시면 좋겠다고 말하고, 자기도 한국에 한번 더 가보고 싶지만 다른 일정으로 대신 유엔서열 제 2 위인 BLANCA 처장등을보내게 되어 기쁘다고 밝히고, 유엔가입 문제에 대하여는 유엔사무총장으로서나 개인적으로 남북한의 동시가입 또는 한국의 단독 선가입을 모두 환영하며, 이를 위하여 최선을 다하여 협조하겠다고 말하였음. 사무총장은 한국문제에 대하여는 그동안 10 여년 이상 각별한 관심을 가지고 지켜보아 왔으며, 한국의 가입을 위하여 중국입장을 타진하고, 한국의 가입이 실현되도록 설득하겠으며, 북한에 대하여도 기회가있으면 설득 노력을 아끼지 않겠다고 말하고 , 관련 진전상황을 수시로 알려달라고 하였음. 덧붙여 이전에는 북한대사가 수시로 자기를 찾아왔는데, 최근 수개월간은 전혀 만난바 없다고 하였음.

4. 본직은 장관님이 4 월말 또는 5 월초 유엔 방문할 예정임을 알리고 , 그기회에 총장과의 면담을 희망한바, 총장도 장관님과의 면담을 기대한다고 말하였음.(4.10-24 간은 해외출장 예정이라함.)

국기국	장관	차관	1차보	2차보	미주국	청와대	안기부

91.03.19 10:40

외신 2과 통제관 BW

5. 본직은 상기 사무총장 예방에 앞서 TEYMOUR 유엔 의전장을 예방(16:00-16:30)

, 임명장 사본을 제출하였음. 끝

(대사 노창희-장관)

예고:91.12.31. 일반

의거 일반문서로 재분류됨

검토필(1991. 6. 30.)

PAGE 2

0149

사무총장면담

이

主要 外交安保狀況 要約報告

91.3.19
外交安保(外交)

o 노창희 駐유엔大使, 꾸에야르 유엔事務總長 面談(3.18)

- 노창희大使, 閣下의 問安人事 傳達 및 우리의 유엔加入 關聯 事務總長의 積極的 協調 要請

- 事務總長 言及要旨

. 88年 閣下의 유엔訪問時, 閣下를 만나뵈어 반가왔으며, 再次 유엔訪問 및 演說機會 있으시기를 希望

. 南北韓 同時加入 또는 韓國의 先加入 어느쪽도 歡迎하며 이를 위해 最善의 協調 다짐

. 韓國加入 實現위해 中國 및 北韓 說得努力 約束

0150

26

관리번호	91-718

외 무 부

종 별 :

번 호 : UNW-0627 일 시 : 91 0320 1800

수 신 : 장관(국연,정이,아이,기정)

발 신 : 주 유엔 대사

제 목 : 정치및 총회담당 사무차장 예방

1. 본직은 3.20 R.SPIERS 유엔정치 및 총회담당 사무차장을 부임인사차 예방(오윤경공사, H.DEN 차장 보좌관 배석), 유엔가입문제에 관한 아국입장 및 중국의 태도 , 남북한 대화 현황등을 설명하고, 동인의 계속적인 지지와 협조를 당부함.

2. 동 사무차장은 한국의 유엔가입 문제에는 중국이 관건(KEY) 이며, 아직까지 구체적인 입장을 밝히지 않고있어 문제이나, 중국은 유엔 신참국으로서 그동안 유엔내에서 비교적 나서지 않는 입장(NON-ASSERTIVE POSITION) 을 취해 왔으며, 특히 이번 걸프사태 처리에서도 보듯이 기권 할 망정 반대하지는 않는등 국제분위기에 역행하는 조치는 하지않아 온 점등을 지적, 한국의 금년도 유엔가입 전망을 낙관적으로 본다 (A STRONG FEELING) 고 말함. 동인은 북한이 실현가능성(WORKABLITY) 도 없는 안을 고집, 융통성을 보이지 않고 있음을 개탄하고, 한국의 유엔가입이 실현될수 있도록 최선을 다해 협조하겠다고 다짐함. 끝

(대사 노창희-국장)

일반문서로 재분류(1991.12.31. 일반 .)

검 토 필 (1991 . 6 . 30 .)

검 토 필 (1992 . 6 . 30 .)

국기국 차관 1차보 아주국 정문국 청와대 안기부

PAGE 1 91.03.21 09:16

외신 2과 통제관 BW

0151

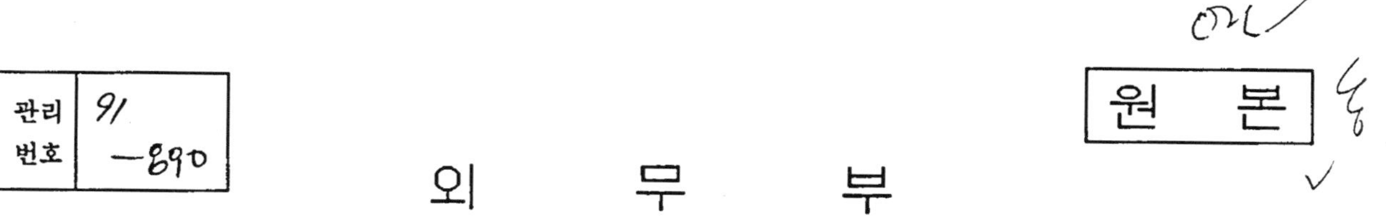

관리번호 91-890

원 본

외 무 부

종 별 :

번 호 : UNW-0636 일 시 : 91 0321 0700

수 신 : 장관 (국연,중동일,기정)

발 신 : 주 유엔 대사

제 목 : SAFRONCHUK 안보리담당 사무차장 면담

본직은 3.20. 신임인사차 표제 인사를 예방 약 40 분간 면담한바 주요 내용아래 보고함. (서참사관 배석)

1. 동인은 걸프사태 관련 한국이 안보리 제 결의이행에 적극 호응하여 물자,장비 지원등을 포함 정치적, 재정적으로 적극 기여한데 대해 사의를 표명함.

2. 유엔가입문제 관련 본직이 연내 가입추진 방침을 설명하고 계속 적극 협조를 당부한데 대해 동인은 이를 잘알고 있다고 하고 적극 협조의사를 표명함. 동인은 이어 개인적인 의견임을 전제, 현재 안보이사회는 걸프전 종전조치 문제로 인하여 의사일정이 불가측한 상황인바 (UNPREDICTABLY SEIZED) 이락 내부사태로 인하여 다소 불확실한 요인은 있으나 대체로 금년 상반기 까지는 동 처리가 마무리 될것으로 전망하며 7-8 월 경 한국이 가입을 신청하면 안보리로서는 이를다루는데 절차적, 기술적 측면에서 아무런 문제가 없다고 본다함.

3. 동인은 안보리 비상임이사국의 태도 및 지지확보 노력과 관련, CUBA 는 북한과의 관계로 보아 기권 이상 기대하기는 불가능할것이며, 예멘과 짐바붸에 대하여는 수도에서의 교섭등 적극접촉이 필요할것이라고 말하였음.

4. 본직은 중국의 불확실한 태도에 비추어 소련의 확고한 지지표명이 중국의 태도를 호전시키는데 결정적인 영향을 미칠것 이라는점을 강조한바 동인은 이에 동감을 표하였음.

5. 본직은 동인의 연내 방한을 재차 권유한바 북한과의 균형상 한국만을 방문하는데 어려움이 있음을 시사하면서 적절한 명분을 갖출수 있으면 방한을 고려해 보겠다 하였음. 끝

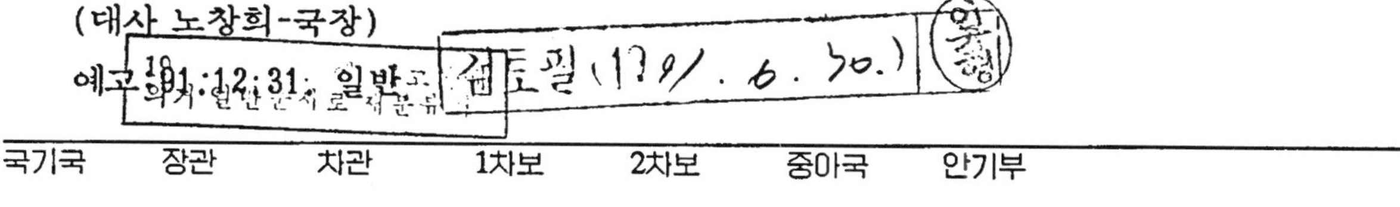

(대사 노창희-국장)

예고: 91.12.31. 일반

일반문서로 재분류 검토필(1991.6.30.)

국기국 장관 차관 1차보 2차보 중아국 안기부

PAGE 1

91.03.22 01:40

외신 2과 통제관 CA

0152

관리번호 91-903

원 본

외 무 부

종 별 :

번 호 : UNW-0639　　　　일 시 : 91 0321 1800

수 신 : 장관(국연)

발 신 : 주 유엔 대사

제 목 : 유엔 법률담당차장 면담

1. 본직은 3.21. FLEISCHAUER 유엔법률담당차장 (서독국적)을 부임인사차 예방, 유엔가입문제에 관한 아국입장을 설명하고 중국설득을 위한 동 차장의 측면 지원을 요청함. 또한 가입추진에 따른 제반법적 문제에 대해서도 협조를 요청함.

2. 이에대해 동차장은 동서독이 함께 유엔에 가입할때에도 소련의 반대로 인해 어려움이 많았으므로 아국의 옵서버 지위로 인한 제약및 좌절감을 잘 이해한다고 하고 UNIVERSALITY 에 따라 아국입장을 지지하며 유엔가입이 조속히 실현되기를 희망하였음. 동 차장은 또한 아국의 법률문제 자문 요청에 적극 협조할것을 다짐함. 끝

(대사 노창희-국장)

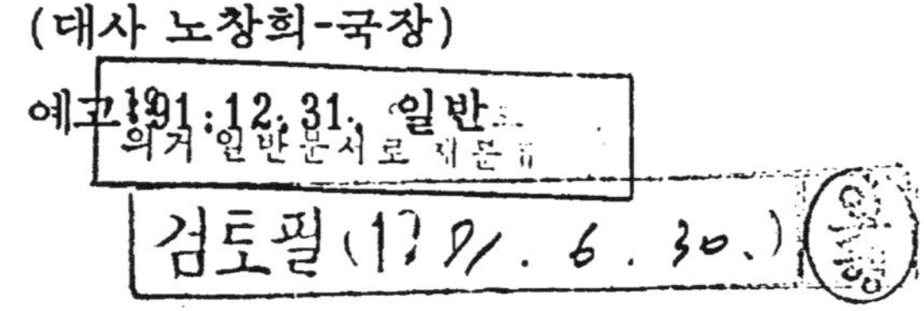
예고:91.12.31. 일반
의거 일반문서로 재분류
검토필(1991. 6. 30.)

국기국　차관　1차보　2차보　청와대　안기부

PAGE 1　　　91.03.22　09:40

외신 2과　통제관 BW

0153

원 본

외 무 부

종 별 :

번 호 : POW-0196 일 시 : 91 0326 1900

수 신 : 장 관(국연,정홍,미안,구이)

발 신 : 주 폴투갈 대사대리

제 목 : 유엔사무총장 동정 관련 보도

1.당지 3.26자 유력지 D/N 지는 14면 국제란단신에서 - CUELLAR, 남북한 방문가능성- 제하, 남북한의 유엔가입을 권장키위해 COELLAR 유엔사무총장의 남북한을 동시 방문할가능성이 있다고 보도함. 또 유엔군 정전위대표도 황원탁장군이 임명된 사실도 보도함

2.동일자 타 유력 PUBLICO 지는 11면 국제란에서-한국 유권자 관심저조-제하, 한국 지방자치 선거전망에 대해 보도하면서, 아울러 서울의 한일간지가 유엔사무총장이 금명간 남북한 방문을 계획하고 있는것으로 보도했다고 인용 보도함.끝

(대사대리 주철기-국장)

국기국 1차보 미주국 구주국 정문국 안기부

PAGE 1 91.03.27 09:47 WG

외신 1과 통제관

0154

관리 번호	91 -974

원 본

외 무 부

종 별 : 지 급

번 호 : JAW-1801 일 시 : 91 0327 1624

수 신 : 장관(국연,아일), 사본:주유엔대사(JAUS-04)-중계필

발 신 : 주 일 대사(일정)

제 목 : 유엔 사무차장 접촉

1. 본직은 금 3.27(수) 08:00 부터 약 1 시간 당지 오쿠라 호텔에서 방일중인 SPIERS 유엔 사무차장과 조찬을 가진바, 아국의 유엔가입과 관련, 동 차장이 언급한 요지를 다음 보고함.(동인은 본직의 주파키스탄 대사 재임시 부터 친교가있으며, 아국의 대파키스탄 수교에 적극 협조해준 친한인사임)

0 한국의 유엔가입은 북한과 동시가입이 바람직 하나, 사정이 여의치 않을 경우에는 한국의 단독가입 신청을 지지함.

0 그간 유엔에서 중국대사와 자주만나 한국의 가입문제에 대한 중국측 입장을 타진해 보았으나, 상금 입장을 안밝히고 있음. 작 3.26. 일 외무성과도 접촉한바, 일측도 중국이 한국의 유엔가입 문제에 대해 상금 입장을 안밝히고 있는 것으로 보고 있으며, 다만 그간의 북한지지 일변도에서 태도의 변화가 있는것으로 감지하고 있는듯함.

0 동인의 사견으로는 중국이 결국 마지막 순간에 가서야 태도를 보이는 것이 아닌가 생각됨.

0 유엔에서 쏘련대사와도 늘 접촉하고 있는바, 쏘측은 한국의 유엔가입을 지지할 것으로 감촉됨.

0 유엔에서 북한대표부 대사와도 접촉한바 있고 외무부 부부장과도 만나보았는데, 북한측은 종전입장을 고수하면서, 남. 북한 유엔가입이 분단을 영구화 시킨다는등 이치에 맞지않는 논리를 강변하고 있음.

0 주유엔 북한대사는 대단히 평소 강경한 입장인바, 유엔내의 한국지지 분위기가 북한에 대한 비판적 여론은 동 대사도 모를리가 없으며, 이를 북한에 보고도 할텐데 북한정부에 대한 동대사의 영향력은 별로 크지 않은듯한 인상임.

0 동인은 국제공무원이라는 입장은 있으나, 한국의 유엔가입 실현을 위해 계속

국기국 장관 차관 1차보 아주국 청와대 안기부

PAGE 1

91.03.27 17:41

외신 2과 통제관 BN

0155

적극 노력해 나갈 작정임.

2. 한편, 동 차장은 자신의 장래문제와 관련, 금년말 유엔 사무총장이 교체될 가능성이 크다고 밝히고, 자신의 사무차장직은 미대통령이 추천하였으나, 어디까지나 유엔사무총장이 임명하게 되어 있으므로 앞으로 누가 신임 유엔 사무총장이 되느냐에 따라 계속 차장으로 남을지 또는 현 사무총장과 함께 퇴진하게 할지는 아직 불명하다고 말하였음. 끝.

(대사 오재희-장관)

예고:원본접수처:91.12.31. 일반

19 . . . 에 예고문에

사본접수처:91.6.30. 파기

검토필(1991.6.30.)

PAGE 2

0156

관리번호	91-2431

원 본

외 무 부

종 별 :

번 호 : UNW-0914 일 시 : 91 0415 2130

수 신 : 장관(국연,서구1,기정)사본-신기복대사

발 신 : 주 유엔 대사

제 목 : 총회의장 예방

1. 본직은 4.15 DE MARCO 총회의장을 예방, 작년 총회기조연설 종료시 아국가입에 대한 국제적 지지를 언급하고 전기침 중국외상 몰타방문시 아측입장을 전달해준데 대해 감사를 표시한후 아국의 가입에 대한 계속적인 협조를 요청하고 특히 중국, 북한대사들에게 이문제를 원만히 해결할수 있도록 촉구할것을 부탁함.

2. 동의장은 작년 총회시 언급한대로 아국가입을 위한 국제적 분위기가 무르익었다고 보고있으며 개인적으로도 한국의 가입을 희망한다고 하고 자신은 5.25-28 간 북경방문후 5.29 평양방문예정이라고 하면서 동 방문중 아국의 유엔가입문제를 거론할예정이며 북한의 주장이 근거없고 비현실적인점, 동시가입이 오히려 남북관계개선에 도움이 될것임을 설명하고 아국단독가입에 대한 국제적 지지를 강조한후 동시가입을 권고하겠다고 말함.

3. 이에대해 본직이 사의를 표시하고 북경및 평양방문 전후에 서울방문을 권고한데 대해 동의장은 방한초청을 이미 받고있으며 그러한 호의에 감사한다고 한후 지난 4.13(토) 로마에서 북한방문관련 로마주재 북한대사관저에서 만찬에 참석하였을때 동 대사에게 평양방문후 판문점을 경유 서울로 갈수 있는지를 문의하였으며, 북한대사는 본국조회후 이에대한 회답을 주겠다고 하였다함. 동 의장은 현재 자신의 일정이 바쁘기 때문에 방한문제는 북한의 회답을 들은후에 결정하겠다고 하였음.

4. 동의장은 금일 뉴욕에 도착하였으며, 명일 뉴욕을 떠나 4.29 속개회의에맞추어 뉴욕에 귀환 예정이며 속개회의 기간중 북한측의 회답을 들은후 방한여부를 결정예정이라고 함. 끝

(대사 노창희-국장)

예고:91.12.31. 일반

검토필(91.6.30)

국기국	장관	차관	1차보	2차보	구주국	청와대	안기부

PAGE 1

91.04.16 11:17

외신 2과 통제관 FE

0157

기 안 용 지

분류기호 문서번호	국연 2031 -	(전화 :)	시 행 상 특별취급	
보존기간	영구 · 준영구. 10. 5. 3. 1	차 관	장 관	
수 신 처 보존기간				
시행일자	1991. 4. 9.			

보조기관			협조기관		
	국 장			제 1차관보	문서통제
	과 장				
기안책임자		황준국			발 송 인

경 유 수 신 참 조	내부결재	발신명의		
제 목	유엔사무총장앞 장관친서(안)			

유엔가입추진 관련 아국 정부입장을 밝히는 메모랜덤이 4.8(월) 안보리문서로 배포된 것과 병행하여, 유엔사무총장에게 동 아국입장을 설명하고 적극적인 지원을 당부하는 장관님명의 친서를 발송하고자 하는 바, 동 친서안을 별첩하오니 재가하여 주시기 바랍니다.

첨 부 : 유엔사무총장앞 장관 친서(안). 끝.

예고 : 91.12.31. 일반 (예고문에 의거 재분류)

검토필(1991.6.30)

0158

유엔사무총장앞 장관서한(안)

Excellency,

I wish to extend my warmest personal greetings to Your Excellency and also to pay a high tribute for your great dedication to advance the interests of the human community at this important time when the United Nations increasingly assumes vital responsibilities for world peace and prosperity.

I would also like to express my heartfelt gratitude to Your Excellency for your deep understanding of our sincere endeavor to join the United Nations.

In this connection, I have the honour to inform you that my Government has decided to seek United Nations membership during the course of this year. As Your Excellency may be well aware, a Memorandum of my Government which makes clear its position on this matter has been circulated as the Security Council document S/22455 dated 5 April 1991.

I am sure that Your Excellency can share my view that the Republic of Korea, as a peace-loving state willing and able to carry out all obligations set forth in the UN Charter, is fully qualified for membership in the United Nations. As a country which maintains almost universal diplomatic relations and as the world's twelfth largest trading nation, it is ready to make due contribution to the work of the United Nations as a full Member and in a manner commensurate with its standing in the international community.

In seeking United Nations membership, as was emphasized in the Memorandum, we earnestly hope that the Democratic People's Republic of Korea(DPRK) will also join the United Nations, either together with my country, or at the time they deem appropriate. We would always welcome DPRK's United Nations membership.

0159

Since we believe that United Nations membership will contribute to the process of Korean reconciliation and reunification, as well as enhance peace and security on the Korean peninsula, we have made every effort in good faith to join the United Nations together with the DPRK. To our disappointment, the DPRK has adhered to the 'single-seat membership' formula which is not only unworkable but runs counter to the provisions of the United Nations Charter.

My Government remains hopeful of realizing membership of both Koreas during the course of this year. However, if the DPRK continues to oppose this option and for any reason chooses not to join the United Nations, we think it is a legitimate exercise of our sovereignty to take steps to become a Member of this august world organization.

I firmly believe that, with your consequential influence in the UN in mind, your unreserved support for the principle of universality will be essential to the realization of our entry into the United Nations.

Looking forward to meeting with Your Excellency in New York this month, I wish Your Excellency good health and every success in discharging your important responsibilities.

Yours sincerely,

LEE Sang-Ock

H.E. Mr. Javier Perez de Cuellar
Secretary-General
of the United Nations

0160

MINISTER OF FOREIGN AFFAIRS
SEOUL, KOREA

9 April 1991

Excellency,

I wish to extend my warmest personal greetings to Your Excellency and also to pay a high tribute for your great dedication to advance the interests of the human community at this important time when the United Nations increasingly assumes vital responsibilities for world peace and prosperity.

I would also like to express my heartfelt gratitude to Your Excellency for your deep understanding of our sincere endeavor to join the United Nations.

In this connection, I have the honour to inform you that my Government has decided to seek United Nations membership during the course of this year. As Your Excellency may be well aware, a Memorandum of my Government which makes clear its position on this matter has been circulated as the Security Council document S/22455 dated 5 April 1991.

I am sure that Your Excellency can share my view that the Republic of Korea, as a peace-loving state willing and able to carry out all obligations set forth in the UN Charter, is fully qualified for membership in the United Nations. As a country which maintains almost universal diplomatic relations and as the world's twelfth largest trading nation, it is ready to make due contribution to the work of the United Nations as a full Member and in a manner commensurate with its standing in the international community.

H.E. Mr. Javier Perez de Cuellar
Secretary-General
of the United Nations

0161

In seeking United Nations membership, as was emphasized in the Memorandum, we earnestly hope that the Democratic People's Republic of Korea (DPRK) will also join the United Nations, either together with my country, or at the time they deem appropriate. We would always welcome DPRK's United Nations membership.

Since we believe that United Nations membership will contribute to the process of Korean reconciliation and reunification, as well as enhance peace and security on the Korean peninsula, we have made every effort in good faith to join the United Nations together with the DPRK. To our disappointment, the DPRK has adhered to the 'single-seat membership' formula which is not only unworkable but runs counter to the provisions of the United Nations Charter.

My Government remains hopeful of realizing membership of both Koreas during the course of this year. However, if the DPRK continues to oppose this option and for any reason chooses not to join the United Nations, we think it is a legitimate exercise of our sovereignty to take steps to become a Member of this august world organization.

I firmly believe that, with your consequential influence in the UN in mind, your unreserved support for the principle of universality will be essential to the realization of our entry into the United Nations.

Looking forward to meeting with Your Excellency in New York this month, I wish Your Excellency good health and every success in discharging your important responsibilities.

Yours sincerely,

LEE Sang-Ock

0162

관리 번호	91-2200

	분류번호	보존기간

발 신 전 보

WUN-0841 910410 1509 FL

번 호 : 종별 :

수 신 : 주 유엔 대사. 총영사

발 신 : 장 관 (국연)

제 목 : 유엔사무총장 앞 서한

아측 메모랜덤의 안보리문서 배포와 관련, 유엔사무총장의 지원을 당부하는 본직 서한을 금파편 송부하니 동 총장에게 조속 전달하고 결과 보고바람.

끝.

예고 : 1991. 12. 31. 일반.

(국제기구조약국장 문동석)

검토필(1991. 6. 30)

보안 통제	

앙 고 재	91년 4월 10일	유엔과	기안자 성명		과 장		국 장		차 관	장 관

외신과통제

0163

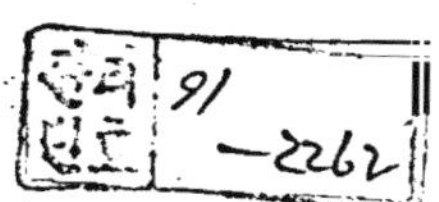

기 안 용 지

분류기호 문서번호	국연 2031-392	(전화 :)	시 행 상 특별취급	
보존기간	영구·준영구. 10. 5. 3. 1.	장		관
수 신 처 보존기간				
시행일자	1991. 4. 10.			

보조기관	국 장	전 결	협조기관		문 서 통 제
	과 장				1991. 4. 10
기안책임자	황 준 국				발 송 인

경 유 수 신 참 조	주유엔 대사	발신명의		1991. 4. 10
제 목	유엔사무총장 앞 서한			

연 : WUN-0841

연호 서한을 별첨 송부합니다.

첨 부 : 동 서한 원본 및 사본 1. 끝.

예 고 : 1991.12.31 일반.

재분류(1991. 6. 30)

0164

1505-25(2-1) 일(1)갑
85. 9. 9. 승인 "내가아낀 종이 한장 늘어나는 나라살림"
190㎜×268㎜ 인쇄용지 2급 60g/㎡
가 40-41 1989. 6. 8

관리번호	91-2463

원 본

외 무 부

종 별 :

번 호 : UNW-0939 일 시 : 91 0416 1930

수 신 : 장관(국연)

발 신 : 주 유엔 대사

제 목 : 유엔사무총장앞 서한

대:WUN-0841

1. 본직은 4.16 유엔사무총장 비서실장 DAYAL 사무차장을 면담(쿠에야르 총장은 유럽출장중), 대호 장관 서한을 수교하고, 쿠에야르 총장에게 전달하여 줄것을 요청하였음. 또한 장관님의 유엔방문 계획을 알리고 제반협조를 당부하였음.

2. 상기인은 쿠에야르 총장이 귀임하는대로 적의 보고하겠으며, 계속적인 협조를 다짐하였음. 끝

(대사 노창희-국장)

예고:91.12.31. 일반

검토필(1991.6.30)

국기국 장관

PAGE 1

91.04.17 09:58

외신 2과 통제관 BW

0165

관리 번호	91 —2033

분류번호	보존기간

발 신 전 보

번 호 : WBB-0203 910426 1654 CV 종별 :

수 신 : 주 벨기에 대사. ~~총영사~~ (사본 : 주유엔대사) UUN-1103

발 신 : 장 관 (국연)

제 목 : 유엔가입추진

1. 벨기에 WPI 통신의 4.24자 보도에 따르면 데꾸에야르 유엔사무총장이 최근 남북한의 유엔동시가입을 지지한다고 말하고 그러나 만약 북한이 한국과 동시에 유엔에 가입하기를 거부할 경우 한국의 개별가입 신청을 지지할 것이라고 선언했다고 함.

2. 또한 WPI 통신은 데꾸에야르 사무총장이 기자회견에서 국제평화와 인류의 복지에 기여해온 한국이 유엔의 회원국으로서 자신의 책임과 의무를 이행해야 하는것은 당연하다고 덧붙였다고 하는 바, 동 발언내용 상세를 확인, 보고바람. 끝.

예 고 : 91.12.31. 일반

검토필(1991.6.30.) (국제기구조약국장 대리 이봉구)

보 안 통 제	

앙 고 재	91년 4월 26일	과	기안자 성 명		과 장		국 장		차 관	장 관
							전결			

외신과통제

0166

공 란

공　　　란

공　　　란

공 란

공 란

공　　　란

공　　란

공 란

관리 번호 91-2178

외 무 부

종 별 : 지 급

번 호 : UNW-1988 일 시 : 91 0731 2200

수 신 : 장관(국연,기정)

발 신 : 주 유엔 대사

제 목 : 가입일정(북한동향)

1. 금 7.31 오후 4 시경 SAFRONCHUK 사무차장은 본직에게 전화, 금일 오후 북한 박길연대사가 자신을 찾아와 마이크로네시아 및 마샬군도가 45 차 총회중 가입을 희망하는 것으로 듣고있는바, 북한으로서는 가능하다면 이들국가와 같이 45 차 총회중 가입을 바란다고 하면서 협조를 요청하여 왔다고 알려왔음.

2. 본직은 이에대해 아국으로서는 유엔의 의사규칙, 관행등을 감안 46 차 총회개막일 가입을 추진하여 왔으며 이러한 대전제하에 안보리 및 총회에서 남북한 가입신청을 단일 결의로 실질토의나 표결없이 채택하는 방식으로 안보리 이사국, 사무국등과 합의내지 양해되어 있는 상태인바, 북한이 별도 단독가입을 희망하는 것이라면 모르겠으나 한국으로서는 45 차 총회가입은 생각하고 있지 않고 있다하고, 당초 가입일정에 따라 남북한이 46 차 총회개막일에 같이 가입토록 협조해 줄것을 당부하였음. 이에대해 동 사무차장도 동감임을 표시하면서 AYALA LASSO 대사와 협의가 예정되어 있는바 이문제도 협의해 보겠다 하면서 다시 연락하겠다 하였음.

3. 본건 경위등 관련 당관 서참사관으로 하여금 미국및 중국대표부와 접촉 파악토록한바는 아래와 같음.

0. 미대표부 RUSSEL 담당관

7.30 저녁 P-5 간 협의시 마이크로네시아 및 마샬군도의 45 차 총회가입 문제가 제기되었고 P-5 간에 긍정적인 분위기가 조성되었는바, 북한이 이를 중국으로부터 전해들은데 기인된 것으로 보이는바 미국으로서는 한국측 입장을 익히 알고있어 이에 적의 대처하고 있으며 만약 상기 2 개국이 45 차 총회에 가입하는 경우에도 남북한의 기존가입 일정에 전혀 차질이 없을 것임을 재확인 한다고함. 또한 이문제관련 중국측과도 긴밀히 협의하고 있다함.

0. 중국대표부 왕광아 참사관

국기국 장관 차관 1차보 2차보 외정실 분석관 청와대 안기부

PAGE 1

91.08.01 11:41

외신 2과 통제관 BN

0175

-한국이 원하지 않는 45 차 총회가입을 북한이 단독으로 추진하는 것은 바람직하지 않다고 보며 북한에 대해 이를 이해시킬 수 있을 것으로 본다고함.

4.SAFRONCHUCK 사무차장은 오후늦게 본직에게 재차 연락 AYALA LASSO 대사와 이 문제를 협의, 내일 동대사가 안보리 의장자격으로 직접 북한대사를 만나 동 희망 표시를 철회하도록 적극 설득하고 또한 마이크로네시아 및 마샬군도에 대하여도 불필요한 문제를 야기시키지 않도록 46 차 총회가입을권유할 것이라함. 또한 미국대사에게도 이에대한 협조를 구할 것이라함. 끝

(대사 노창희-장관)

일반문서로 재분류(19 .) 예고:91.12.31..일반

검토필(1992. 6. 30.)

PAGE 2

0176

3. 미수교국

0177

관리 번호	91-3278

	분류번호	보존기간

발 신 전 보

번 호 : WUN-1358 910515 1901 FO 종별 :

수 신 : 주 유엔 대사. ~~총영사~~

발 신 : 장 관 (국연)

제 목 : 유엔가입추진

1. 유엔가입 지지교섭과 관련, 하기 미수교국등에 대한 교섭은 귀지 대표부를 통하여 추진함이 바람직할 것으로 보이는 바, 관계관 접촉후 결과 보고바람.

~~o 아 주 : 아프가니스탄, 라오스, 베트남~~

o 구 주 : 싸이프러스

o 아.중동 : ~~[illegible]~~ 앙골라, 보츠와나, 적도기네, 기네, 모잠비크, 세이셸, 토고

2. 한편, 재외공관을 통하여 아측입장에 대한 지지여부를 파악하~~고 있으나,~~ 있는바 귀지에서도 접촉이 필요한 국가를 하기 통보하니 관계관 접촉~~후 결과 보고~~바람.

o 아 주 : 바누아투, 휘지, 사모아, 몰디브, 네팔, 부르나이

o 구 주 : 체코, 리히텐슈타인

o 아.중동 : 알제리, 카메룬, 예멘, 라이베리아, 콩고, 나미비아, 탄자니아, 우간다. 끝.

예 고 : 1991.12.31 일반 의거 일반문서로 재분류

(국제기구조약국장 문동석)

검 토 필 (1991.6.30.)

보안 통제	[signature]

앙 고 재	91년 5월 15일	유엔과	기안자 성명		과 장		국 장		차 관	장 관
			송영완		[signature]		[signature]			[signature]

외신과통제

0178

관리 번호	91-3393

	분류번호	보존기간

발 신 전 보

WUN-1401 910520 1446 FO

번 호 : 종별 :

수 신 : 주 유엔 대사. 총영사

발 신 : 장 관 (국연)

제 목 : 유엔가입추진

연 : WUN-1358

1. 연호, 라오스와 베트남대표부 관계관과 적절한 계기에 접촉, 유엔가입에 관한 아국입장을 설명~~하고 자지 교섭바람.~~ 바람.

2. 동 접촉시 북한 부주석 이종옥의 베트남(4.27-5.1), 라오스(5.2-7) 방문활동 내용에 대해서도 가급적 탐문 보고바람. 끝.

예 고 :

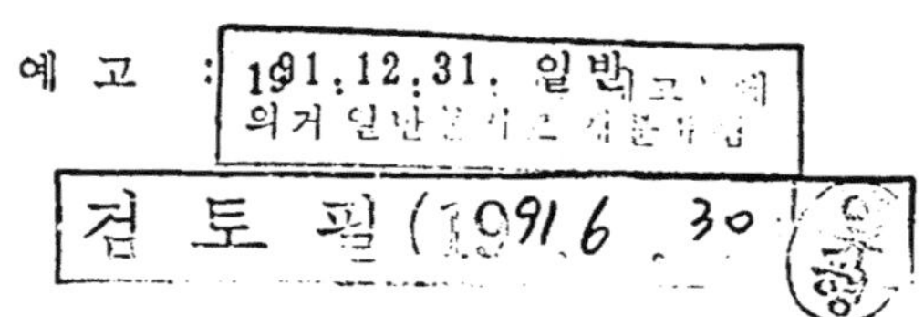
1991.12.31. 일반 의거 일반문서로 재분류됨

검 토 필(1991.6.30)

(국제기구조약국장 문동석)

보안 통제	(서명)

앙 고 재	91년 5월 20일	UN 과	기안자 성명		과 장		국 장		차 관	장 관
			(서명)		(서명)		전결			(서명)

외신과통제

0179

외교문서 비밀해제: 남북한 유엔 가입 5

남북한 유엔 가입 지지 교섭 4: ASEAN 및 유엔, 미수교국

초판인쇄 2024년 03월 15일
초판발행 2024년 03월 15일

지은이 한국학술정보(주)
펴낸이 채종준
펴낸곳 한국학술정보(주)
주 소 경기도 파주시 회동길 230(문발동)
전 화 031-908-3181(대표)
팩 스 031-908-3189
홈페이지 http://ebook.kstudy.com
E-mail 출판사업부 publish@kstudy.com
등 록 제일산-115호(2000. 6. 19)

ISBN 979-11-6983-948-8 94340
979-11-6983-945-7 94340 (set)

책에 대한 더 나은 생각, 끊임없는 고민, 독자를 생각하는 마음으로 보다 좋은 책을 만들어갑니다.